BABYFACE

D0589487

Gemeentelijke Bibliotheek
Beveren
Gedecentraliseerd
Bibliotheekwerk

FIONA GIBSON

Babyface

Oorspronkelijke titel: *Babyface*
Oorspronkelijke uitgever: Hodder & Stoughton, a division of Hodder Headline

Uitgeverij De Kern, De Fontein bv, Postbus 1, 3740 AA Baarn
Vertaling: Jan Smit
Omslagontwerp: Mariska Cock, Amsterdam
Fotografie voorkant omslag: Wim van der Burgh
Zetwerk: v3-Services, Baarn
ISBN 90 325 0928 4
NUR 302

Alle personen in dit boek zijn door de auteur bedacht. Enige gelijkenis met bestaande – overleden of nog in leven zijnde – personen berust op puur toeval.

Voor Jimmy

Dankbetuiging

VOOR HUN STEUN EN NIET AFLATENDE AANSPORINGEN BEN IK VEEL dank verschuldigd aan Jenny Tucker, Kath Brown, Sue Wheeler, Marie O'Riordan, Michelle Dickson, Jane Parbury, Fliss Terrill, Nick en Helen Fisher, Cathy Gilligan, Ellie Stott, Gavin Convery en Wendy Rigg. De briljante Dolphinton-schrijvers – Pam Taylor, Vicki Feaver, Amanda McLean, Elizabeth Dobie en Tania Cheston – dank ik voor hun suggesties en kritische commentaar. Jane Wright van de *Sunday Herald* omdat ze mijn moreel hoog hield. Cheryl en Stephen voor vrolijke wijnavondjes, lang geleden. Mijn geniale agente, Annette Green, omdat ze mij het idee aan de hand deed voor dit boek. Iedereen bij Hodder, met name Philippa Pride, Margery Taylor en Keith Gibson, voor hun voortdurende bijstand. Sam, Dex en Erin voor hun lieve inspiratie. Jimmy, omdat hij voorkwam dat ik gek werd. Wendy Varley, mijn reddingsboei als schrijfster, voor haar hulp, haar scherpe oog voor tekortkomingen en haar ideeën, waarmee ze vanaf het eiland Wight mijn in-box vulde, van het begin tot het einde van dit boek.

De bevalling

ER IS IETS ONZE SLAAPKAMER BINNENGEDRONGEN. HET SCHEERT langs mijn oor en landt op Jonathans wang.

Een aanzwellende pijn klemt zich als een bankschroef om mijn middel. 'Het is begonnen,' zeg ik tegen hem.

Hij schudt met zijn hoofd en de bromvlieg zoemt weg. 'Weet je het zeker?'

'Ik denk het wel. Het neemt weer af, en dan...' Ik zoek iets om me aan vast te klampen en vind zijn hand.

'Ik zal het ziekenhuis bellen. Blijf rustig ademen.'

Jonathan heeft het bouwpakket van de wieg al in elkaar gezet; hij staat aan het voeteneinde van ons bed. Een Winnie-de-Poeh-mobile hangt boven de plek waar de baby zal slapen. Aan het hoofdeinde liggen knuffelbeesten: een pinguïn, een beer en een otter. In mijn ziekenhuistas zit een *Bach Rescue Remedy* om me te helpen ontspannen, plus wat nachthemden met voorsluiting, om mijn borsten beter bereikbaar te maken.

Het is niet zo bijzonder hoor, een baby krijgen. Dat overkomt mensen voortdurend. In de tijd die het je kost om een theezakje uit te knijpen zodat het niet morst op weg naar de pedaalemmer, zijn er alweer vijf kleine mensjes op de wereld gezet.

Jonathan komt de slaapkamer weer binnenlopen. Hij haalt een paar opgerolde sokken uit de bovenste la en zijn favoriete babyblauwe sweater – die hij zelf op de hand wast uit angst dat ik hem laat vervilten – uit de la eronder. 'Trek iets warms aan,' adviseert hij, en hij hijst me in een fleece trui die door mijn buik zo is uitgerekt dat hij eenenveertig weken zwanger lijkt ook als niemand hem draagt.

Jonathan loodst me de voordeur uit met een zachte hand tegen mijn rug. Ik zie rode vlekken in zijn gezicht. Hij heeft zo'n huid die gauw vlekkerig wordt, vooral als hij gespannen is. De postbode staat aan het einde van het pad. 'Ze krijgt een baby,' zegt Jonathan, alsof hij een verklaring schuldig is. De postbode heeft een vollemaansgezicht en een waterdicht jack, dat ritselt. Om snel ruimte te maken, loopt hij achteruit en valt half tegen de heg. Misschien is hij bang dat het hoofdje al naar buiten zal komen en dat hij moet helpen de baby te bezorgen. Bezorgen is immers zijn beroep.

Jonathan laat me op de achterbank van de auto zakken. Ik heb me verheugd op dit ritje en heb er voortdurend over gefantaseerd. Ik stelde me voor dat we alle langzame auto's zouden inhalen, om vervolgens met piepende remmen tot stilstand te komen bij een grasveldje waar ik zwaar hijgend het kind eruit zou poepen op Jonathans geruite reisdeken. Mannen zouden uit de kapperszaak komen rennen, nog maar half geknipt, klappend en juichend als bij een bokswedstrijd. En ik zou blij zijn met al die aandacht, omdat het helemaal zo gek nog niet is om moeder te zijn. Jonathan zou ons alledrie in een plaid wikkelen op het moment dat er een fotograaf van de *Hackney Gazette* verscheen. 'Ik heb niet echt geholpen, hoor,' zou Jonathan zeggen. 'Nina heeft het helemaal zelf gedaan. Een geboren moeder.'

Jonathan weet natuurlijk wat hij moet doen. Ooit heeft hij in zijn lunchpauze een boek gekocht: *Babyverzorging: uw onmisbare gids voor de eerste twaalf maanden*, geschreven door dr. Hilary Dent, een dame met een permanentje. Ik heb elke avond een hoofdstuk gelezen terwijl ik mezelf lag te marineren in een bad met zoete amandelolie. 'We moeten ons goed oriënteren,' zei Jonathan, blij te zien dat ik de zaak ernstig nam. Ik bestudeerde pasteltekeningen van de baby aan de borst en de baby bij het wassen van zijn haartjes. (*'Het is belangrijk om het omgevingsstof en ingedroogde etensresten te verwijderen, hoewel het niet de favoriete bezigheid van uw kind zal zijn.'*) Maar eigenlijk weet ik nog niets. Ik heb nog nooit iemand in mijn armen gehad die jonger was dan ikzelf. Eén keer, toen de art-director van mijn blad binnenkwam om haar pasgeboren baby te laten zien, zorgde ik ervoor dat ik het druk had met telefoontjes en een dringend artikel op mijn scherm. Maar Wendy verscheen toch voor mijn bureau met vermoeide oogleden en een hoopvolle glimlach. 'Wil je de baby even vasthouden?' vroeg ze.

Ik dwong mezelf om op te kijken, met gespeelde verbazing. 'Ik zou het enig vinden,' zei ik, 'maar ik ben verkouden. Ik wil hem niet met mijn bacillen besproeien.' Ik forceerde zelfs mijn keel een beetje om echt ziek te klinken.

'Het is een meisje,' zei ze. Haar glimlach verstarde en ze verdween, op zoek naar mensen die talent hadden voor het bewonderen van baby's. Ze wist ook wel dat ik loog. Dat wiebelende pasgeboren nekje – ik bleef liever op grote afstand. Het kind leek zo kwetsbaar dat haar hoofdje misschien zou afbreken als ik haar verkeerd vasthield.

En nu, terwijl we parkeren op een plek die alleen voor ziekenhuispersoneel is gereserveerd, denk ik weer angstig aan dat nekje: een klein mens, onafhankelijk van mijzelf, met een eigen wiebelend hoofdje. De wieg is in elkaar gezet, maar ik ben er nog niet klaar voor, niet echt. Nog een maand – zoals een verlenging bij het voetbal – en ik zou er misschien aan toe zijn geweest. Als de baby even pauzeert bij het molesteren van mijn buik, probeer ik te doen alsof het allemaal niet gebeurt.

'Brave meid, brave meid,' zegt hij, terwijl hij me een maskertje van doorschijnend plastic geeft voor het inademen van gas en lucht. Jonathan weet precies hoe het moet. Jonathan, die zich verontschuldigde toen het condoom gescheurd was. Zijn dunne, zandkleurige haar kleeft tegen zijn natte voorhoofd. Hij heeft zijn lamswollen sweater uitgetrokken. Zijn grijze T-shirt heeft donkere plekken onder de armen en een raadselachtige bruine vlek aan de voorkant. Ik zet me niet langer schrap voor de weeën, maar voel een enorme gewichtsverplaatsing naar beneden, die niemand kan tegenhouden, hoe hard ik ook schreeuw dat ik van gedachten ben veranderd en terug wil naar mijn flat, waar ik in mijn eentje woon, al mijn eten frituur en regelmatig wakker word in een lauw bad.

Ten slotte voel ik het. Heel even zit het klem, maar dan is het eruit, onder luid gekrijs. 'Daar is hij!' roep Jonathan. 'Daar is de baby. Een jongen!'

Hij buigt zijn bovenlichaam over me heen, zwaar en vochtig. Dan maakt hij plaats voor het kind, dat op mijn buik wordt gelegd, met magere armpjes en beentjes, rimpelig als bacon.

'Kijk nou toch, Nina,' zegt Jonathan. Ik kan alleen maar omhoog staren naar de beige plafondtegels met zwarte stipjes, als mieren. Als ik eindelijk mijn blik laat zakken, kijkt het kind me aan met vochtige, zwemmerige ogen. Een vrouw met stug geel haar duikt tussen mijn benen.

En ik hoor een stem, scherp en metaalachtig boven de geluiden van het ziekenhuis uit: 'Zo, Nina, wat heb je je nu weer op de hals gehaald?'

2

De eerste dagen

IK WILDE GEEN BABY. HET WAS ZELFS NIET MIJN BEDOELING OM TE gaan samenwonen. Ik wilde alleen een leuke, vrolijke man als gezelschap.

Ik begon opnieuw: 'Vrouw, dertig, houdt van klassieke muziek...'

Dat laatste was niet waar. Ik bezat één klassieke cd, *Duetten uit beroemde opera's*, die ik had gekocht met het idee om het raam van mijn huiskamer open te gooien en de straat te vullen met het geluid van dikke, galmende mannen. Ik wilde de cd zo hard zetten dat je de muziek zou kunnen horen boven het geluid van de optrekkende en uitlaatgassen uitbrakende bussen buiten mijn flat uit. De man van de Aziatische kruidenier zou uit zijn winkel naar buiten stormen en verbaasd omhoog kijken. Wat voor dramatisch, hartstochtelijk wezen woonde er in godsnaam op de eerste verdieping? Maar toen bedacht ik me dat ik niet van opera hield. Ten slotte nam ik niet eens de moeite om het cellofaantje van de cd te halen. Ik had zeker geen behoefte aan een afspraakje met een man die me zou dwingen om drie uur lang naar jankende violen te luisteren en daar onder het eten uitgebreid over te discussiëren.

Dus schreef ik: 'Aantrekkelijke, levendige vrouw...' – me ervan bewust dat ik mezelf afficheerde als een lieve spaniëlpuppy – 'zoekt liefhebbende, avontuurlijke man om samen uit eten te gaan en misschien meer.' Dat schreef ik netjes over op het formulier. Natuurlijk had ik dit niet nodig, dacht ik nog eens. Het was gewoon voor de lol. Ik belde Eliza om haar te zeggen dat ik de advertentie had gepost en de envelop niet meer uit de brievenbus had kunnen krijgen, hoe fanatiek ik mijn hand ook naar binnen had gewrongen.

'Je hoeft je nergens voor te schamen,' zei ze. 'Onze jongste bediende heeft ook zo'n advertentie gezet en zij is heel aantrekkelijk.' Ik hoorde Eliza kauwen op haar lunch. Ze was de verkeerde vriendin om te bellen. Onze vriendschap lijkt zo'n cocktail met vijf verschillende drankjes plus perziksap. Het smaakt heerlijk en je blijft doordrinken, hoewel je er beroerd en soms misselijk van wordt.

'Dus ík ben niet aantrekkelijk?' vroeg ik.

'Er zullen vast genoeg mannen op je vallen.' Ze slikte duidelijk hoorbaar.

'Waarom doe ik dit dan?'

'Het wordt steeds moeilijker...' antwoordde ze moeizaam, 'om mannen te ontmoeten op een normale manier.'

Ik vroeg me af waar ik een snijbrander zou kunnen huren om de brievenbus toch nog open te krijgen.

Ik verwachtte dat er stapels antwoorden op het gebarsten bruine linoleum van mijn gang zouden vallen, afkomstig van intelligente en oogverblindend knappe mannen, die mijn eigenwijze neus heel interessant vonden. Het vooruitzicht om brieven te ontvangen – te sorteren in drie stapeltjes (ja, nee, misschien) – was de reden waarom ik voor een kleine advertentie had gekozen en niet voor het internet. Schrijfpapier maakte het minder goedkoop, meer een briefwisseling met correspondentievrienden.

Uiteindelijk arriveerden de reacties in één dunne, bruine envelop. Het waren er vier: Laszlo, een musicus met veel bodypiercings; Leo, die met een verbaasd gezicht en een scheve scheiding te ver onderuitgezakt in het fotohokje zat; Jerry, die met steil blond haar naakt op een bruinfluwelen sofa lag; en Jonathan, een man met een doodgewoon gezicht en een hoopvolle glimlach, alsof de eigenaar ervan je uitnodigde zijn presentje te openen. Hij had ongevaarlijke ogen (misschien blauw, maar waarschijnlijk troebel grijs) en leek me een man die de deur voor je zou openhouden in plaats van hem in je gezicht te laten knallen. Hij schreef: 'Je zoekt waarschijnlijk iemand die veel spontaner en avontuurlijker is dan ik, maar laat me je wat over mezelf vertellen.' In zorgvuldig, voorover hangend schuinschrift somde hij zijn interesses op: koken, tuinieren, inrichting. Ik bestudeerde het handschrift, op zoek naar aanwijzingen voor een duister geheim bestaan, een voorkeur voor licht ontvlambare body's of toch minstens een strafblad. Niemand kon zó alledaags zijn, als je eenmaal een paar laagjes had afgepeld. Maar hoe ik ook staarde, hij bleef geruststellend glimlachen, als de presentator van zo'n tuinprogramma met mensen die je tuin binnenvallen, al je perkjes overhoop halen en je vriendelijk maar ondoorgrondelijk aankijken om je ervan te overtuigen dat ze precies weten wat ze doen.

'Hij werkt met computers,' zei ik tegen Eliza in een lunchroom die was ingericht als een armoedige woonkamer. Ze trok haar sandalen uit en vouwde haar voeten onder haar billen op de gebarsten leren sofa. Ze had een kleverige schaafwond op een van haar knieën. Eliza is iemand die zichzelf voortdurend blesseert, waarschijnlijk omdat ze vergeet hoe lang ze is. Haar schoenmaatje eenenveertig is ideaal om overal tegenaan te botsen.

Jongelui met gladde smoeltjes hingen in de haveloze leunstoelen. Een jongen en een meisje, nog maar nauwelijks van de basisschool, bogen zich over een laag formicatafeltje om speeksel uit te wisselen boven een schaal met gebroken koekjes. Eliza hield Jonathan tussen duim en wijsvinger. 'Ik vind het doodeng om een afspraakje te maken met een onbekende,' zei ik. 'Hij zou wel iederéén kunnen zijn.'

Ze bette haar schaafwond met een papieren servetje. 'Hij lijkt me een gewone vent. Jan Modaal.'

'Dat kan wel een dekmantel zijn, dat alledaagse. Gewone mensen kunnen de afschuwelijkste dingen doen. Engerds lijken altijd normaal.'

Ze lachte en kauwde op een bruin suikerklontje. 'Kies een openbare gelegenheid. Een pub met duizend mensen, dan heb je getuigen.' Ze tikte op zijn foto en liet een kleverige vingerafdruk na. 'Hij lijkt me wel betrouwbaar. Ik zou hem eens proberen.' Alsof hij een Ford Fiesta was.

Er waren ook engere dingen, waarover ik haar niets had verteld. 'Hij leest van die intellectuele woonmagazines waarin niemand cd's in huis heeft, of een televisie, maar alleen een effen witte vaas op een schoorsteenmantel.'

'Maak nou maar een afspraak. Je hebt niets te verliezen.'
'Vind je hem echt niet te alledaags?'
Ze loensde nog eens naar de foto en probeerde hem scherp te krijgen. 'Nee,' zei ze. 'Alledaags is wel oké.'

Ik repeteer het telefoontje:
Hallo, Jonathan? Ik ben de vrouw die je geschreven hebt – die geen man kan krijgen op de normale manier. Ik doe dit soort dingen anders nooit, hoor. Het is geen gewoonte van me. Maar ik reis veel en ik heb geen tijd om nieuwe mensen te ontmoeten. Ken je die beduimelde bladen in de wachtkamers van de dokter, met van die schokkende waargebeurde ervaringen? Nou, die schrijf ik dus. Ik interview mensen met trouwe ogen, die me boterhammen voorzetten en me hun verhaal vertellen. Daarom moet ik overal naartoe: naar Sheffield, Woking, Walton-on-the-Naze. Je hoort het al, ik heb het druk, ik ben geslaagd in het leven en heel, heel erg gelukkig. Zullen we elkaar eens ontmoeten?
Toen hij opnam noemde hij niet zijn naam maar zijn nummer, alsof hij achter een bureau zat op zijn werk.
'Hallo, Jonathan? Met Nina.' *Eenzame Nina, wanhopige Nina.* 'Van de advertentie,' legde ik uit. Mijn tong struikelde over mijn speeksel. Het stroomde mijn mond binnen alsof mijn lichaam zichzelf uitwrong.
'Wat leuk om van je te horen,' zei hij rustig. 'Ik neem aan dat je heel wat reacties hebt gehad. Ik dacht niet dat je...'
'Ik heb dit nooit eerder gedaan,' viel ik hem in de rede.
'Nee, ik ook niet. Waarom heb je...'
Ik zei hem dat ik veel weg was en vooral met vrouwen werkte. Dat was ook zo, min of meer. Ik voegde eraan toe dat ik mijn kennissenkring wilde uitbreiden, wat niet zo was.
'Je advertentie klonk heel vriendelijk,' zei hij.
Zie je wel. Ik kwam over als een puppy. Bijna zei ik dat ik zindelijk was en maar zelden onbekenden in het kruis snuffelde, maar nog net op tijd bedacht ik dat ik hem helemaal niet kende en dat dit niet het moment voor grapjes was. In plaats daarvan antwoordde ik: 'Het is moeilijk om jezelf te verkopen in minder dan twintig woorden. Je weet niet of je je moet beperken tot een signalement – lengte, haarkleur en

of je er redelijk uitziet.' Ik had meteen al spijt. Nu zou hij vragen hoe ik eruitzag. (Onmiddellijk zweefden de gegevens me voor de geest: een meter drieënvijftig, waarschijnlijk omdat mijn moeder haar hele zwangerschap Lambert & Butler had gerookt; zwemmerige ogen met vreemde maar wel interessante amberkleurige vlekjes. Zou dat genoeg zijn? Of moest ik meteen al mijn vitale maten, buste, taille en heupen, vermelden?)

Hij lachte begrijpend. 'Ik zie het niet als jezelf verkopen. Maar ik vind het wel dapper. Ik zou je graag ontmoeten, Nina. Kom je een keer bij me eten?'

Ik zag mezelf al vastgebonden met isolatieband en een prop in mijn mond, opgesloten in een keukenkastje tussen de zeepsponsjes en de wc-eend. 'Ik wil liever in een openbare gelegenheid afspreken, als je het goed vindt.'

'Oké, zeg het maar. Ik ga niet zo vaak uit.'

Ik zag het beeld van een té normale man, die thuisbleef met de gordijnen dicht. 'Ken je Gino's in Old Compton Street?' vroeg ik. Gino's was de laatste reïncarnatie van een kleurloos Italiaans restaurant dat binnen een jaar een paar keer van eigenaar was gewisseld, met behoud van de kabbelende betonnen fontein en de afneembare tafelkleedjes met maan- en sterrenmotief. Niemand kwam daar ooit. Niemand die ertoe deed, tenminste.

Hij zei dat hij het kende, hoewel ik hoorde dat hij blufte.

'Hoe herkennen we elkaar?' vroeg ik.

'Nou, je weet hoe ik eruitzie.'

'Dan herken ik jou en weet jij dat ik het ben als ik naar je toe kom.'

'Ik verheug me erop,' zei hij.

Hij was makkelijk te herkennen. Afgezien van een ober die zalmkleurige anjers in een kristallen vaas zette, was Jonathan de enige vorm van leven bij de Italiaan. Ik had mijn binnenkomst zorgvuldig voorbereid: vastberaden passen en een allesbehalve wanhopige glimlach (niet meteen zoenen, dat ging wel eens fout en dan sloeg je met de koppen tegen elkaar).

Toen hij me zag stond hij op en lachte beleefd, als iemand die een nichtje begroet. De glimlach van de foto. *Het is oké. Ik ben niet raar of griezelig. Ik heb geen onverklaarbare verwondingen en ik zal je niet betasten onder het plastic tafelkleed.*

Nog voordat ik mijn jasje had uitgetrokken, arriveerden er pennen met gegrilde groente. De ober verdween weer om zich bezig te houden met overbodige zaken: het verschuiven van peper- en zoutvaatjes op lege tafeltjes en het afnemen van de achterkant van de roodmetalen stoeltjes met een natte doek. Hij leek nerveus, alsof hij elk moment de deurwaarder verwachtte om het vettige cappuccinoapparaat weg te halen. Zo nu en dan keek hij hoopvol op als voorbijgangers bleven staan om het geplastificeerde menu achter het raam te lezen. Ze tuurden naar binnen, tussen de dunne groene letters door die de naam *Gino's Trattoria* spelden, en zagen dat ene stel – nee, geen stel, maar een neef en een nicht die elkaar van kindsbeen af kenden en nog voldoende contact hadden om zo nu en dan (alleen op maandagen, nooit op een andere, waardevolle weekdag) te gaan eten bij dit Italiaanse restaurant dat binnenkort zou worden dichtgespijkerd.

Ik bestelde forel, omdat het licht en niet opdringerig klonk. Ik had absoluut geen honger. Jonathan aarzelde over de forel, maar bestelde ten slotte toch een kippenborst in een modderige saus, zodat we niet allebei precies hetzelfde aten.

Mijn forel ging vergezeld van een onhandige salade met te veel ingrediënten. Stukjes pruim en bloedsinaasappels dreven onbehaaglijk naast een berg lente-uitjes. Een ongesneden biet lekte in een natte klont Russische salade uit blik.

We praatten over buurten in Londen die we leuk vonden en niet. Ik voelde me net zo kleurloos als mijn forel, maar met zwaardere botten. Toen ik hem vertelde waar ik woonde, kauwde Jonathan enthousiast op zijn kip en zei: 'Dat heeft mogelijkheden.'

'Ja, het zit in de lift,' loog ik.

Jonathan was zo verstandig geweest een flat te kopen in East London, grenzend aan mijn eigen buurt, met twee organische pubs, een comedy-club en een befaamd Thais afhaalrestaurant. Ik kon alleen pochen op een kruidenier, een minitaxi-centrale en een geheimzinnige winkel vol levenloze naaimachines.

Jonathan gebruikte termen als 'voet op de ladder' en 'langetermijnbelegging'. Ik vertelde hem maar niet dat ik een huurflat had en dat er boven me een vreemde man uit Dundee woonde, met een onstuimige Duitse herder die zonder toezicht tussen de reclamefolders in het gangetje beneden lag. Jonathans kwarkpunt zakte kleverig in elkaar onder het gele glazuur. Ik hoefde geen toetje. Mijn maag was gekrompen tot het formaat van een prinsessenboon. Ik wist niet hoe het nu verder moest.

Een nieuwsgierig gezicht keek naar binnen door de 'O' van 'Trattoria'. Toen het de kwarkpunt zag, verdween het haastig naar de nieuwe, populaire tent twee deuren verderop, waar witte kommetjes noedels werden geserveerd aan modellen en modestudenten aan drukke gemeenschappelijke tafels. Toen we vertrokken, zag ik een muis die tussen de rode stoelpoten door rende en dekking zocht achter een gebutste goudkleurige radiator. De ober gaf me een anjer met een slijmerige steel, uit het vaasje geplukt. 'Een prettige avond verder,' zei hij, alsof de maaltijd nog maar het begin was geweest.

Even later stonden we op het perron van de ondergrondse en wisten niet wat we moesten doen of zeggen. De trein denderde binnen. Ik keek hem aan. 'Het spijt me van het restaurant,' zei ik. Hij glimlachte verwachtingsvol. Een leuke glimlach wel. 'Misschien zouden we de volgende keer...' O jee. Ik had het gezegd.

Hij keek verrast. 'De volgende keer kan ik wel voor je koken. Als je bij mij wilt komen.'

Een man sprong uit de trein en staarde dronken in Jonathans gezicht. 'Hé, kerel!' riep hij. Zijn das zat scheef en hij had rode adertjes in zijn wangen. 'Wie is je vriendin?'

Jonathan verstrakte. 'Dit is Billy,' zei hij tegen mij. 'Een oude vriend van school. Billy, ik wilde net...'

'Wie ben jij?' hijgde Billy me in het gezicht.

'We kwamen elkaar toevallig tegen,' zei Jonathan.

'Waarom gaan we geen pilsje pakken met z'n allen? Het is nog te vroeg om naar huis te gaan. Kom mee. Mijn rondje.'

Billy zocht in zijn zakken, rammelend met muntjes. Jonathan beet op zijn lip. 'Ik bel je nog, Billy.'

'Dat zegt hij altijd,' lachte Billy, en hij verdween wankelend over het perron, terwijl hij een handvol kleingeld naar de open gitaarkoffer van een straatzanger gooide.

'Sorry,' zei Jonathan.

'Waarom? Hij wilde alleen maar...'

De kus kwam uit het niets. Jonathan nam mijn gezicht in zijn handen en meteen daarna voelde ik zijn lippen. Ik liet mijn anjer op het perron vallen. Zijn mond drukte nog steeds op de mijne en zijn hete handen grepen me vast toen onze trein weer wegreed, zonder ons.

Jonathan vatte de gewoonte op om voor me te koken. Hij vond dat ik niet goed at. Te veel cholesterol, dat mijn aderen deed dichtslibben. Hij leek heel gelukkig in zijn moderne, volwassen keuken, als hij daar bezig was. Hij wist wat hij deed. Alles onder handbereik. Beter dan uit eten gaan, vond hij.

Ik was nog nooit omgegaan met een man die wist wat je met kappertjes moest doen. Ik nam tenminste aan dat we met elkaar omgingen – dat klonk akelig ouderwets, maar ik kon niet zeggen dat ik met hem uitging, omdat ik hem alleen in zijn flat zag. De enige keer dat ik hem naar mijn eigen flat kon lokken, lagen we op mijn afgetrapte bank, waar hij mijn rug masseerde terwijl de Duitse herder van de man uit Dundee als een gek tekeerging boven ons hoofd.

Jonathan voelde zich meer op zijn gemak in zijn eigen omgeving, waar alles glom en naar citroentjes rook. Ik keek naar hem als hij aan het werk was met rechthoekige gele sponsjes en gerimpelde blauwe doekjes. Hij legde me uit hoe computers in elkaar zaten, wat ik heel geruststellend vond. Zijn werk klonk erg precies. Programmeurs deden iets goed of niet. Er was geen tussengebied.

Terwijl hij met het eten bezig was, hing ik zo'n beetje rond en bekeek de ingrediënten in hun simpele glazen schaaltjes: grofgehakte kruiden, een halve limoen, klaar om te persen. Alleen op de televisie had ik ooit koks gezien die alles al van tevoren klaar hadden liggen. Als ik zelf kookte en een eenzaam eitje in een koekenpan heen en weer schoof, stelde ik me voor dat ik ook zo'n kok was en zei: 'Eerst breken we het ei in de pan. Wat zwarte peper, graag...' Mijn linkerhand – de assistente – reikte bereidwillig de pepermolen aan. 'Ziet dit er niet heerlijk uit?' vroeg ik dan. 'Wil het publiek misschien even proeven?' Ik gooide het ei in een half mislukt rolletje op mijn bord en zette mijn tanden erin, waardoor de dooier brak. 'Mmmm! Zalig.' Misschien was Jonathan net op tijd gekomen.

'Je kunt niet zwanger zijn,' zei hij, 'na één klein ongelukje.' Hij was op mijn kantoor bij Leicester Square verschenen, met zijn koffertje zenuwachtig in zijn hand geklemd. We staken de straat over naar de dichtstbijzijnde pub, waar ik anders nooit kwam. Ze brachten je lunch nog altijd in mandjes en op de bar stond een plastic bak met poedermelk voor de koffie. 'Ik heb een test gedaan,' zei ik.

Hij bestelde een glas witte wijn. Het glas was een beetje vettig. Ik vroeg om water. 'Je meent het dus serieus,' stelde hij vast.

'Dat is niet iets om grapjes over te maken.'

We zaten in een hoek, aan twee kanten ingesloten door vuile ramen. Op het tafeltje waren twee patatjes achtergebleven, als gele, kromme slakjes. Jonathan legde ze in de asbak. 'Wat vind jij?' vroeg ik lamlendig.

'Wat denk je? Ik vind het geweldig!' Moedig stak hij zijn arm uit en gaf me een kneepje in mijn hand.

'Het is te snel. Daar zijn we nog helemaal niet aan toe.'

'Kan het geen foutje zijn – die test, bedoel ik?'

'Volgens mij liegen die dingen niet.' Ik haalde het staafje uit mijn zak en liet het hem zien. Ik had het in wc-papier van kantoor verpakt, dat nu als een klein zeiltje naar het roodbruine kleed zweefde.

'Wat wil je?'

'Het kind laten komen, natuurlijk. Wat anders?' Dat was niet helemaal waar. Ik kon gewoon geen reden bedenken om het níét te krijgen.

'En hoe voel je je?' vroeg hij.

'Misselijk. Ik had gisteren een interview met een vrouw die door haar man het bed uit was gezet omdat hij met hun hond wilde slapen. Een reusachtige Afghaan met een stinkende natte vacht. Zelfs toen die vrouw de hond uit de keuken had gejaagd, kon ik hem nog ruiken. Die lucht bleef aan mijn jas zitten.'

Mijn haar plakte slap en droevig tegen mijn voorhoofd. Jonathan streek het weg. 'Arme Nina,' zei hij. 'Het komt heus wel goed, dat beloof ik je.'

Iedereen zou hebben gedacht dat we een echt stel waren.

Met je baby naar buiten

MARTHA'S DECOLLETÉ ZWEEFT GEVAARLIJK DICHT BIJ MIJN OOGBOL. Een ketting met houten kralen danst luchtig tussen haar sproetige borsten. 'Bij iedereen is het een beetje pijnlijk, in het begin,' merkt mijn consulente op. 'Maar de tepel verstijft tot een harde kleine knop. Binnen een mum van tijd zul je het geen enkel probleem meer vinden om borstvoeding te geven in cafés, treinen of zelfs in de schouwburg, meid. Dan denk je er niet eens meer over na.'

Martha probeert me ervan te overtuigen dat een kind van vier dagen volledig kan worden gevoed via één knoestige tepel. De andere (want ik heb er twee) is verschrompeld tot een zielige rozijn en daarom tijdelijk buiten bedrijf. De borst die eraan vast zit, is daardoor zo opgezwollen dat ik bang ben dat hij zal knappen en Jonathans achtenzeventigjarige moeder Constance met zoete melk zal onderspatten.

'Ik voel meer voor babyvoeding,' zeg ik tegen Martha. Haastig schudt ze haar hoofd, alsof ik een kind ben dat wil gaan koorddansen op een hoogspanningskabel. In het geheim heb ik al wat babymelk gekocht. Ik ben bij de drogist naar binnen geglipt, met de kraag van mijn jas opgeslagen. De melk staat nu achter de havermout, met een theedoek eroverheen gevouwen.

'Maar je doet het juist geweldig!' protesteert ze. 'En bedenk eens hoe goed het voor de baby is. Minder risico van maagdarmproblemen, een hogere intelligentie... Kinderen die borstvoeding hebben gekregen, hebben veel meer kans om later te gaan studeren, wist je dat?'

Dat suggereert dat mijn zoon op zijn achttiende van huis zal gaan, zodat hij niet op zijn zevenendertigste nog met een zak chips bij mij op de bank hangt en eist dat zijn broeken worden gestreken. Dat lijkt me een gunstig vooruitzicht. Martha legt haar stompe vingers op mijn knie. 'Een vrouw die ik kende maakte rubberen ballen van elastiekjes. Een paar weken voor de geboorte van de baby was ze daar al mee begonnen. Toen ze hem de borst moest geven, had ze die rubberen bal om op te bijten.'

'Koekje?' vraagt Constance, die met een blad met zoetigheid verschijnt. Constance, zogenaamd mijn schoonmoeder, heeft haar eigen koekjes meegebracht. Jonathan en ik zijn niet getrouwd. Omdat de bevruchting al had plaatsgevonden voordat we elkaars achternamen kenden, hadden we geen tijd meer voor een bruiloft.

'Jonathan kreeg de fles,' mekkert Constance in de nerveuze atmosfeer. 'Ik kruimelde er een beschuit in om het wat dikker te maken en zijn buikje te vullen. Dan sliep hij twaalf uur achter elkaar.' Ze arrangeert lange vingers in een volmaakte waaier op het blad. Constance is een kleine, beweeglijke vrouw met een uitgezakt permanentje alsof ze ermee in de regen heeft gelopen. 'Hij was zo gulzig,' vervolgt ze. 'Maar ik heb hem een vaste routine bijgebracht. Dat deden we in die tijd. Je zat toch al op het potje toen je veertien maanden was?'

'Ik kan het me niet herinneren,' sputtert Jonathan.

'O, jawel. Helemaal zindelijk was je nog niet, maar je hebt maar één ongelukje gehad bij Boots, en daar waren ze heel vriendelijk en mochten we de wc van het personeel gebruiken.'

Jonathan glimlacht droevig naar zijn voeten.

'Op zijn tweede verjaardag heb ik hem 's nachts zijn plastic luierbroekje uitgetrokken,' kletst ze verder. '"Dat hebben we niet meer nodig, of wel?" zei ik tegen hem.'

Jonathan plukt aan de hiel van zijn sok.

'En dat was dat,' verklaart Constance. 'Altijd droog gebleven. Maar in andere opzichten was hij niet zo snel.'

Mijn overbodige borst lekt melk. De baby begrijpt wat de bedoeling is en begint dorstig te drinken en stopt dan weer, waardoor de werkende tepel melk blijft spuiten. Ik knijp hem af met mijn hand. Jonathan schiet te hulp met een tissue en maakt vage bewegingen in de lucht rondom mijn borst. 'Misschien ben je te gespannen,' oppert Martha.

'Ik begin vast aan het eten,' zegt Constance. In de keuken worden laden opengetrokken en dichtgeslagen. 'Heb je geen gehaktmolen?' roept ze.

De baby proest en spuwt melk en speeksel uit. Ik leg hem over mijn schouder en klop hem op zijn ruggetje. Hij geeft een zure straal zuivel op.

'Geloof me, het wordt steeds makkelijker,' zegt Martha, terwijl ze wanhopig haar wenkbrauwen optrekt. Ze neemt de laatste lange vinger en veegt haar handen af aan haar wijde bruine broek. Ze vindt haar tas terug onder Constances breiwerk. 'Jonathan kan je erbij helpen,' zegt ze. 'Ik weet wel dat hij geen borstvoeding kan geven... daar heeft hij de uitrusting niet voor... maar het is goed voor de relatie om pappa er ook bij te betrekken. Hij kan de baby overnemen om hem te laten boeren en hem rustig te krijgen. Weet je wat de sleutel is voor een geslaagde borstvoeding, Nina?' Haar tong schiet naar buiten om de suiker van haar lippen te likken. 'Jezelf goed verzorgen. Van jezelf *houden*. Tegen jezelf zeggen: "Ik ben wel een moeder, maar ik heb zelf ook behoeften."'

'Ja!' zeg ik, een beetje te gretig.

'En je mag je gelukkig prijzen dat je zoveel steun van je partner krijgt.' Ze werpt Jonathan een warme glimlach toe en stapt de glimmende zwarte deur uit, op weg naar haar volgende afspraak met een Nieuwe Moeder die het zo goed doet en van plan is om borstvoeding te blijven geven totdat het kind zelf de borst grijpt terwijl het op de tv naar een film voor boven de achttien kijkt.

Jonathan plukt de slapende baby van me af.

'Je hebt toch wel een braadpan met dikke bodem?' mompelt Constance.

Ik laat me onderuit op de bank zakken, me ervan bewust dat mijn ene borst nog altijd bloot is, als een bolle, blauwgeaderde Stilton-kaas. 'Hij gaat aan de fles,' zeg ik schor.

Constance komt uit de keuken met een geopend pakje poederjus in haar hand. Wij gebruiken dat niet, dus ze moet het zelf hebben meegebracht. Ze houdt het pakje in één hand, en in de andere hand heeft ze een theelepeltje asgrijs poeder. Haar blik glijdt naar de baby die op de bank ligt, dronken van mijn melk, klaar om in zijn wieg te worden gelegd. Hij ligt met gespreide armpjes en beentjes, alsof hij uit een vliegtuig is gevallen.

'Raar,' zegt Constance. 'Hij lijkt helemaal niet op jou.'

We wonen op de benedenverdieping van een verbouwd Victoriaans huis van drie verdiepingen. Er liggen nooit reclamefolders of verwaarloosde Duitse herders in het halletje. De voortuin, die als het blad van een uitklaptafel de straat in steekt, is eigendom van Jonathan. Hij heeft hem laten betegelen met hergebruikt materiaal, zodat het onderhoud niet veel tijd kost. Langs de randen staan verzinkte bloembakken met lavendel, die lekker geurt. Er is ook een achtertuintje, waar Jonathan nog wat planten wil zetten, misschien bamboe of mooie klimmers.

Hij woont hier al een paar jaar. Toen hij erin trok heeft hij meteen alles eruit gesloopt. De smaak van de oude mensen die er hadden gewoond beviel hem niet. Voordat hij begon had hij de goede inval om polaroids te maken van de oude situatie, met veel franje en prullen. Zijn moeder vond dat hij het te hoog in zijn bol had toen hij dingen sloopte die nog heel goed bruikbaar waren. Maar daar trok hij zich niets van aan, vertelde hij me later. Alles ging eruit, ook de fluwelen gordijnen en een slaapkamertapijt dat naar ammonia stonk. De polaroids zitten in een album met foto's van alle kamers zoals ze er nu uitzien, in crème en vanille met blauw.

'Ik weet wat je bedoeling was,' zei ik toen hij me het album liet zien, de tweede keer dat ik bij hem thuis was. 'Je hebt het heel ongunstig gefotografeerd zoals het was, net als bij die transformaties in tijdschriften en op tv, als vrouwen een heel nieuw uiterlijk krijgen.'

'Transformaties?' vroeg hij.

'Je weet wel: ervoor en erna. Op de foto ervóór smeren ze vaseline op haar gezicht om het vettig te laten lijken.'

'Dat is toch bedrog?'

Ik lachte en bladerde het album door. *De gang, ervoor. De badkamer, erna. De achterdeur, geschuurd maar nog niet geschilderd.* Er was zelfs een foto bij van de afvalcontainer, met een douchegordijn half over de rand. 'Je bent wel eigenaardig,' zei ik. 'Voor een man.'

'Wat bedoel je met "voor een man"?'

'Dat je heel bijzonder bent. Ik heb nog nooit iemand zoals jij ontmoet.'

'Is dat een compliment?' vroeg hij, terwijl hij met een klap het album dichtsloeg.

'Zomaar een opmerking,' zei ik.

Zes maanden geleden ben ik bij Jonathan ingetrokken. Dat veranderde mijn leven in kleine details. Ik merkte dat mijn tandenborstel versleten raakte. Dat was een slordig gezicht, dus kocht ik een nieuwe (turquoise, aangepast aan Jonathans blauw-wit betegelde badkamer). In plaats van mijn ondergoed in een la te proppen, vouwde ik nu mijn broekjes op. We waren een echt stel, en dat bewezen we door vrienden te eten te vragen.

Jonathans vrienden waren vooral mensen van zijn werk. Ze praatten over hun dakterrassen en hoe geweldig het zou zijn om een schuurtje te hebben. Ze vertrokken altijd om elf uur. Ik had een voorkeur voor Billy, die meestal een paar uur te laat kwam binnenvallen met een hoogrode kleur van de kroeg, als het eten al verpieterd was. De metro was een uitdaging voor Billy. Onveranderlijk was zijn excuus dat hij in de trein in slaap was gevallen en de hele Circle Line had uitgereden. Zo nu en dan kwam hij zelfs nog verder uit, in Barnet of Ongar, waar hij zijn tijd verdeed met het bestuderen van kleine kikkertjes op het perron. Dan zocht hij in zijn zakken waar hij zo'n kikkertje had opgeborgen, maar vond alleen wat plukjes tabak uit zijn shagbuidel.

Vroeger, toen ik nog normaal was, zou ik tot diep in de nacht zijn opgebleven en onzinnige gesprekken hebben gevoerd met iemand als Billy, maar Jonathan raakte al snel geïrriteerd en begon met zijn knie op en neer te wippen. Ten slotte gooide hij Billy een deken toe, met een blik naar mij die duidelijk maakte dat het tijd werd om naar bed te gaan. 's Ochtends vond ik Billy zwetend op de bank, waar hij onze minimalistische inrichting lag te vervuilen met zijn slechte adem. Maar meestal kwamen er mensen van Jonathans werk. Na de kaas en wat dunne stronkjes selderij gaf Jonathan het album met de foto's door. Iedereen beaamde dat we de flat prachtig hadden opgeknapt, voorbijgaand aan het feit dat ik er pas kortgeleden was ingetrokken met mijn uitdijende buik. Op een avond, toen de vrienden naar huis waren, vroeg ik hem: 'Heb je al eens eerder met iemand samengewoond?'

Jonathan ging door met het poetsen van de wijnglazen en zei van wel. Billy had een paar weken op de bank geslapen na een rampzalige affaire met een stewardess. Toen Billy een shaggie had aangestoken met de gaspit, waardoor zijn haar in brand vloog en de hele keuken begon te stinken, had Jonathan hem aangespoord om terug naar huis te gaan en zijn relatie te redden. 'Weet je hoe smerig dat ruikt, verbrand haar?' vroeg Jonathan aan mij.

'Ik bedoelde of je al eerder met een vriendin had samengewoond.'

Met zijn middelvinger schoof hij een wijnglas op de juiste plaats. 'Nee, met niemand,' antwoordde hij.

'Wat? Heb je nooit een serieuze relatie gehad? Niemand met wie je een kind wilde?'

'Nee, niemand in het bijzonder,' zei hij.

Ik keek hoe hij, volstrekt overbodig, het schone aanrecht nog een keer afnam met een schoonmaakmiddel en had spijt van mijn stomme vragen.

In de *Onmisbare gids* vind ik instructies hoe je de baby voor het eerst mee naar buiten moet nemen:

1. *Begin met een korte wandeling in de buurt. Als er iets gebeurt, ben je zo weer thuis.*
2. *Kies voor open ruimtes, geen drukke straten.*
3. *Neem luiers, doekjes, zinkzalf, zoogcompressen, fopspeen en zo nodig een flesje mee. Denk ook aan een boek, een tijdschrift, extra dekens tegen de kou of een zonnehoed als bescherming tegen de zon, en een verschoning voor het geval de luier van de baby lekt.*
4. *Altijd rustig blijven.*

Jonathan is weer naar zijn werk. Hij glimlacht bemoedigend als hij in de auto stapt. Ik blijf achter met ogen van schuurpapier en een baby zonder gebruiksaanwijzing. Terug in huis zoek ik het volgende hoofdstuk van de *Onmisbare gids*, getiteld 'Hoe kom ik de dag door met mijn baby'.

Dat hoofdstuk is er niet. Een mensje van twee weken oud is nog niet tot veel in staat, behalve eten en slapen. Hij kan geen rammelaar vasthouden of koekjes maken met een hartvormpje. Hij heeft niet eens een naam. Jonathans suggesties (David, Anthony, Martin) lijken wel heel gewichtig voor een mannetje van nog net geen vijftig centimeter lang. Eliza heeft een modieus lijstje ingediend: Milo, Dylan, Spike. De stelletjes van de zwangerschapsgym opperen saaie (maar ironische) namen, die je associeert met mensen die zich de Tweede Wereldoorlog nog kunnen herinneren en daar eindeloos over doorzeuren: Fred, Walter of Stanley. Mijn moeder belde en riep: 'Heb je al aan Colin gedacht?'

Ik begin een voorkeur te krijgen voor Benjamin. Het is een flexibele naam, die goed klinkt en geschikt lijkt voor elke leeftijd. De baby slaapt nu; ik zie het dekentje zachtjes rijzen en dalen. Er redelijk van overtuigd dat hij niet van de bank op de gelakte vloerplanken zal vallen, sluip ik op mijn tenen naar de badkamer.

Ik heb aambeien en witte, wasachtige zetpillen om er iets tegen te doen. Nadat ik er een in mijn kont heb gestoken kijk ik de keuken rond, op zoek naar klusjes. Het potje met koriander staat niet op één lijn met de andere kruiden. En er valt me nog iets op: een zure lucht. De keuken stinkt nooit als Jonathan er is, maar hij is nauwelijks een uur vertrokken of de flat begint al te vervuilen. Tegen de tijd dat hij thuiskomt, zal het wel een zwijnenstal zijn.

Jonathan heeft de koelkast schoongemaakt en de eieren uit hun doos in de holletjes van de deur gelegd. Dat is het niet. Het kan ook geen luier zijn, want die gooi ik buiten in de container, verpakt in zakken die naar perzik geuren. Jonathan heeft een cassette-luieremmer gekocht, maar ik weet niet hoe die werkt. Te technisch voor mij. De lucht wordt sterker als ik me naar rechts draai: vies en zurig. Ben ik het soms zelf? Ik inspecteer mijn kleren, maar kan geen spuugvlekken van de baby ontdekken. Wordt dat mijn leven als jonge moeder – kruidenpotjes rechtzetten en me drukmaken over vieze luchtjes?

Ik bel Jonathan om hem te zeggen dat we naar buiten gaan. 'Goed idee,' zegt hij. Op de achtergrond gaat een telefoon en hoor ik collega's praten. Ze hebben het geweldig naar hun zin, dat is duidelijk.

'Het zal wel niet gaan regenen,' zeg ik tegen hem.

'Nee, maar neem toch de regenkap mee. Voor alle zekerheid.'

'En het mobieltje.'

'Zorg ervoor dat het geladen is. Sorry, Nina...' Een kittige vrouwenstem valt hem in de rede, misschien om hem naar een vergadering te roepen, maar vermoedelijk om een spontaan feestje aan te kondigen. 'Ze hebben me nodig. Doe het rustig aan.'

Ik ram de buggy – die ook tot een draagwieg kan worden omgetoverd en te veel knopjes en hendels bezit, om nog maar te zwijgen van een gevoerde zak, de zogenaamde Snugglebabe – naar buiten en stoot wat zwarte verf van de deur. Een legertje moeders is al op weg naar het park, met kleuters aan de teugel. Als Eliza erbij was geweest, had ze de meest opgetutte moeder aangewezen en had ze gezegd: 'Dat is toch geen gezicht!' Een MILT, zou ze haar hebben genoemd: een Moeder in een Leren Toestand. Ik heb die term weleens gelezen op de funpagina die Eliza voor haar modeblad schrijft, met kattig commentaar op de kleding van beroemdheden. Ik hielp haar soms met het bedenken van die termen, die Eliza in haar paarse suède opschrijfboekje noteerde als we met onze glazen tegen het muurtje buiten de Dog and Trumpet stonden geleund, in de zestiende eeuw, toen ik nog wel eens in de kroeg kwam.

'Weet je dat een baby binnen een paar seconden kan verbranden?' Een oudere vrouw met een weke onderkin heeft zich naast me op het bankje in het park gewrongen. 'Een babyhuidje is zó gevoelig,' zegt ze bestraffend. 'Heb je geen zonnescherm?'

Zoveel zon is er niet. Maar de bezorgdheid van de vrouw – en het feit dat ze een paar tweedjassen over elkaar heen lijkt te dragen – doet me twijfelen aan mijn objectieve waarneming van de temperatuur. En ik ruik nog steeds die zure stank. Blijkbaar hangt hij om me heen.

De vrouw tuurt in de wieg. Als ze zich ervan heeft vergewist dat Bens gezichtje nog geen slagveld van blaren is, knijpt ze hem in zijn wang. Meteen wordt hij wakker. Zijn onderlip trilt en hij begint te huilen, niet zo schrikbarend als thuis, maar luid genoeg om duidelijk te maken dat het tijd is voor een slokje.

Dom genoeg draag ik een jurk met de rits van achteren. Om een borst vrij te maken kan ik twee dingen doen: de hals omlaag sjorren, waardoor mijn gezwollen borsten ongetwijfeld de aandacht zullen trekken van de schooljeugd of misschien zelfs de politie; of mijn hele jurk omhoog trekken, waardoor ik spiernaakt op het bankje kom te zitten met een verfrommeld stuk textiel om mijn nek.

Ik duik in mijn tas met hulpmiddelen en haal er een flesje uit. 'Ik heb mijn kinderen borstvoeding gegeven,' zegt de vrouw. 'Alle negen. Eentje is er dood.' Ze staart me met haar priemende kleine oogjes strak aan.

'Dit wordt zijn eerste flesje,' leg ik uit. 'Als reserve.'

'Je krijgt je figuur sneller terug als je borstvoeding geeft. Dan raak je het vet vanzelf kwijt.'

De *Onmisbare gids* heeft me gewaarschuwd voor de lastige overgang van borst naar fles, maar Bens ogen puilen uit zijn hoofd van vreugde als hij het doorschijnende plastic flesje ziet en hij zuigt meteen het speentje plat. Een vrouw met koperkleurig haar komt over het paadje naar ons toe. Haar halsketting danst op en neer bij elke stap. 'Ik dacht al dat jij het was,' zegt Martha, mijn consulente. 'Je ziet er geweldig uit. Het gaat fantastisch, zeker?'

'Dank je,' zeg ik. 'Ik vóél me ook fantastisch.'

'Moet je zien! Je zit heerlijk buiten met je baby. Dat is al een prestatie op zich.'

Ik ben zelf ook wel trots dat ik die lastige tocht naar het park heb volbracht, langs potentiële gevaren zoals de organische pub en de kiosk. 'En hoe gaat het met...' begint ze.

'Benjamin, Ben. Geweldig.'

Maar Martha luistert al niet meer. Haar blik gaat naar het flesje tussen Bens lippen. Terwijl hij gulzig drinkt en tevreden geluidjes maakt na elke slok, besef ik dat Martha een plastic fles nooit voor een menselijke borst zal aanzien.

Misschien ben ik niet geschikt voor deze rol.

Slaapgebrek

ELIZA HEEFT EEN MOOIE HALS, HEEL LANG, ALS EEN KAARS, EN GLAD als was. Ze wrijft er crème in, een speciale crème met mineralen uit de Dode Zee. Ze koopt altijd twee grote potten tegelijk, een voor thuis en een voor in de la van haar bureau.

Ze is modestiliste bij een blad en haar werk lijkt uit twee delen te bestaan: haar lezeressen aansporen om een paar honderd pond uit te geven aan een eenvoudige grijze trui en zelf naar exotische locaties afreizen 'vanwege het licht'. De meeste van Eliza's fotosessies vinden plaats in zonniger oorden. Soms gaat ze naar plekken waar het vriest en waar de modellen door de sneeuw moeten paraderen op gevaarlijke sandalen. Het licht in de parken en plantsoenen rond haar kantoor is kennelijk niet goed genoeg.

Op die reisjes naar het buitenland is het voornamelijk Eliza's taak om de klachten van de modellen over de hitte of de kou aan te horen en om de plaatselijke bevolking te betalen om zich naast de meisjes te laten fotograferen voor de couleur locale. Terwijl Ben ligt te slapen en ik me afvraag of ik de roestvrijstalen kookplaat nog eens zal boenen die Jonathan al glanzend heeft gepoetst, amuseer ik mezelf met de gedachte aan Eliza in Lapland, die buldert: 'Laat de Hopi-stam maar komen!', waarop een groepje stomdronken Lappen het beeld in wankelt, niet begrijpend waarom dat norse, broodmagere meisje alleen zo'n dun jurkje met beige kraaltjes draagt, hoog op de berg.

Voordat ik Ben kreeg, werkte ik bij het tijdschrift *Lucky*, een flodderig blaadje met verhalen van 'echte' (dus niet broodmagere) mensen, die akelige dingen hadden meegemaakt, zoals thuiskomen na een avondje bingo en een afgebrand huis aantreffen. Chase, mijn hoofdredacteur, hield van onverwachte wendingen. Ideaal gesproken ontdekte de vrouw met het afgebrande huis een winnend staatslot in haar handtas, die ze gelukkig had meegenomen naar de bingo. 'Een triomf op de tragiek,' noemde hij zulke verhalen. Ze gaven de mensen hoop. Hoe beroerd je dag ook leek, er was altijd een kans op een stralend einde.

Chase liegt, natuurlijk. Het werkelijke succes van *Lucky* ligt in de geruststellende gedachte dat je het zelf misschien nog zo slecht niet hebt. In elk geval zijn wíj niet vervolgd vanwege onze liefde en gedwongen om in een kippenhok te wonen. Dus neem je nog een kop thee. Je man is er wel vandoorgegaan met de negentienjarige babysitter en uit de wc klinkt een onheilspellend geborrel, maar er zijn altijd nog ergere dingen. Je zou ook in de *Lucky* kunnen staan.

Ben en ik maken al vijf dagen de tocht van de flat naar het park en terug, als er een taxi stilhoudt voor de flat. Eliza's strakke kontje wipt naar buiten en ze buigt zich naar de chauffeur om te betalen. 'Mag ik een bonnetje?' vraagt ze. 'Zet er maar vijftien pond op, wil je?'

Eliza heeft een cadeautje voor Ben gekocht: een zwartfluwelen teddybeer, zonder een herkenbare snuit of iets anders dat de fantasie van een kind zou kunnen prikkelen, behalve een lint van Louis Vuitton dat strak om zijn nek is geknoopt. De beer ruikt naar bloemetjeszeep. Ik vermoed dat het een ongewenst cadeautje van een vertegenwoordiger is dat al eeuwen in Eliza's bureaula heeft gelegen. 'Dank je wel,' zeg ik. 'Die zal hij prachtig vinden.'

Ben ligt op zijn rug onder een felgekleurd plastic ding, een zogenaamde speelboog. Jonathans gezicht betrok toen hij het ding zag, omdat de primaire kleuren en snerpende geluiden niet pasten bij de vanilletinten van onze huiskamer. Maar de speelboog blijkt een aanwinst. Ben kan wel anderhalve minuut in vervoering naar de bungelende plastic ballen staren. Ik leg de teddybeer van Louis Vuitton naast hem in zijn wieg. Kwijl druipt langs zijn kinnetje.

'Voel je je wel goed?' vraagt Eliza.

'Ja, hoor.'

Ze kijkt me met half toegeknepen ogen aan. Haar wimpers zijn stoffig van oude mascara. 'Heus waar?' vraagt ze op wat zachtere toon. 'Je lijkt zo...'

'Je moet eraan wennen.'

Ze laat zich op de bank vallen en legt haar turquoise hakken op de bruine suède kubus. Haar schoenen hebben het zwaar te verduren gehad, zo te zien. 'Eigenlijk heb ik allerlei afspraken,' verzucht ze, 'maar ik ben er tussenuit geknepen om jou even te zien. Je klonk zo hol.'

Ik weet wat ze met 'afspraken' bedoelt: alle modehuizen aflopen om een riem of een ketting uit te zoeken. Als ze het echt druk heeft, laat ze haar haar in een steile coup föhnen of gaat ze op jacht naar een scheefgeknipt rokje voor een fotosessie. 'Ik denk dat ik moe was,' zeg ik, in de hoop dat het niet hol klinkt. 'Een beetje lusteloos, dat is alles.'

'Je zit te veel thuis. Dat heb je, overdag, van die mensen die maar wat doelloos rondlopen, met hun ziel onder hun arm. Raar, eigenlijk.'

Ik zou willen dat de telefoon ging of dat er iemand binnenviel met een verlate bos bloemen om me te feliciteren.

'Als je druk aan het werk bent,' vervolgt Eliza, 'denk je niet aan al die mensen overdag, die boodschappen doen of de heg knippen...'

'Ik knip de heg niet,' snauw ik tegen haar. 'Dat doet Jonathan.'

'Wat doe jij dan de hele dag?'

'Mensen spreken, nieuwe vrienden maken.'

'Koffieochtendjes, bedoel je? Dat soort dingen?'

In werkelijkheid ben ik maar op één ochtend geweest waar hete dranken werden geserveerd. Omdat ik zoveel thuis was, begon ik me zorgen te maken dat ik mijn vermogen tot conversatie met grote mensen was verloren. Ben was pas zes weken oud, maar toch had ik het gevoel dat ik al tientallen jaren geen woord meer had gewisseld met een volwassene, Jonathan uitgezonderd. Mijn mond raakte verkrampt en als Jonathan thuiskwam, bestookte ik hem met prietpraat totdat hij ontsnapte naar de badkamer. Zelfs Eliza hield onze telefoongesprekjes zo kort mogelijk en ik hoorde haar dikwijls geeuwen.

Tot mijn verbazing genoot ik van de koffieochtend. Ik kletste aan één stuk door – wat een speciale ademhalingstechniek vereiste – totdat de levenloze vrouw tegen wie ik praatte zich verontschuldigde omdat ze haar baby moest verzorgen, hoewel hij tevreden op een kussen lag en zijn kinnetje likte.

'Dat is goed voor me,' verklaar ik ferm tegen Eliza. 'Ik moet andere mensen met baby's zien.'

Ze pakt Jonathans glanzende woonmagazine en bladert het door. Het heet *InHouse* en Eliza bestudeert een betonnen gebouw dat angstig tegen een rotswand hangt gekleefd. 'Je moet weer terug naar de echte wereld,' zegt ze.

'Dit ís echt.'

'Dat weet ik. Dit is het leven van een moeder. Maar ik dacht dat jij misschien iets anders wilde.'

'Wat dan?'

'We hebben een baby nodig voor een fotosessie,' zegt ze, met een snelle blik op Ben. 'Over twee weken. Je hebt toch niets te doen?'

'Dat moet ik nakijken,' zeg ik, starend naar haar voeten. Haar hakken hebben kleine vierkante putjes gemaakt in de suède kubus.

'Kijk maar niet zo zorgelijk. Hij hoeft niets bijzonders te doen, hij is gewoon een decorstuk.'

'Heb je geen mensen die kinderen leveren voor dat soort dingen? Modellenbureaus voor baby's?'

Ze schudt beslist haar hoofd. 'Te schattig. Kinderen met van die kersenmondjes en grote ogen. Zo'n cliché! Ik zoek juist karakter.'

Ben kijkt niet langer naar de bungelende ballen en verlegt zijn aandacht naar Eliza. Misschien wel voor het eerst valt het me op dat hij heel donkere, volle wimpers heeft. 'Je bedoelt dat hij een lelijke baby is.'

'Nee. Anders, dat wel. Leuk, maar op een vreemde manier. Hij lijkt helemaal niet op jullie.'

Bens dieproze lipjes openen zich met de suggestie van een glimlach. Ik vraag me af of het een echt lachje is, of dat hem een boertje dwarszit. Of misschien werkt hij naar een volle luier toe en concentreert zich nu.

Maar zijn mondhoeken gaan omhoog en er verschijnt een aarzelend lachje op zijn gezicht, dat elk moment als een zeepbel uit elkaar kan spatten. Zijn eerste lachje, wil ik tegen Eliza roepen. Een wonder waar zelfs de *Onmisbare gids* niets over zegt.

'Je krijgt er driehonderd pond voor,' gaat Eliza verder. 'Ik zal een taxi sturen, zodat je niet met al die babyspullen hoeft te zeulen. En een gratis lunch is inbegrepen.'

'Wat voor lunch?' Ik heb de gewoonte opgevat om de saaiheid van mijn lange dagen, zonder enig volwassen contact, te doorbreken met ongeveer vijftien kleine hapjes: een plakje ham, een handvol augurken. Geen borden of bestek.

'Heel gezond. Gegrilde paprika's, gestoofde zalm, heerlijke snacks met geitenkaas. Niet te geloven.'

Bens lachje verwelkt. Hij richt zijn aandacht weer op de speelboog en bekijkt zichzelf in een slingerend spiegeltje, zoals je ook wel in kanariekooitjes ziet.

Ik ga overstag voor een snack met geitenkaas.

Vóór Jonathan ging ik minder systematisch te werk bij het kiezen van vriendjes. Ranald ontmoette ik in de kelder van de Dog and Trumpet. Wendy, onze zwangere art-editor, gaf een feestje om haar afscheid van het saaie kantoorbestaan te vieren. Ze danste vol overgave en raakte met haar bolle buik de blozende jongen van de postkamer. Je zag de omtrekken van haar navel door haar dunne witte tuniek heen.

Niemand hield ooit nog een feestje thuis. Daarvoor huurde je de kelder van een kroeg, die maar drie keer per jaar werd gebruikt en naar schimmel en schoonmaakmiddelen stonk. De manager probeerde een feestelijke sfeer te scheppen door een ventilatorkachel neer te zetten. Je kwam nooit interessante mensen tegen in die kelders.

Ranald kwam er toevallig terecht omdat hij de verkeerde afslag nam, op zoek naar de toiletten. Hij had een frisse uitstraling, zelfs toen hij wat zoutjes pakte uit een schaal met oudbakken Bombaymix. De muziek stond zo hard dat ik hem niet kon verstaan, maar ik staarde als betoverd naar zijn beweeglijke lippen. Zijn tanden waren wit als Tipp-Ex.

De muziek zweeg. 'Ik ga volgende week kamperen,' riep hij. 'Ga je mee?'

'Wat? In een tent?' schreeuwde ik terug.

Hij lachte. 'Nooit gedaan, zeker? Journalisten zie je alleen in dure hotels.' Met harde, glinsterende ogen nam hij de omgeving op. Wendy nam een trekje van de sigaret van de redactie-assistent. Er dreef droesem onder in mijn glas.

Omdat Ranald zo aantrekkelijk was – zo aantrekkelijk dat hij zelfs als model voor vrijetijdskleding poseerde in een postordercatalogus – antwoordde ik dat ik liever in een tent sliep dan in een duur hotel. Dus vertrokken we de volgende zaterdag om acht uur 's ochtends naar North Devon en arriveerden nog voor de lunch bij de boerderij van zijn oom. Ik had mijn cosmetica beperkt tot één artikel: een getinte moisturiser die ook geschikt was als zonnebrandcrème. Ik verkende zijn strakke lijf onder het vale groene nylon, maar hij berispte me dat ik te hard van stapel liep. We werden wakker van een kletterende regenbui op het tentdoek. De wasgelegenheid was een kraan met een dun straaltje en een stuk grove oranje zeep. Hij keek ontstemd toen ik daarna de moisturiser gebruikte. Vanaf dat moment zakte de stemming en vond hij dat ik niet genoeg hielp. Toen we de tent afbraken, werd hij kwaad omdat ik het kleine zakje was kwijtgeraakt waarin die reusachtige berg ruisend nylon moest worden opgeborgen.

'Ik ben het niet kwijt!' riep ik. 'Ik heb mijn trui erin gedaan en het als kussen gebruikt.'

Hij draaide zich om en reageerde wat overdreven door me een tentharing naar mijn hoofd te smijten. De pen scheerde langs mijn wang en kwam in het lange gras terecht. Het kostte ons bijna een halfuur om hem terug te vinden.

Zwijgend reden we naar huis. Met draaiende motor bleef hij voor mijn flat staan. 'Bedankt voor een fantastisch weekend,' zei ik.

Later die avond belde ik hem om te zeggen dat ik niet in de juiste stemming was voor een relatie.

'Oké,' antwoordde hij. Ik wachtte of er nog meer zou komen. 'Maar het was toch leuk, vond je niet?' zou hij kunnen zeggen. Of: 'Je bent een geweldige meid, Nina.'

'Ben je er nog?' vroeg ik.

Ranald geeuwde. Toen pas drong het tot me door dat hij me niet echt had uitgekozen en me niet eens aantrekkelijk vond. Hij was alleen maar op zoek geweest naar de wc en een trap te ver afgedaald.

Ik kan niet slapen van de zenuwen voor Eliza's fotosessie. Ik moet haar maar bellen om te zeggen dat ik ervan afzie – dat ik niet goed nadacht toen ik het haar beloofde. Slaapgebrek, daarom zeg je te snel ja. Voordat ik Ben had, vond ik slapen een saaie maar noodzakelijke procedure om je cellen te vernieuwen. Ik ging nooit met plezier naar bed. En evenmin werd ik 's ochtends wakker met een berekening in mijn hoofd hoe lang ik op de been zou moeten blijven voordat ik weer onder het dekbed mocht kruipen.

Maar nu denk ik voortdurend aan slaap. In mijn fantasieën word ik niet langer verwend door een verzameling onbekende mannen, maar lig ik gewoon in bed met mijn ogen dicht. Ik fantaseer zelfs over nachtkleding: katoenen nachthemden, flanellen pyjama's, bedsokjes. In die dagdromen strek ik me diagonaal over de matras uit, met mijn armen gespreid om zoveel mogelijk ruimte in beslag te nemen. Geen plaats meer over voor een volwassen man of zelfs maar een baby.

Ben heeft een omgekeerd dag-en-nachtschema. Overdag is hij slaperig, 's nachts klaarwakker. '*Mensen zijn niet ontworpen om 's nachts te slapen,*' waarschuwt mijn *Onmisbare gids*. '*Dat is immers de veiligste tijd om te jagen. Dan horen we buiten te zijn, op zoek naar voedsel.*' Dat schijnt te kloppen, want tussen tien uur 's avonds en het ochtendkrieken slaat Ben om de twee uur zijn ogen op, met de gretige uitdrukking op zijn gezichtje van iemand die liever door het struikgewas zou sluipen dan onder een blauw dekentje met geborduurde konijntjes te liggen.

Soms lijkt het 's avonds niet eens de moeite waard om naar bed te gaan. Ik verdiep me in de gevolgen van een chronisch slaaptekort: apathie, stemmingswisselingen, onhandigheid, duizeligheid, huidirritaties, onmacht, gebrek aan perspectief, tijdelijk geheugenverlies en nog andere dingen, die ik vergeten ben. Slaap neemt zo'n groot deel van mijn hersens in beslag dat er maar weinig ruimte overblijft voor iets anders. Ik kan me nauwelijks aankleden zonder mijn beha kwijt te raken en hem uren later pas weer terug te vinden aan de verchroomde haak van de ovenhandschoen. Op weg naar het park verlies ik mijn huissleutel en moet ik Jonathan op kantoor bellen om me te komen redden.

Ik hang bij het hekje rond en probeer niet de aandacht te trekken van het norse echtpaar aan de overkant met hun dreigende sticker *Deze buurt wordt in het oog gehouden*. Om een vriendelijke indruk te maken, neurie ik een wijsje voor Ben, hoewel hij slaapt. Ten slotte komt er een auto de hoek om. Jonathan, mijn redder, springt eruit met de sleutel al in zijn hand, klaar om hem in het slot te steken.

Naarmate mijn intellectuele vermogens afbrokkelen, krijgt Jonathan steeds meer de rol van mijn beschermheilige – de man die alles regelt. Ik zie hoe hij de babymelk voor Bens flesjes afmeet, terwijl zijn bedrijvige pappahanden tegelijkertijd de basilicum door de saus roeren bij de verse linguine die hij in zijn lunchpauze heeft gekocht.

'Ik heb het allemaal niet meer onder controle, zoals jij,' zeg ik tegen hem.

'Je doet het heel goed,' zegt hij. 'Ik ben trots op je.'

Eliza heeft me gezegd dat ik me niet druk hoef te maken over Bens fotosessie en hem vooral geen matrozenpakje moet aantrekken, zoals die opgefokte showbiz-moeders soms doen. 'Hou het simpel,' adviseert ze. 'Trek hem zo'n ding met knoopjes aan, waar de pijpjes al in zitten.'

'Een kruippakje.'

'En je hoeft niets aan zijn haar te doen. Dat doen ze wel op de set.'

Als ik Ben van zijn vochtige nachtluier ontdoe, overweeg ik om toch maar af te bellen met een of ander excuus. Er is iets verschrikkelijks gebeurd, een babyramp. Hij heeft uitslag gekregen, en dat kan ze natuurlijk niet gebruiken, een kind met vieze rode vlekken? Of een noodsituatie thuis. Ik ben aangevallen door de luieremmer. De mesjes zijn van de keukenmachine gevlogen en hebben zich dwars door mijn arm geboord. Ik moet iets bedenken! Ik heb alleen maar toegestemd vanuit het egocentrische verlangen om een keer de deur uit te zijn en een gratis lunch te krijgen met bediening. Heel verleidelijk, maar tegen welke prijs? Als iemand in zijn buurt durft te komen met hairspray of een pincet voor zijn wenkbrauwen, ben ik al vertrokken. Bens welzijn is mijn eerste prioriteit. Ik ben zijn *moeder*.

Terwijl hij ligt te trappelen op bed, genietend van zijn naaktheid, leg ik zijn kleine kleertjes klaar. Ik kan hem niets aantrekken dat door Constance is gebreid, zoals haar truitjes met fantasiekraagjes, waar Bens hoofd doorheen steekt als uit een verjaardagstaart, of haar gebreide jasjes die ze *matinee-jacks* noemt, hoewel het nog jaren zal duren voordat hij voor het eerst naar de film gaat. Een van haar simpelste creaties komt misschien nog in aanmerking, maar ze hebben allemaal van die bobbelige zomen en gapende knoopsgaten, alsof ze met een vork zijn gebreid.

Dus schuif ik zijn plooibare lijfje maar in een effen wit kruippakje. Hij staart me aan, er duidelijk van overtuigd dat ik een bijzonder mens ben. Soms vraag ik me af waarom hij zo op me gesteld is.

Er wordt aangebeld. De taxi is opzettelijk te vroeg en overvalt me in pyjama. Om tijd te winnen overweeg ik mijn kleren maar over mijn ochtendjas aan te trekken. Maar het staat wel achterlijk als ik op de set mijn ceintuur nog als een staart achter me aan sleep. Eliza zou zich nog zorgen maken dat ik niet alleen hol klink, maar ook niet meer in staat ben mezelf aan te kleden. De volgende stap is je beha over je jas aandoen.

Weer wordt er gebeld, een paar keer achter elkaar, alsof het een kind is dat zijn vinger op de knop houdt. '*Niiiina!*' roept een zangerige stem. 'Wij zijn het! We zijn terug.'

Ik open de deur. Op ooghoogte zweeft een driewieler met een roestig rood-blauw frame. Een rieten mandje is met een rafelige waslijn aan het stuur gebonden.

'Ze is vergeten dat we zouden komen,' zegt mijn vader.

'Natuurlijk was ik dat niet vergeten.'

'Laat hem dan maar zien,' zegt mam, en ze trippelt langs me heen. 'Hoe oud is hij nu, drie weken?'

'Twee maanden.'

'Goh,' zegt pap, 'is dat echt zo snel gegaan?' Hij zet de driewieler op de grond, met het voorwiel in Bens richting.

'Dank je. Heel mooi.'

'We wisten niet wat we je moesten geven, is het wel, Jack?' zegt mam. 'We dachten dat je alles al had.'

Om een veilige afstand te houden tussen zichzelf en Ben – en de kans te verkleinen dat ik haar zal vragen om hem op te tillen – parkeert mam haar achterste op de suède kubus. Ze heeft ophaaltjes in haar citroengele rok, waar ze met haar lange, dunne vingers overheen wrijft. 'Hij lijkt op jou,' zegt ze, turend naar Ben. 'Precies zoals jij was op die leeftijd.'

Zo nu en dan gebeurt er iets wat me eraan herinnert dat ik het resultaat ben van die onuitsprekelijke daad tussen mijn ouders, hoewel onze stamboom onwaarschijnlijke takken vertoont. De lijn naar mijn moeder moet een verschrijving zijn. In mijn vader herken ik nog wel iets, hoewel we voornamelijk onze forse neus en onze mollige vormen gemeen hebben, en de neiging om onderuit in een stoel te zakken met onze knieën uit elkaar. Mam klemt haar dunne bruine benen strak tegen elkaar. Ze heeft haar peper-en-zoutkleurige haar bijeengestoken met van die simpele bruine clips die je bij de drogist kunt kopen voor een kwartje de honderd.

'Hoe was het in Frankrijk?' vraag ik.

'We hebben natuurlijk weer niets aan het huis gedaan,' zegt pap. 'Het vocht kruipt op in de achterste slaapkamer. Dat geeft een muffe stank.'

Mam sputtert wat en onderdrukt een lachje met haar gele vingers. 'We hadden camembert gekocht, en... nou, het stonk toch al zo, door al dat vocht. Ik sneed er een stuk vanaf en de hele kaas...' er gaat een huivering door haar tengere schouders, 'wemelde van de kleine witte kevertjes.'

'Ik dacht dat jij geen kaas mocht hebben,' wijs ik haar terecht. Mam is in behandeling bij Ashley, een alternatieve genezer met twijfelachtige papieren. Hij heeft haar geadviseerd om gluten, zuivelproducten en citrusvruchten te mijden en stuurt haar na elk consult naar huis met grote, gevlekte tabletten die volgens mij voor paarden zijn bedoeld. Die pillen plakt ze met Sellotape tegen haar voorhoofd. Dat helpt tegen een blokkade van de hersenen, volgens Ashley. Hij maakt zich zorgen over haar geestelijke gezondheid.

'Als je niet eens een stukje camembert mag eten als je in Frankrijk bent...' reageert ze geïrriteerd.

'Kunnen jullie het huis niet beter verkopen?' vraag ik. 'Het geeft alleen maar problemen.'

'O nee,' zegt pap. 'Het komt allemaal wel in orde.'

Een paar jaar geleden, op vakantie in het westen van Frankrijk, ontdekten mijn ouders een vervallen huis aan het eind van een overwoekerd weggetje. Iedere verstandige volwassene zou snel zijn doorgereden naar Dijon om een gezellig hotel te zoeken, maar mijn moeder beval mijn vader rechtsomkeert te maken en vast te stellen dat het huis van dichtbij net zo'n ramp leek als van een afstand.

De Engelse eigenaren vroegen hen binnen. In een dronken bui hadden ze de bouwval willen omtoveren tot een lucratief vakantiehuis, maar eenmaal ontnuchterd waren ze haastig gevlucht naar hun gerieflijke, centraal verwarmde huis in Holland Park. Het was voorbestemd, zei mijn moeder. Het viel haar niet op dat het huis aan de voet van een grashelling lag en dus altijd last van vocht zou houden tenzij iemand die heuvel daar weghaalde.

Maar dat schijnt mijn ouders niet te storen. Het vervallen huis is een mooi excuus om heen en weer te reizen naar Bourgogne om vast te stellen dat de grote stapel leistenen nog altijd niet tot een nieuw dak is verwerkt maar bij elk bezoek met meer mos begroeid raakt. 'Maar de tuin ziet er prachtig uit,' zegt mijn vader. 'We hebben wat rozemarijn voor je meegenomen. Ligt dat nog in de auto, Kate?'

'Mm,' mompelt mam met een diepe zucht. Ik vermoed dat ze een sigaret wil. Ashley weet niet dat ze rookt. Hij kan maar niet begrijpen waarom de blokkades zich niet oplossen of waarom zijn pendel zo wild tegen de klok in draait als hij hem boven haar longen houdt.

'Ik loop even de tuin in,' kondigt ze aan.

'Mam, het spijt me. Ik had jullie moeten waarschuwen, maar dit is niet het geschikte moment om...'

Ben maakt een geluidje.

'Goh, hallo!' zegt pap.

'Wil je hem even vasthouden?'

'Ach, ik weet niet...'

'Wil jij hem even knuffelen, mam?'

Ze loopt naar de deur en zoekt naar een aansteker in haar schoudertas met kwastjes.

Ben begint schel te huilen. 'Doet hij dat vaak?' vraagt pap en hij kruipt nog dieper in zijn stoel, in een poging dwars door het zachte leer te zakken, waar hij zich tussen de voering en de springveren kan verschuilen voor het sputterende kind.

Rook kringelt naar binnen door de open voordeur. 'Er staat daar een man,' zegt mam. 'Hij heeft het maar steeds over Lavender Hill. En hij kijkt heel boos.'

Ik bedenk dat ik nog steeds in mijn ochtendjas loop. Haastig zet ik Ben bij pap op schoot en loop naar de slaapkamer.

'Duurt het lang?' roept hij vriendelijk.

'Leg hem maar tegen je schouder en loop wat met hem rond.'

'Die man zegt dat hij je om halfelf moest ophalen,' roept mam. 'Wat wil hij van je?'

Ik ren de slaapkamer weer uit en gooi Bens survivalkit in mijn babytas. 'Sorry, pap, maar we moeten naar een fotosessie met Eliza.'

'Een wát?' vraagt mam, terwijl ze haar sigaret op de drempel uitdrukt met de neus van haar schoen. Ben recht zijn ruggetje en worstelt in paps armen.

'Hier, ik neem hem wel.' Ik pak Ben van hem over, geef hem een paar seconden de valse hoop dat hij een knuffel krijgt en zet hem dan in de taxi. 'Het is voor Eliza's blad,' zeg ik over mijn schouder. 'Ze willen een baby als...' Ik maak Bens gordel vast. Pap schuift naast hem op de bank.

'Een soort decorstuk?' oppert mam, en ze ademt rook uit als ze zich haastig op de voorbank laat vallen.

5

Je sociale baby

DE TAXI KOMT RAMMELEND TOT STILSTAND OP DE KEITJES VAN EEN steegje aan een kanaal, dat de stank verspreidt van een pedaalemmer. Mijn ouders springen eruit.

'Zo,' zegt pap, 'dus hier schieten die fotografen hun plaatjes. Dat zou je toch niet denken.'

Ik heb heel wat fotografen ontmoet, maar nog nooit iemand die voor de glossy's werkte. Als we voor *Lucky* een foto nodig hadden van een van onze 'echte' mensen, belden we de plaatselijke huis-aan-huiskrant en kregen we iemand die zich misschien wel waste, maar een grondige inspectie niet had kunnen doorstaan. Zo'n fotograaf trof ik bijvoorbeeld toen ik een vrouw in Hull interviewde die een kind had gekregen terwijl ze nog haar leggings droeg. Ze had nooit geweten dat ze zwanger was.

De fotograaf trok een gezicht toen ze haar blèrende baby de fles gaf. 'Heel triest allemaal, vind je niet?' fluisterde hij. Hij had een glimmend, ovaal gezicht, als een olijf.

Onze gastvrouw trok het plasticfolie van een schaal boterhammen met geraspte kaas en zette ze op het kleinste tafeltje uit een set van drie. 'Blijf je overnachten in Hull?' vroeg ze.

'God, nee,' zei de fotograaf. 'Ik stap meteen weer op de trein naar Leeds. Ik heb kaartjes voor de comeback-toernee van A-ha.'

Wat me nog triester leek dan een baby krijgen terwijl je in zalige onwetendheid over je zwangerschap verkeerde.

Er komt rook uit de neusgaten van mijn moeder als ze nog snel een sigaretje rookt voordat ze weer naar binnen moet. De receptioniste kijkt op van haar rommelige bureau. Haar inktzwarte haar is met goedkope plastic kammetjes in kleine staartjes gebonden die alle kanten op staan. Een olijk pennenorgel staat naast een met stickers beplakte telefoon.

'Model?' vraagt ze. Haar zwarte wenkbrauwen schieten omhoog.

'Ik niet. Maar ik kom met...'

'De *baby*. Voor de fotosessie?'

Ik knik, in de hoop dat ze begrijpt dat we hiertoe gedwongen zijn. Haar ogen schieten naar links om me duidelijk te maken dat ik de gebutste klapdeur moet hebben. Ik duw hem open met mijn achterwerk en draai met Bens Maxi-Cosi een grote, kille studio binnen, op de hielen gezeten door het hijgende spookbeeld van mijn ouders.

De toestand van Eliza's kapsel doet vermoeden dat de sessie niet helemaal naar wens verloopt. Haar haar hangt slap langs haar gezicht, zwaar van zorgen. 'Greg heeft een bui,' fluistert ze. 'Blijf maar uit zijn buurt tot hij je nodig heeft.'

'Dit is niet wat ik wilde,' snauwt de fotograaf. 'Die kleur hadden we niet afgesproken.'

'Ik dacht dat je blauw had gezegd,' zegt een jongen met een ingevallen gezicht en een verfroller in zijn hand.

'Turquoise, zei ik. Een verdund, verwaterd soort turquoise.'

De verfroller van zijn assistent druipt op de studiovloer.

'Hij heeft de achtergrond de verkeerde kleur gegeven,' sist Eliza. 'En daar is Greg niet blij mee. Hij is heel kritisch; daarom is hij zo goed.' Ze heeft een strijkbout en een dun, bleekroze jurkje in haar hand. Problemen aan het kleurenfront.

'Welke achtergrond?' vraag ik.

'Die gebogen wand daar, die de illusie geeft van oneindigheid. Hij had blauw moeten zijn.'

'Hij ís blauw,' protesteert de assistent. Hij heeft knokige ellebogen en zijn groene ogen lijken teleurgesteld in het leven. Een kleine hond loopt snuffelend tussen de gemorste verf door en steekt zijn neus in het kruis van de jongen. De assistent wankelt achteruit, duidelijk niet bevoegd om het opgewonden hondje de toegang tot zijn edele delen te ontzeggen.

Greg slaat een wat vriendelijker toon aan. 'Ik had *bleek* gezegd, Dale. Bijna pastel. Net als de vorige keer.'

'Maar het ís bleek.'

'Ja, wel bleek, maar niet *intens* genoeg.'

Een kalende man met een blad vettige hapjes blijft staan om een blik op de wand te werpen. Misschien heeft hij een eigen tint blauw in gedachten, maar hij wordt wreed in zijn overpeinzingen gestoord door Greg, die brult: 'Viooltjesblauw, Dale! Verdomme.' Bij die uitbarsting opent Ben zijn ogen. Zijn gezichtje kreukelt en verkleurt tot een bleke, subtiele, maar *intense* schakering van fuchsiapaars.

Ik had nooit beseft hoeveel mensen er nodig zijn om een foto te maken van een meisje in een dunne, mouwloze jurk. 'En ze wilden glossy lippen,' zegt de visagiste tegen een kleedkamer met verschillende mensen die iets met gebreide kleding doen. 'Dat weiger ik, zei ik meteen. Ik doe geen glossy. Als je glossy wilt, zoek je maar een andere visagiste.'

'Een nachtmerrie,' beaamt de haarstilist. Hij heeft driehoekige bakkebaarden en kamt een soort snot – misschien wel serum – in het marmeladekleurige haar van zijn model. 'Je probeert gewoon creatief te zijn en iets te zéggen.'

Een paar gewichtloze vrouwen maken meelevende geluiden terwijl ze hun halskettingen in een volmaakte ovaal op de rommelige kaptafel proberen te arrangeren. Misschien zijn dit Eliza's assistentes, de Beheerder Schoenen en de Hoofdredactrice Accessoires.

Ben jammert zachtjes in zijn Maxi-Cosi.

'Is hij van jou?' vraagt de haarstilist. 'Het lijkt me zalig om een baby te hebben.'

'O, dat is het ook.'

'Ja. Maar goed, ik dacht erover om dit wat slordiger te maken, zodat je een ruige indruk krijgt. Wat denk je?'

'Daar is mijn kind nog wat te jong voor,' zeg ik grinnikend.

Niemand lacht. Het model knippert langzaam tegen haar mascaraborsteltje en staart me onzeker aan.

Mijn ouders hebben zich op een L-vormige bank laten vallen. Mam installeert zich in de plooien van het zwarte leer alsof het een nest is. Ze bladert een stapeltje modellenkaarten door, allemaal met een meisjeshoofd voorop en verschillende poses op de achterkant. Ze kan hier zoveel roken als ze wil en ze blaast de rook in snelle wolkjes uit, alsof ze moet leren fluiten. Dale brengt mijn ouders koffie in wiebelende plastic bekertjes.

'Mam,' zeg ik, 'Ben heeft honger.'

'O, ik heb nog wel zuurtjes in mijn tas.'

'Hij eet geen zuurtjes, hij drinkt melk. En die moet ik verwarmen.' Ik wil haar vragen om de keuken te zoeken terwijl ik Ben rustig houd, maar bij nader inzien lijkt me dat geen goed idee. Straks komt ze nog buiten terecht en valt in het kanaal. Of als ze de keuken vindt, maakt ze de melk misschien zo heet dat Ben zijn slokdarmpje verbrandt. Soms vraag ik me af hoe ik mijn eigen jeugd heb overleefd zonder ernstige brandwonden of andere verminkingen. Ik loop met Ben naar de receptie en vraag waar ik zijn flesje kan verwarmen. 'Wát?' vraagt het meisje, plukkend aan haar staartjes.

'Babymelk.'

Ze kijkt me heel verontwaardigd aan, alsof ik haar heb gevraagd wat melk te produceren uit haar eigen pronte tieten. 'Tss, ik weet het niet. Kun je het niet onder de handendroger houden?'

'Dat gaat niet...' begin ik, maar ze is alweer verdiept in de dringende taak om haar olijke pennenorgel te reorganiseren.

Ik loop met Ben – inmiddels een protesterend hoopje ellende – naar de kleedkamer terug. Vier brandende sigaretten balanceren op de rand van een asbak. Er moet toch wel een keuken zijn? Hoe zit het anders met die aanlokkelijke snacks waar Eliza het over had? Bladen met etenswaren flitsen voorbij als ze door de kalende man naar een andere studio worden gebracht.

'Arme baby,' zegt het model. 'Wat mankeert hem?'

'Misschien heeft hij pijn,' oppert de visagiste. 'Een oorontsteking of zo? Daar hebben baby's toch last van? Komt er pus uit?'

Ik leg Ben tegen mijn schouder en wieg hem zachtjes heen en weer.

'Jasses, hij heeft gespuugd!' zegt het model. De Directrice Oorbellen veegt met een wattenbolletje mijn schouder schoon en laat een streep witte pluisjes achter. Bij elke ademtocht trekt Ben heftig zijn buikje in. Ik vraag me af of een kind van pure ellende kan imploderen.

'Is er geen ketel?' vraag ik wanhopig.

Het model drinkt zwarte koffie door een rietje om haar lippenstift niet te verknoeien en wijst naar een hoek van de kaptafel. De Hogepriesteres Manufacturen probeert zonder succes de stekker van de elektrische ketel in het stopcontact te krijgen. 'Weet iemand hoe dit werkt?'

Een hondje jankt en krast met zijn nagels over de betonvloer. Greg zet de muziek wat harder. Hoewel de ketel nu is aangezet, gebeurt er niets. Om Ben rustig te houden, ram ik het flesje tussen zijn lippen, hoewel ik verwacht dat hij er weinig van moet hebben. Hij zuigt aarzelend, trekt een vies gezicht, maar besluit dan toch dat koude melk beter is dan zinloos huilen.

'We gaan beginnen!' roept Greg. Hij danst door de studio, met rubberen armen als binnenbanden. 'Waar is mijn model? Fern, ben je klaar?'

Fern komt met een bleek lachje uit de kleedkamer. 'Ik dacht dat er ook een man in de opname zat. We wachten toch op een man?'

'Ja. Daar is hij,' zegt Greg, wijzend op Ben.

'Een volwassen man, bedoel ik.'

'Het mannelijke model is niet komen opdagen,' legt Eliza uit. 'Hij speelt in een band en vindt modellenwerk eigenlijk maar niks. We hadden geluk dat we hem konden boeken.'

Een vreemd soort geluk als hij niet de moeite heeft genomen om te verschijnen. Maar in elk geval heeft hij in principe ja gezegd, en daar is Eliza al dankbaar voor. 'Laten we nog maar een halfuurtje wachten,' zegt ze. 'Dat is de hele bedoeling van de foto. Een dellerige scène.'

'Dellerig?' vraag ik. Daar heeft Eliza niets over gezegd toen ze over de fotosessie begon.

'Het idee is dat ze zich helemaal hebben opgetut, maar de pest in hebben omdat ze thuis moeten blijven voor de baby.'

'Ze hadden toch een oppas kunnen nemen?' zeg ik.

'Je moet het niet letterlijk nemen. Het is maar een gevoel.'

'En wat moet Ben dragen voor die dellerige foto?'

'Dat pakje is te suf. Alleen maar een luier, zou ik denken. Hij mag niet over haar jurk heen plassen. Dus als jij hem kunt omkleden? Zodra die jongen dan komt...'

'Schiet een beetje op,' zegt Greg. 'Ik heb geen zin om op die lul te wachten.'

Dale duikt naast me op, kauwend op een snack. 'Die jongen is geen echt model,' legt hij uit, 'maar dat zeggen ze allemaal, natuurlijk. Wat een leuke baby heb je daar.'

'Waarom zeggen ze dat allemaal?' vraag ik.

Dale haalt zijn schouders op. Misschien is het een onprettige gedachte om uitsluitend je brood te verdienen met je uiterlijk. Daar heb je immers zelf weinig aan bijgedragen. Je genetische erfenis komt van je ouders, en eigenlijk zouden je verdiensten dus rechtstreeks naar pap en mam moeten gaan. Misschien roepen modellen daarom dat het maar een bijbaantje is. Dat kun je met het moederschap niet doen – voorwenden dat je het er maar *bij* doet. Een baby weet echt wel wie zijn moeder is. Je kunt je onmogelijk voordoen als een toevallige oppas die straks weer vertrekt met wat geld voor de moeite, als de echte pappa en mamma thuiskomen uit het café.

Fern drentelt heen en weer voor de blauwe achtergrond, met haar armen al klaar om de baby te ontvangen.

Greg knipt met zijn vingers. 'Moedertje, we gaan beginnen.'

Ik ben de Universele Moeder geworden, zonder naam, en zonder de beloofde lunch met geitenkaas, besef ik nu.

'Hij slaapt.'

'Hoe lang nog?'

'Een uurtje of nog langer. Meestal valt hij aan het eind van de ochtend in slaap na zijn flesje, hoewel ik hem soms eerst in de kinderwagen leg om...'

'Moedertje, dit is een fotosessie. We zijn er klaar voor!'

Het is blijkbaar in orde dat een volwassen man niet komt opdagen voor zijn werk, terwijl een baby van acht weken niet eens zijn dutje mag afmaken.

Ik geef Ben aan Fern door. Hij slaat even zijn ogen op, kennelijk tevreden met zijn surrogaatmoeder.

'Dit is niks,' zegt Eliza. 'We hebben een man nodig. Laten we maar een vervanger nemen, een andere man, zodat Greg een idee kan krijgen van de scène.'

'Waar gaat die scène eigenlijk om?' vraagt mijn moeder, terwijl ze as morst op een modellenfoto.

Eliza's blik glijdt door de studio.

'Hij daar?' oppert Dale. 'Die dikke ouwe vent?'

'Zou u willen invallen?' vraagt Eliza. 'Eventjes maar?'

Ze stuurt mijn vader de studio door alsof hij een winkelwagentje is met een kapot wiel, en zet hem naast Fern. Pap knippert met zijn ogen tegen het licht. Hij draagt een oude ribfluwelen broek met gladde knieën. Naast Fern lijkt hij wel honderddrie.

'Ja, dat werkt,' zegt Eliza.

Pap lacht verlegen.

'Niet gek,' beaamt Greg. 'Schuif eens wat dichter naar haar toe, vader.'

'Het is juist leuk dat hij er zo ongemakkelijk bij staat,' fluistert Eliza.

Ik krijg een slechte smaak in mijn mond. Ben beweegt zich in Ferns armen. Zijn ogen vallen dicht. 'Moedertje!' beveelt Greg. 'Houd... je... baby... wakker.'

Ik klap in mijn handen. Bens oogleden trillen, maar sluiten zich dan.

'Zing iets!' commandeert Greg.

Welk liedje? *Twinkle, twinkle* is niet spannend genoeg. *Old Macdonald* heeft de neiging om nog weken in je kop door te zeuren als je niet oppast, maar toch schraap ik mijn keel en begin:

> *'Old Macdonald had a farm,*
> *Ee-eye, ee-eye, oh*
> *And on that farm he had a...'*

In gedachten zie ik een boerenerf met hanen, varkens en paarden, die in koor kakelen, knorren en hinniken. Wie moet ik nemen? Ik kan niet beslissen, niet na slechts vier uur slaap. Ik moet Jonathan maar eens vragen of ik niet een nachtje in mijn eentje naar een hotel mag.

'Moedertje?' dringt Greg aan. 'Ben je er nog?'

Het hondje blaft. Uit een verre hoek van de studio hoor ik Dales aarzelende stem:

'And on that farm he had a dog,
Ee-eye, ee-eye, oh
With a woof-woof here and a yap-yap there,
Here a howl, there a growl, everywhere a yip-yip.
Old Macdonald had a farm,
Ee-eye, ee-eye, oh.'

Ben beweegt. Ik zie een knipperend ooglid en het begin van een lachje. 'Nog dichterbij, vader,' beveelt Greg. 'Leun maar tegen haar aan, met een arm om haar middel. Kijk naar haar. En kijk nu naar mij.' Paps ogen gaan heen en weer alsof ze door een joystick worden bediend. Ben tuurt verlangend naar de lens alsof het een volle borst met melk is. Pap kijkt hulpzoekend naar mam.

'Rustig maar, vader,' zegt Greg. 'Doe maar net alsof je een marionet bent waarvan de touwtjes zijn losgegaan.' Paps knieën knikken. Naast Fern is hij opeens jaren ouder geworden, totaal ingezakt. De deur van de studio zwaait open. Een mannelijk model slentert naar binnen, nog net op tijd voor de sessie met Ben. Ik weet dat hij een model is, omdat hij een zwarte map bij zich heeft, en een gitaar.

Pap is zo moe dat ik hem de taxi in moet helpen. Zijn knieën kraken irritant.

Mam heeft een stapeltje geitenkaassnacks bemachtigd, die ze in een vettig servetje heeft verpakt.

Dale gespt Bens zitje op de achterbank. 'Ik vond dat je heel leuk zong,' zegt ik tegen hem. 'Al die verschillende dierengeluiden. Hou je van honden?'

'Nee,' zegt hij, 'ik kan ze niet uitstaan.'

Ik wil Jonathan alles over de fotosessie vertellen zodra hij thuiskomt, maar dit lijkt niet het juiste moment. 'Het minimalisme is dood,' leest hij toonloos voor uit *InHouse*. 'Leef je maar uit in bloemetjespatronen. De goede smaak heeft te lang geduurd. Haal het pluche terug!'

'Dat zal heus niet gebeuren,' stel ik hem gerust. 'Gewoon iemand die een artikeltje verzint.'

Hij legt het blad op de glimmende vloer. 'Verzint? Wat bedoel je?'

'Ze worden betaald om wat te schrijven. Dat heb ik zelf ook tien jaar gedaan.'

Jonathan drinkt uit zijn wijnglas. We kennen elkaar nu ruim een jaar en in die tijd is zijn haarlijn teruggeweken. Het valt me op als ik de foto zie die hij als reactie op mijn contactadvertentie heeft gestuurd. Toen leek hij nog zo vriendelijk en onbekommerd. 'Waarom zouden ze iets verzinnen als er genoeg serieuze dingen zijn om over te schrijven?' vraagt hij.

'De werkelijkheid is niet sexy genoeg.' Waar heb ik dat gehoord? Van Chase, mijn oude hoofdredacteur. Ik had een stukje ingeleverd over een vrouw die al heel lang leefde op enkel rum en rozijnenijs. Ik had een pak ijs met wafeltjes meegenomen om de vrouw gunstig te stemmen, en ik was best trots op het verhaal. Het had dat belangrijke element van blij-dat-ik-het-niet-ben.

'Het is niet genoeg,' zei Chase toen ik mijn kopij inleverde.

'Ik vind het behoorlijk extreem. Bedenk eens wat dat met haar ingewanden doet. Het is echt niet normaal.'

'Niemand die in *Lucky* staat is normaal, Nina. We hebben iets extra's nodig. Ik weet het al...' En op dat moment begreep ik waarom hij hoofdredacteur was van het best verkopende weekblad in Engeland, en ik maar een eenvoudige stukjesschrijver. 'Laten we zeggen dat ze midden in de nacht wakker wordt en dat bekende verlangen voelt naar iets romigs en zoets... Haar man slaapt en ze weet dat het verkeerd is, maar ze kan er niets aan doen. Ze trekt een ochtendjas over haar nachtpon aan en glipt de slaapkamer uit naar...'

'Naar de vriezer,' opperde ik.

'Naar een nachtwinkel. Dat wordt onze foto – hoe ze in haar gebloemde ochtendjas de winkel uit sluipt met een familiepak ijs onder haar arm.'

Jonathan drinkt in één teug zijn glas leeg. 'Ik kan niet geloven dat hij mensen zo manipuleerde.'

'Hij niet, maar *ik*. Ik heb haar zelfs een nylon ochtendjas gebracht, met schoudervullingen en een strikje om de hals, met de smoes dat *Lucky* altijd voor de kleding zorgt.'

Jonathan staart somber naar *InHouse*. 'Misschien dat jouw blaadje zoiets deed, maar dit soort tijdschriften niet.'

'Natuurlijk wel. Ze kunnen niet elke maand een flat laten zien zoals die van jou. Dus doen ze alsof alles verandert, net als de mode.'

'Die van ons,' verbetert Jonathan me. 'Een flat als die van óns.'

Zijn oogleden zijn zwaar. Hij zet het wijnglas op de grond en schuift opzij om plaats voor me te maken op de bank. 'Kom eens hier,' zegt hij, en hij klopt op de kussens.

Dan vouwt hij zich om me heen, met zijn warme adem in mijn nek. Een hand glijdt omhoog onder mijn T-shirt en kruipt onder mijn beha. Meteen krijg ik een associatie met babylipjes, hoewel Ben al weken niet meer in deze buurt is geweest. Jonathan en ik moeten ons seksleven nog opnieuw opstarten. Dat had al gebeurd moeten zijn. Mijn *Onmisbare gids*, die genereus anderhalve pagina aan het welbevinden van de ouders wijdt en 377 aan de verzorging van het kind, verklaart: *'Als je na zes weken je postnatale controle hebt gehad, kun je de seks hervatten.'*

Er is geen enkele reden om dat niet te doen, of in elk geval een poging te wagen en te zien wat er gebeurt. Dokter Strickland heeft me verzekerd dat mijn hechtingen goed genezen, maar toch ben ik bang dat het hele zaakje weer open zal springen bij de aanblik van een naakte volwassen man. Ik lees dat jonge ouders *'...elk moment moeten aangrijpen, al is het midden in de nacht. Hoe slaperig je ook bent, seks kan je band als geliefden weer versterken. Je bent immers meer dan vader en moeder alleen.'* Maar ik kan me niet voorstellen dat Jonathan blij is met zo'n onbeholpen vluggertje, zelfs als ik ervoor in de stemming zou zijn.

'Je bent gespannen,' zegt hij. Ik vraag me af wanneer de stimulatie van zijn vingers mijn melk op gang zal brengen. De *Onmisbare gids* erkent de terughoudendheid van jonge moeders en zegt: *'Onderbewust ben je misschien bang om weer zwanger te raken. Zorg dat je contraceptie in orde is.'* Condooms. Nou, daar hebben we plezier van gehad, een jaar geleden! Jonathans andere hand glijdt voorzichtig omhoog onder mijn rok. *'Geef elkaar een sensuele massage,'* adviseert het boek, *'met aromatische oliën, zoals ylang-ylang en tuberoos. Misschien is het nuttig je vaginale streek met je vingers te verkennen, of zelfs met behulp van een spiegeltje.'* Ik vind het tegenwoordig al angstig genoeg om mijn gezicht in een spiegel te bekijken.

'Alles oké?' vraagt Jonathan.

'Ik voel me een beetje raar.'

'Waarover?'

Waar zal ik beginnen? wil ik antwoorden. Ik kan me nauwelijks herinneren hoe dit alles is begonnen. Hoe was seks ook alweer voordat er een zaadcel door een scheurtje in het machteloze beige rubber ontsnapte, mijn borsten begonnen te zwellen en er een vreemde streep op mijn buik ontstond? Zo vaak hadden we het niet gedaan. Dat hoefde ook niet. Eén keertje was genoeg.

'Ik vind het niet prettig, in dezelfde kamer als Ben,' zeg ik. 'Hij zou iets kunnen zien.'

'Dat kan niet. Hij slaapt.'

'Hij zou wakker kunnen worden.'

Jonathan gaat rechtop zitten en bladert zwijgend in *InHouse*. Hij stopt bij een pagina met tips voor het opruimen: *'Je moet het niet als een onoverkomelijke opgave zien. Dan voel je je moedeloos en zul je er nooit aan beginnen. Eén stap tegelijk.'*

Later die avond lees ik het seksadvies in de *Onmisbare gids* nog eens door: *'Seks betekent niet meteen weer penetratie. Hoe opgewonden je ook bent, de bekkenbodem kan nog beurs en gevoelig zijn.'*

Alleen al het noemen van de bekkenbodem bevestigt dat de Jonge Moeder misschien liever haar eigen kiezen zou laten trekken dan aan seks te denken.

Overgaan op vaste voeding

JONATHAN KOMT BINNEN MET KOFFIE EN TWEE CROISSANTS OP EEN bordje. Het was heerlijk om wakker te worden met het bed helemaal voor mij alleen. Eén moment dacht ik dat mijn nachtmerrie over de verdwijning van Ben – en mijn huissleutel – in het park naadloos is overgegaan in mijn dagdroom over flanellen pyjama's.

'Eliza heeft gebeld,' zegt hij. 'Iets over de foto's, die geweldig waren. Precies wat ze wilde. Welke foto's?'

Ik bijt in de sappig beboterde croissant. 'Van Cuba, denk ik. Ze is vorige week in Havana geweest. Ze klaagde dat ze nergens een gebouw kon vinden dat echt haveloos leek, zoals je je Cuba voorstelt.'

Hij lacht. 'Grappig dat jullie vriendinnen zijn. Zij is zo anders.'

'Weet je wat nog vreemder is? Dat jij helemaal haar type bent. Dat zou je nooit verwachten.'

'Wat voor type is dat?'

Ik weet niet hoe ik het moet formuleren. Eliza houdt van conventionele mannen. Ze vindt niets zo opwindend als gepoetste zwarte schoenen, een koffertje met koperen slotjes en een avondkrant onder de arm gestoken. Een baan bij een bank vindt ze het ideale beroep, maar ze is ook niet vies van advocaten, bibliothecarissen, computerprogrammeurs (zolang ze maar niet over hun werk praten) of elk ander beroep dat een stille omgeving en serieuze, volwassen kleding vereist. Als we gaan stappen, kijkt ze naar iedere man in een krijtstreep. Misschien zijn ze een verademing na alle moeilijke kleuren waarmee ze in haar eigen werk te maken heeft.

Helaas reageren zulke mannen zelden positief op Eliza. Ze heeft een voorkeur voor korte, flodderige jurkjes die op ondergoed lijken – alsof ze wel is begonnen met zich aan te kleden, maar halverwege haar interesse heeft verloren. Zoiets zou je verwachten van een jonge moeder: het mode-equivalent van een zin beginnen en vergeten wat je wilde zeggen.

'Je bedoelt dat ze van conventionele types houdt?' zegt Jonathan.

Ik denk aan de mannen in pak die ze aanspreekt en die haastig naar de toiletten verdwijnen om even later terug te komen, gewapend met een vriendin in een pastelkleurige blouse. Ochtendgeuren zweven de slaapkamer binnen. Jonathan is druk aan het werk geweest. De stilte van de speelboog doet vermoeden dat Ben al is gevoed en in slaap gevallen.

'Jij bent niet conventioneel,' zeg ik.

'Maar ik draag wel een pak.'

'Omdat het moet.'

'Ik vind het prettig. Ik zou het ook doen als het niet hoefde.'

Dat weet ik. Vrijetijdskleding op vrijdag is een bezoeking voor Jonathan. Dan sluip ik de slaapkamer uit, terwijl hij in zijn kast naar anonieme poloshirts zoekt en in vormeloze broeken voor de spiegel staat. Hij is geboren voor een pak. Constance heeft me een foto van hem laten zien als kind, misschien om zijn achtergrond in te vullen: Jonathan als jochie van zeven of acht, met een papieren kroon uit een Christmas Cracker op zijn hoofd, ingeklemd tussen twee robuuste volwassenen. Op de foto lachte Constance naar een bijzonder aantrekkelijke man in een pak met een das, waarschijnlijk Jonathans vader, hoewel ze niets over hem zei en ik er liever niet naar vroeg. Jonathan droeg ook een pak en een das, met de knoop strak om zijn hals. 'Was dat met kerstmis?' vroeg ik overbodig, omdat er op de voorgrond een glimmende kalkoen en de restanten van de knalbonbons te zien waren.

Ik zet het bord op mijn schoot en dep met een natte vinger de kruimeltjes van de croissants op. 'Alleen omdat je een pak draagt ben je nog niet...' Opeens is alle logica uit mijn hoofd verdwenen.

'Wat ben ik dan wel?' vraagt Jonathan.

'Een geweldige vader.'

'Waarom zeg je dat?'

'Zoals je hem vertroetelt en geduld met hem hebt... veel meer dan ik. En hij houdt zo van je.'

Jonathan pakt mijn lege bord en veegt de broodkruimels van het dekbed. 'Dat weet ik,' is alles wat hij zegt.

Beth en Matthew hebben het restaurant gekozen. Ik vraag me af waarom we van al die stellen uit het zwangerschapsklasje juist contact hebben gehouden met hén. Ze stralen samen zo'n zelfgenoegzaamheid uit dat je het roze waas om hun hoofd bijna kunt ruiken. Beth belde me regelmatig na Bens geboorte om te vragen of ik het wel 'redde'. Waarna ze uitvoerig uit de doeken deed hoe simpel het allemaal was. Ze heeft een voorsprong op me. Haar dochter Maud is vier dagen voor Ben geboren. 'Het gaat allemaal om je houding,' herhaalt ze. 'Ontspannen moeders hebben ontspannen baby's.'

Beth was ook héél ontspannen tijdens het klasje. Ze ademde als een blaasbalg, alsof ze op het punt stond te bevallen op de zeegrasmat van de cursusleidster. Ik had meer op met een dik meisje dat naar gare doperwten rook, een sweatshirt met jusvlekken droeg en de eerste dag al verklaarde dat haar vriendje geen zin had om te komen. Ze liet zich met gespreide dijen op een batikkussen vallen en kondigde aan dat ze volledig wilde profiteren van de pethidine, de diamorfine en al het andere lekkers dat er werd aangeboden. Na die eerste bijeenkomst heb ik haar niet meer gezien, dus ik neem aan dat zij ook geen zin meer had.

'We mogen ons gelukkig prijzen,' zegt Beth zelfvoldaan als ze zich op een stoel laat zakken met uitzicht op het water. Ze draagt een lichtgekleurde denimjurk met korte pofmouwtjes en witte bloemen op de kraag geborduurd. Op haar rug hangt een konijnentasje. Beth lijkt rechtstreeks uit een boek van Beatrix Potter gestapt.

Het is druk in het restaurant. Veel bezoekers zitten aan de zondagse lunch. Beth knoopt haar jurk los en duwt Mauds hoofdje onder een witte broderie-anglaise beha. Van alle mogelijke namen, waarom Maud? Ze hebben nu al discussies over de school waar ze haar naartoe zullen sturen als ze (zoals verwacht) hoogbegaafd blijkt te zijn. Beth vermoedt dat ze ook erg muzikaal is, omdat ze bij hun bezoekjes aan oma in Oxfordshire altijd op de toetsen van de piano ramt.

'Ze drinkt zo tevreden,' zegt Beth tegen niemand in het bijzonder.

'Ben ook,' zeg ik. 'En hij krijgt al vaste voeding.'

'Met drie maanden? Is dat niet snel?'

'Onze consulente stelde het voor. Zo nu en dan een hapje kan geen kwaad, zei ze.' Ik mag onze nieuwe consulente wel. Ze heeft een pittig Noord-Iers accent en ze beet op Bens nageltjes toen ik het babyschaartje niet kon vinden.

Beth fronst en strijkt met een hand over het kolossale voorhoofd van haar kindje. 'Maud krijgt alleen nog borstvoeding,' zegt ze. 'Ongelooflijk, niet? Dat hele lijfje is opgebouwd met moedermelk. Hè, liefje?'

'We maken Bens eten zelf,' zeg ik bruusk. 'Gepureerde worteltjes, broccoli en noem maar op.'

'Goh,' zegt Beth, 'waar haal je de tijd vandaan?'

Jonathan schenkt iedereen in uit de waterkan. Hij is zo kies om niet op te merken dat ik de knop van de keukenmachine niet eens kan vinden. Hij heeft Bens voeding op zich genomen en staat braaf een hele avond per week organische groente te hakken en te stomen voor de blender. Alles wordt in blokjes ingevroren in het ijsbakje, in plastic zakjes verpakt, van een etiket met datum voorzien en in de vriezer opgeborgen. Het enige dat ik doe is zwierige etiketjes schrijven: *Peer-en appelmélange.*

Beth zet Maud op haar denimschoot en wrijft haar vakkundig over haar rug tot ze een beleefd boertje laat. Daarna parkeert ze het slaperige kind in de Maxi-Cosi aan haar voeten. 'Weet je, we denken over een tweede,' zegt ze. 'We proberen het nog niet echt, maar we houden het ook niet tegen. Zo is het toch, Matthew?'

Matthew en Jonathan zitten samen te mompelen over de functies van de gebouwen aan de overkant van de rivier. 'We zullen wel zien,' grinnikt Matthew. 'Heeft iedereen al een keus gemaakt?'

Niet meer gewend om uit eten te gaan staar ik naar een menu met veel te veel mogelijkheden en onbegrijpelijke termen als *tagine* en *coulis*.

'En jij, Nina?' tsjilpt Beth.

'Ik weet het niet. Misschien zeeduivel, maar zoetzure kip klinkt ook wel lekker.'

'Ik bedoel of je al een tweede kindje wilt?'

Ik hap naar adem. Mijn mond voelt vormeloos. 'Dat weten we nog niet. We zijn nog niet eens gewend aan de eerste, hè, Jonathan?'

'Nee,' zegt hij, met zijn neus in de menukaart.

'Er zijn altijd maar twee of drie vegetarische gerechten. Heel irritant,' moppert Matthew. 'Dat noemen ze dan een schotel, zonder dat je weet wat een "schotel" precies is.'

'We hadden ook naar een vegetarisch restaurant kunnen gaan,' zeg ik.

'Ik neem zalm, maar zonder die peperchutney,' zegt Beth.

'Jij bent toch ook vegetariër?'

'Ja, maar ik eet wel vis.'

'En kip,' zegt Matthew.

Beth grijnst wat zuur en vouwt Mauds dekentje in een keurige rechthoek. 'Raar dat je baby is samengesteld uit de beste delen van twee mensen samen,' zegt ze. Ik kijk van Beth naar Matthew. Een vettige huid die zich sinds de puberteit nooit meer helemaal heeft hersteld. Beth' dunne vlechtjes eindigen in dode haarpunten boven haar schouders. Matthew heeft slappe lippen. 'Iedereen zegt dat Maud modellenwerk moet doen,' vervolgt ze. 'Maar dat vind ik niks, jij wel? Van die kleine meisjes met krulletjes en bazige moeders die een aandeel willen.'

'Ja, dat deugt niet echt.' Matthew laat de wijn in zijn glas ronddraaien en ruikt eraan.

Ik bijt in een olijf met rozemarijn.

'Lekker, hè?' zegt Beth. 'Die marineren ze hier zelf. We eten hier vaak. Ja toch, Matthew? Maud gedraagt zich keurig in een restaurant.'

Ik vraag me af of dit het juiste moment is om bekend te maken dat Ben door zijn publiciteitsgeile moeder naar een fotostudio is gesleept waar het blauw zag van de sigarettenrook. Ik kan er nog bij zeggen dat hij tot op zijn luier is uitgekleed in een grote, onverwarmde ruimte, koude melk te drinken heeft gekregen en is vastgehouden door vreemden die niet eens een heetwaterketel konden bedienen. Zou dat goed vallen in dit gezelschap?

'Heeft Ben veel persoonlijkheid?' vraagt Beth met een blik op mijn baby.

Ik moet me beheersen om niet te antwoorden dat hij een paar goocheltrucs voor haar zal doen zodra hij wakker wordt, maar beperk me tot: 'Hij is dol op zijn speelboog.'

'O, zo'n vreselijk plastic ding? Maud heeft alleen houten speelgoed. Heb ik al verteld dat ze een krijtje kan vasthouden? Jongetjes zijn veel trager, natuurlijk. Het zal nog jaren duren voordat hij een tekening met puntjes kan verbinden.'

Ik speel met de gedachte om de tafel omver te schoppen, compleet met al die glazen en porseleinen schaaltjes met zwarte peper en zeezout. Maar dan zouden ze mijn hormonen de schuld geven.

Ben opent zijn ogen. Ik steek mijn armen uit om hem uit zijn zitje te tillen. Hij begint te jammeren en spuugt een flinke straal over zijn gestreepte katoenen topje en het witte tafelkleed.

Beth deinst terug. 'O jee.'

Ben zet het op een krijsen, zo doordringend dat het lijkt of een heel restaurant vol kauwende hoofden zich naar ons omdraait, smekend om dat lastige kind en zijn onsmakelijke hebbelijkheden onmiddellijk te verwijderen.

Ik druk Ben tegen mijn borst, zonder me erom te bekommeren dat klodders halfverteerde perzikpuree door mijn T-shirt lekken. 'We moeten weg,' roep ik.

'Ja, natuurlijk,' zegt Jonathan. Hij springt uit zijn stoel, gooit het schaaltje met zwarte pepers om en legt een paar briefjes van tien pond op het tafeltje, hoewel we allebei maar vier olijven hebben gehad.

Bens warme, trillende wang rust tegen mijn gezicht. Ik voel zijn hals, zoals echte moeders doen. Hij draait weg, omdat hij niet wil worden vastgehouden, maar ook niet neergezet. Als we zijn spulletjes verzamelen en haastig de aftocht blazen over de kade, hoor ik Beth nog tegen Matthew zeggen: 'Het komt door al dat vaste voedsel waar ze hem mee volproppen.'

Ben wacht met de volgende golf totdat we hem de flat in dragen, waar hij een soort soep over de vloer spuugt.

'Hoe warm is hij?' vraagt Jonathan.

'Bloedheet.'

'Nee, ik bedoel het letterlijk. Hoe warm precies? Pak de thermometer.'

Zelfs als we zo'n ding bezitten, zou ik het niet weten te vinden.

'In het medicijnkastje,' sist Jonathan. 'Een kleine witte thermometer in een doorschijnend hoesje.'

'Ik kan het echt niet,' stamel ik als ik terugkom met het instrument. Ben jammert nu wat zachter en hijgt timide tegen Jonathans hals.

'Wat niet?'

'Dat ding in zijn billetjes steken.'

'God, Nina, hij is geen koe. Je legt het tegen zijn voorhoofd.'

Ben kruipt tegen Jonathans borst. Hij begint weer te huilen, hard en aanhoudend, en komt zelfs niet tot bedaren als Jonathan met hem naar het raam loopt en hem twee hondjes aanwijst die schunnig bezig zijn op de stoep.

'Pak de Calpol,' roept hij.

'Hebben we...'

'In het rechter keukenkastje, boven de kruiden, naast de koffiefilters.'

Ik ren naar de keuken en zie met bewondering dat Jonathan alle eerstehulpmiddelen – pleisters, Savlon, verband – keurig heeft opgeborgen in een Tupperware-doos met het opschrift *Verbandtrommel*. Ik kom terug met een bibberende lepel, die ik Ben voorhoud, in de verwachting dat hij gulzig zal toehappen. Maar hij gooit vol afkeer zijn hoofdje in zijn nek. Ik probeer het opnieuw en steek hem de lepel toe. Ben begint woest te spartelen, de lepel raakt zijn wang en het kleverige roze vocht komt op mijn pols terecht. 'Hou hem vast,' zeg ik tegen Jonathan, terwijl ik een nieuwe lepel klaarmaak. Ben jankt als een kat en schopt naar de lepel.

'Laten we een eindje met hem gaan rijden,' stelt Jonathan voor. 'Daar wordt hij wel rustig van.'

'Hij moet naar het ziekenhuis.'

'Waarom? Het is toch niet...'

'Hij heeft een infectie.' Dat moet het zijn: een infectie veroorzaakt door vuil en bacteriën. Waarschijnlijk door de sigarettenrook die hij heeft ingeademd in Gregs studio. Of omdat hij in de buurt is geweest van een stinkend kanaal waar ratten leven met hun smerige ziekten. Ik heb iets in het water zien drijven waarvan ik dacht dat het een lekke voetbal was, maar misschien was het een opgezwollen kadaver van een of ander knaagdier.

Of die studiovloer, waar dat hondje had lopen likken en misschien wel zijn behoeften had gedaan? Ik kan de rondzwermende bacillen in Bens buikje bijna zíén. Wat zullen ze hem niet aandoen? Ik heb gehoord wat hondenpoep allemaal kan aanrichten: blindheid, krankzinnigheid. Beth is altijd bezig met petities om honden te weren uit parken, van stoepen en het liefst van de hele planeet. En terecht.

Of misschien heeft hij iets ingeslikt, wellicht een van mams haarspeldjes. Hij heeft het gewoon van haar hoofd getrokken en doorgeslikt. Dat zou mam niet eens hebben gemerkt.

Jonathan zet Ben in de auto. 'Geen paniek,' zegt hij sussend. 'Rustig aan nou.'

'Zou hij zo tekeergaan als hij iets verkeerds had gegeten?' hijg ik.

'Hij heeft niets verkeerds gegeten.'

'Misschien is hij nog te klein voor al dat gepureerde eten en kunnen zijn ingewanden er niet tegen.'

Ik vind het een gemene tactiek van mezelf – een poging om de verdenking van me af te wenden dat onze zoon een oogschaduwpotlood of de dop van een lippenstift heeft ingeslikt die nu in zijn maagwand zit genesteld. Hoe heb ik in godsnaam een baby in contact kunnen brengen met volwassenen die nergens anders mee bezig zijn dan de vraag of een scheiding opzij wel hip is?

'Hij heeft iets in zijn lijfje,' houd ik vol, en ik begin te huilen terwijl de auto over de verkeersdrempels hobbelt. 'Ze moeten hem doorlichten. Hoe krijgen ze het er weer uit?'

'Eruit? Wat dan?' roept Jonathan.

'Wat het ook is. Iets scherps. Zou hij het vanzelf uitpoepen of moeten ze zijn maag opereren?'

De lichten springen op rood. 'Hij heeft niets in zijn maag, Nina, niets dat er niet in hoort.'

In gedachten zie ik Bens organen: dat kleine maagje, zijn milt en zijn darmen, trillend van de inspanning om iets kouds, hards en glimmends uit zijn lichaam te persen. 'Ik zal zijn luiers doorzoeken,' bazel ik verder. 'Ik zal kijken of ik het kan vinden, net zoals ze uilenpoep doorzoeken op de kleine schedeltjes van dieren die ze hebben opgevreten.'

'Nina,' zegt Jonathan, 'hou daar alsjeblieft mee op. Het zal wel een virus zijn.' Misschien heeft hij gelijk. De fotosessie is al meer dan vier weken geleden. Maar dat maakt het in principe nog dodelijker. Het voorwerp is al gaan zweren en heeft zich helemaal ingekapseld. Ben gromt als een elektrisch apparaat dat elk moment kan doorbranden. Als dat gebeurt, probeer je die geluiden te negeren en je normaal te gedragen, hoewel je weet dat er iets helemaal fout gaat, dat je elk moment schokken en klappen kunt verwachten, uitmondend in een mini-explosie met een akelige schroeilucht. Daarna bel je de experts, die zuchtend in hun vuile canvas gereedschapstas zoeken en somber verklaren dat er weinig hoop is om nog iets te redden – een heel kleine kans – en dat je beter wat eerder had kunnen bellen.

Met de rug van mijn hand smeer ik de tranen over mijn T-shirt. Ik heb een loopneus. Hoe blijft Jonathan zo volwassen en kalm in deze toestand? Pas als het zonlicht op zijn zwetende bovenlip valt en we tegen de tachtig rijden in een vijftigkilometerzone, besef ik dat hij ook maar een gewoon mens is.

Koorts

EEN JONGE MAN MET EEN BLOEDENDE WANG GAAT EEN NIJDIGE confrontatie aan met de koffieautomaat. 'Noem je dat cappuccino?' roept hij, met een bruin plastic bekertje in zijn hand dat gevaarlijk trilt.

Ik laat me op het puntje van een oranje kuipstoel zakken. Jonathan klemt Ben tegen zich aan, die is besmeurd met snot en tranen, maar goddank even rustig is.

'Cappuccino, zei ik!' zegt de man, en hij slaat met zijn vlakke hand tegen het apparaat. Toffiekleurig vocht klotst over de mouw van zijn jas, die eruitziet alsof er een tractor overheen is gereden. 'Cappuccino!' brult hij in het luchtledige. 'Dat is stoom die door de melk gaat voor een borrelend effect waardoor schuim ontstaat, in plaats van deze pis, die géén cappuccino is!' Hij geeft een schop tegen de automaat.

'Voorzichtig,' zegt Jonathan. 'Straks brand je je nog.'

De man draait zich wankelend om en staart hem aan. 'Wie ben jij?' gromt hij.

Jonathan kijkt op zijn horloge.

'Wie ben jij, vroeg ik,' herhaalt de man.

'Jonathan,' zegt Jonathan, starend naar een poster die borstvoeding propageert. *Lunchtijd en geen borst te zien.* Een vrouw met een modieuze pony zit lachend met collega's in een café. Haar baby is keurig weggewerkt onder haar topje. Geen grote, geaderde borst, geen bittere tepel.

'Leuke baby,' zegt de Cappuccinoman. 'Leuke meid. Zijn jullie getrouwd? Heb je een fatsoenlijke vrouw van haar gemaakt?'

'Duurt het nog lang?' vraagt Jonathan aan de receptioniste.

Ze is bezig met een man van middelbare leeftijd in een voetbalshirt, die iets roept over zijn hamstring.

De Cappuccinoman duwt me de koffie onder mijn neus. 'Drink wat,' biedt hij aan.

'Nee, dank je.'

'Niet goed genoeg voor je, verwaande trut, met je saaie lul van een vent?'

Jonathan legt zijn hand op de mijne. Ik bestudeer een poster met anticonceptiemethoden: de pil, het spiraaltje, het pessarium, implantaten en injectaten. Daaronder hangt een handgeschreven briefje met de tekst: LAAT KINDEREN NIET MET DE KOFFIEAUTOMAAT SPELEN: DE DRANKEN ZIJN HEET.

'Gelukkig lijkt dat kind op zijn moeder,' gromt de Cappuccinoman, 'want die kop van jou is om misselijk van te worden. Met je achterlijke kleren.'

Jonathan wrijft over de mouw van zijn lichtbruine shirt.

'Neem me niet kwalijk,' roep ik, 'maar wij hebben een kleine baby hier. Het is een noodgeval.'

'O ja?' zegt de receptioniste, terwijl ze nuffig op een toetsenbord typt.

'Ja. Ik denk dat hij een haarspeld heeft ingeslikt.'

'Is dat zo?' vraagt Jonathan. 'Waarom heb je dat niet eerder gezegd?'

Een jonge arts verschijnt, een melkmuil die niet ouder lijkt dan elf. Moet dit *kind* een niet-geïdentificeerd voorwerp uit de ingewanden van mijn zoon verwijderen? Hij kan onmogelijk medicijnen hebben gestudeerd. Zo'n studie duurt toch minstens vijf jaar. Ik zou hem nog geen pleister laten plakken.

In het hokje achter het gordijn geeft Jonathan een opsomming van Bens symptomen. Ben kijkt de dokter angstig aan, in het besef dat ze hem gaan opensnijden. 'Gastro-enteritis, zo te horen,' zegt de dokter. 'Zijn temperatuur begint al te zakken. Probeer hem gekoeld gekookt water te laten drinken.'

Hij heeft nog maar nauwelijks de baard in de keel. Waarschijnlijk is hij nog maagd. Er komt een moment waarop het je opvalt dat mensen jonger zijn dan jij. Je gebruikt woorden als *cool* en probeert contact te leggen door dingen te zeggen als: 'Wat een leuke...' Maar verder kom je niet, omdat je niet weet hoe dat soort broeken heet.

'Dat is de rage,' zegt de dokter.

'Wát?' blaf ik.

'Gastro-enteritis. Dat lijkt momenteel wel een epidemie.'

'Moet u hem niet doorlichten?' snauw ik.

'Niet nodig,' zegt de dokter. 'Maar het was verstandig dat u met hem kwam.'

'Ik wil een röntgenfoto,' houd ik vol.

'Ze is geschrokken,' zegt Jonathan. 'Kom, we gaan naar huis.'

In de auto bedenk ik dat het misschien niet zo erg is om een oud mens te zijn. Dan hoef je niet langer in vochtige kelders rond te hangen en onfrisse hapjes te eten die al zijn bevingerd door te veel mensen die van de wc komen. Dit gedoe met baby's, daar zijn we voor bedoeld. Dat houdt ons van de straat. Het dwingt ons om volwassen te worden en eten te koken met verse ingrediënten.

Jonathan legt Ben in zijn wiegje. Het is tien voor halfnegen 's avonds.

'Ik voel me stom,' zeg ik.

'Nergens voor nodig. Je was bang, dat is heel normaal.'

Jonathan loopt naar de keuken, waar een berg groente klaarligt om te hakken, met de fijngesnipperde kruiden uit zijn nieuwe kasje op de vensterbank. Ik zag er het nut niet van in om die zilveren bak met compost en sprieterige plantjes te vullen. Wat mankeerde er aan gedroogde kruiden uit potjes? Maar binnen een paar weken kregen ze blaadjes en verscheen Jonathan met een handvol peterselie, die hij mij liet ruiken.

Ik sluip de slaapkamer binnen. Ben snurkt met keelgeluidjes. De Cappuccinoman vergiste zich; hij lijkt helemaal niet op mij. Of op Jonathan. Misschien is hij echt uit een vliegtuig gevallen.

Metaalachtige stemmen op het antwoordapparaat. Eliza, die klinkt alsof ze een paar pakjes sigaretten zonder filter heeft gerookt en met haar hoofd in de goot heeft geslapen. 'Waar zit je?' vraagt ze hees. 'Je gaat toch 's avonds nooit uit? Hoor eens, ik heb een hele berg make-up hier op het werk liggen die niemand wil. Het zijn een beetje rare kleuren, maar ik dacht dat je er misschien van zou opvrolijken.'

Beth informeert: 'Is alles in orde? Jammer van de lunch vanmiddag, maar maak je geen zorgen, de manager deed er niet moeilijk over.'

Dan het derde bericht: 'Hallo, Nina? Je kent me niet, maar ik ben Lovely, van het modellenbureau. We kregen een tip over jouw kleine jongen van Greg Moore, de fotograaf. Hij lijkt me ideaal voor ons. Wil je me terugbellen?' Ze raffelt een serie nummers af, waarop ik haar altijd kan bereiken.

'Wie is Greg? En wie is Lovely?' Jonathan staat in de deuropening van de slaapkamer met een bos blaadjes in zijn hand.

'Geen idee. Een kennis van Eliza, denk ik.'

'Wil ze Ben als model?'

Ik trek zijn dekentje recht en voel zijn voorhoofd. Alles lijkt weer normaal. 'Geen idee,' mompel ik nog eens.

'Je zegt haar toch wel dat we niet geïnteresseerd zijn?'

'Natuurlijk.' Mijn ogen wennen aan het duister. Ik zie een wangetje in de wieg, een prachtig rond, ongelooflijk fotogeniek wangetje.

'Dat is misbruik,' hoor ik Jonathan zeggen. 'Baby's kunnen zelf geen oordeel vellen of toestemming geven voor die onzin.'

'Ik weet het.'

'Het kan wel sporen nalaten, zodat ze later in therapie moeten.'

'Ja.'

Ik kijk naar Ben, overweldigd door de schoonheid van mijn slapende baby. Onwillekeurig zie ik een logo boven zijn hoofd: Pampers, misschien, of Cow & Gate.

'Misschien heeft ze een verkeerd nummer gebeld,' zegt hij.

'Ja, dat zal het wel zijn.'

Ik volg hem naar de huiskamer, waar hij naar de telefoon staart alsof hij verwacht dat het ding een salto zal maken. 'Maar ze wist wel je naam,' zegt hij.

Zondag was pas het begin. Ben is ongedurig en prikkelbaar. 's Nachts heeft hij last van spugen en ligt hij hulpeloos te huilen. Hij schopt tegen de spijltjes als een beer die in onmenselijke omstandigheden gevangen zit en kunstjes moet doen voor volwassenen. Zijn wangetjes zijn rood en warm van woede en zijn achterkant krijgt dezelfde onprettige tint. Het lijkt een ernstige constructiefout dat baby's worden geboren zonder de mogelijkheid om je te vertellen dat ze niet de pest aan jou hebben maar zich gewoon belazerd voelen.

Ik krijg diagonale grijze wallen onder mijn ogen. Mijn poriën liggen open als de gaatjes van een theezakje. Ben heeft de gewoonte opgevat me met een vuistje in mijn gezicht te slaan, alsof zijn ellendige gevoel mijn schuld is. Elke ochtend als Jonathan naar kantoor vertrekt, klem ik mijn kiezen op elkaar om hem niet te smeken thuis te blijven. Op een dag, als Bens gejammer weer door merg en been gaat, kan ik niets anders bedenken om hem rustig te krijgen dan Jonathan te vragen thuis te komen van zijn werk. 'We hebben een systeemcrash,' zegt hij. 'Ik kan niet weg.'

Ik antwoord dat er bij hem thuis net zoiets aan de hand is. Binnen een uur verschijnt hij met een papieren zak met nog meer Calpol, omdat de laatste voorraad is omgeschopt. Zijn pieper gaat regelmatig om me eraan te herinneren dat hij eigenlijk op kantoor hoort te zijn om computersystemen te redden.

De volgende morgen pak ik mijn tas met voorraden voor een dagje in het park. De speelplaats ruikt naar nat ijzer. Een hond plast tegen de wip. De nukkige zwanen en de grotere kinderen op de knarsende, roestige schommels zullen Bens aandacht wel een tijdje vasthouden. Maar zelfs de piepende draaimolen kan hem niet lang bekoren. Zijn gehuil levert me allerlei ongevraagde adviezen op (tanddruppeltjes, koude doeken op zijn voorhoofd, binnen blijven *en hem niet meenemen naar het park, het arme kind*) die als lastige vliegen in mijn oren blijven zoemen als ik haastig naar huis vlucht.

Een oudere dame duikt naast me op, met een gepermanent hoofd boven een hoog dichtgeknoopte jas. 'Jij bent die moeder die geen borstvoeding geeft,' zegt ze.

Ik ren de flat binnen.

'Hij heeft het warm, daarom huilt hij,' gaat ze van een afstand verder. 'Je moet hem geen wol aantrekken als hij koorts heeft.'

Ik ontbloot mijn tanden tegen haar en hoop dat ze verdwijnt. Maar ze blijft met een streng gezicht bij het hekje staan. 'Je krijgt je figuur eerder terug als je borstvoeding geeft,' vervolgt ze, voordat ze vertrekt op zoek naar andere jonge moeders om van advies te dienen, met haar tasje als een wapen in haar hand geklemd.

Ik maak me niet druk meer over mijn figuur, zelfs niet over mijn vetschort, zoals Beth mijn buikje noemt. Dat is alleen nog te herstellen met een operatieve buikwandcorrectie. Maar zo erg is het niet, die huidflap; ik kan hem gewoon opvouwen en in mijn broek steken. Als Ben even kalmeert na zijn flesje gaat de telefoon. Ik weet dat het een kantoor moet zijn, want op de achtergrond hoor ik het ontspannen geroezemoes van volwassen stemmen. 'Nina?' zegt een mannenstem. 'Met Chase. Ik wilde weten of je nog in het land der levenden was.'

Ik klem de hoorn onder mijn kin als Ben weer begint te krijsen. Zijn luier lekt oranjebruine troep in zijn kruippakje. 'Hoe gaat het?' probeer ik zo energiek mogelijk.

'Geweldig,' zegt Chase. 'We hebben net de nieuwe cijfers binnen. Iets boven de zeshonderdduizend.' Hij belt om op te snijden over zijn verkoopcijfers. De hoorn snijdt in mijn oor als ik Ben op de bank leg en hem van zijn vuile luier verlos. 'Heb je de nieuwe vaste columns al gezien?' vraagt Chase. 'De laatste nummers?'

'Vluchtig,' lieg ik. Sinds Bens geboorte heb ik nauwelijks nog iets gelezen. Tijdschriften zijn verre kleurenplaatjes die ik wel eens zie schemeren achter de ruit van de kiosk. Beth heeft me een roman geleend met een pasteltekening van een strandhut op het omslag. Ik moest het eerste hoofdstuk drie keer opnieuw lezen om me te herinneren wie George ook alweer was.

'Ik dacht dat het je wel zou bevallen,' babbelt Chase verder. 'Dat nieuwe idee – mijn aanpak met die foto's.'

'Heel moedig,' bluf ik.

'Ja, dat zegt iedereen. Ik had nooit gedacht dat de lezers die foto's zouden waarderen, laat staan dat ze ze zelf zouden insturen. Terwijl er van alles met hun lichaam wordt uitgespookt, God mag weten wat, roepen ze toch tante Mien erbij, die de wegwerpcamera hanteert.'

'Ongelooflijk,' zeg ik, terwijl ik met mijn ene hand Bens enkels vasthoud en met de andere zijn billen schoonveeg. Zijn huidje vertoont een nijdige rode gloed.

'Dat nieuwe meisje, Jess, heeft het georganiseerd,' vervolgt Chase. 'Zij doet de reportages totdat jij terugkomt. Ze zit er bovenop, maar ze weet niet zoveel uit mensen te krijgen als jij. Wanneer zien we je terug?'

'Dat weet ik nog niet,' antwoord ik. 'Het hangt van de situatie af.'

'Wat voor situatie? Heb je geen oppas of een crèche?'

'Ik moet nog iets regelen.'

'Ik heb iets gehoord over babyhotels waar je je kinderen vierentwintig uur per dag kunt onderbrengen, alsof ze op vakantie zijn. Je hoeft ze niet eens meer te zien. Kun je al wat freelance-werk voor me doen?'

'Misschien,' zeg ik, terwijl ik Ben optil en hem op mijn heup balanceer. Meteen plast hij een warme straal over de rechterkant van mijn vest.

'Wat zit je nou te hijgen?' vraagt Chase. 'Je klinkt doodmoe.'

'Kan ik je terugbellen?'

'Ben je ziek? Wat is dat kattengejank?'

'O, dat is de baby maar.'

'Arme meid,' zegt hij. 'Weet je zeker dat je niet liever weer aan het werk gaat?'

Bens stemming is er niet beter op geworden tegen de tijd dat Jonathan thuiskomt met Constance. Ze gaat op de bank zitten, terwijl hij vis bakt in een grote koekenpan. Het duurt niet lang, maar zelfs in die korte tijd gaat zijn pieper twee keer over. Jonathan is bezig met de ontwikkeling van een belangrijk computerprogramma voor de facturering van mensen die dom genoeg zijn om zich te hebben aangemeld voor de particuliere ziektekostenverzekering van zijn bedrijf, voor een minimum van 7,95 pond per maand ('wat nog niet genoeg is om een splinter te laten weghalen,' zoals Jonathan tegen me zei). Hij heeft een leuke salarisverhoging gekregen en een team van vijf medewerkers waarover hij de leiding heeft. Zijn baas vindt dat hij zijn kwaliteiten als manager moet verbeteren en wil hem met een groepje collega's op cursus sturen in Bath.

Jonathan legt de gebakken vis op bordjes en gooit een zak gewassen sla in een kom. Tot voor kort zou die sla nog op smaak zijn gebracht met geblancheerde zoete erwten of geroosterde nootjes. 'Als je de gegevens niet controleert,' zegt hij tegen een collega, 'stort de hele zaak in elkaar.'

Hij legt de pieper op tafel en staart ons aan. Constance prikt in haar salade en vraagt: 'Wat zit er in de sla?'

'Het is geen sla,' zeg ik, 'maar radicchio.'

'Eigenlijk,' verbetert Jonathan kortaf, 'is het een soort cichorei.'

Constance kijkt hem beledigd aan en schuift de radicchio naar de rand van haar bord.

De hele nacht gaat Jonathans pieper. Tegen de tijd dat het eerste ochtendlicht de slaapkamer binnendringt, is Jonathan alweer naar zijn werk. Ben heeft eenderde van de nacht nijdig liggen trappelen, maar slaapt nu als een modelbaby die de rustgevende eigenschappen van een kwaliteitsmatras moet adverteren. In plaats van hem wakker te maken en weer ruzie met hem te krijgen, kom ik in de verleiding terug in bed te kruipen alsof ik mijn afspraak bij Little Lovelies ben vergeten.

Een paar minuten over tien stopt de taxi voor de deur. Na de energieke, beschaafde stem van Lovely verwacht ik een duur kantoor met hoge ramen en glimlachende mensen die ontspannen op fluwelen sofa's zitten. Maar het toonaangevende Britse kindermodellenbureau blijkt te opereren vanuit een halfvrijstaand huis met erkerramen, dat zich in niets van de buurhuizen onderscheidt, behalve door een vuil blauw-wit bordje in de voortuin met de naam *Little Lovelies* in krulletters als op een bruiloftskaart.

'Ja?' klinkt een geknepen stem door de intercom.

'Ik kom voor Lovely. Ik heb een afspraak.'

De deur gaat open en een gedrongen kleine vrouw staart naar mijn kin. Ze heeft kuiltjes in haar wangen en een bruin kleurtje uit een fles. Ze lijkt op een mandarijn. 'Lovely is naar een klant,' zegt ze opgewekt. 'Ga even zitten.'

Ze laat me binnen in een halletje ter grootte van een eettafel, waar een houten klapstoel staat. Het ruikt er naar verf. Aan de muur, een beetje scheef, hangt een ingelijste foto van een verbaasde baby in een wollen rompertje, dat misschien wel door Constance is gebreid. Ben worstelt ongemakkelijk op mijn schoot. Zijn achterste verspreidt een doordringende lucht. Natuurlijk ben ik de luiers en de doekjes vergeten. Ik loop naar het toilet, waar alleen een automaat met groene papieren handdoeken hangt.

'Hallo, Nina.' Lovely steekt haar hoofd om de deur van de wc. Haar apricot twinset geeft haar gezicht een perziktint. Verder heeft ze de kleur van waterbestendig stucwerk. 'Blij dat je ons hebt gevonden,' zegt ze. 'Mag ik je vragen of je iets van modellenwerk weet?'

'Heel weinig,' zeg ik, terwijl ik met haar meeloop van het halletje naar de huiskamer, die het centrum blijkt te zijn van de kindermodellenwereld. Drie vrouwen zitten druk te telefoneren en reusachtige foto's domineren de kamer: een klein meisje met een paardenstaart opzij, die een revérence maakt; een zelfvoldaan jongetje dat brutaal in een chocoladeijsje hapt.

'O ja?' zegt de mandarijnendame. 'Het is niets voor Nicholas om een slechte dag te hebben.' Ze hangt op. 'Nicholas Horley van de Organica-campagne. Hij heeft een open blikje appelmoes te pakken gekregen en het topje van zijn pink afgesneden. Daar zal hij nooit meer een vingerafdruk mee kunnen maken.'

Lovely maakt een pijnlijke grimas en doet alsof ze huivert. Haar driedubbele parelkettinkje rammelt zacht.

'Ze zeggen niet voor niets dat je nooit met kinderen moet werken,' zeg ik grinnikend.

'Dat zal toch niet waar zijn?' zegt Lovely. 'Onze modellen zijn heel professioneel.'

'Anders dan de ouders,' merkt de mandarijnendame op.

'Precies,' beaamt Lovely, terwijl ze me kritisch opneemt alsof ze me een cijfer wil geven voor mijn pianospel. 'Want wat Ben tot een geslaagd model... een ster... kan maken, is niet alleen zijn charme, maar ook jijzelf.'

'Ik?' piep ik verbaasd. Ben begint te huilen. Ik laat hem op mijn knieën dansen en klem hem dan stevig tegen mijn buik.

'Alles draait om de houding van de ouders,' vervolgt Lovely. 'De gemiddelde moeder komt hier met haar kind in een vuil kruippakje en te weinig luiers.'

Alle telefoons zwijgen opeens en drie paar ogen staren me aan.

'Maar een professionele moeder besteedt veel aandacht aan de verschijning van haar kind.'

'Natuurlijk.'

'En haar eigen uiterlijk.'

Ik kijk naar mijn schoenen – niet het schoeisel van een professionele chaperonne, maar mijn makkelijke stappers voor naar het park.

Een van de neuzen is versleten, waardoor het binnenwerk erdoorheen komt.

Ben heeft er genoeg van om paardje te rijden op mijn knie en doet een greep naar de kluwen van telefoonsnoeren op Lovely's bureau. 'Ik hoop dat je niet verwacht er rijk van te worden,' zegt ze. 'Er valt niet veel mee te verdienen, behalve voor een kleine uitverkoren groep.'

'We doen het omdat we het leuk vinden,' verklaar ik nadrukkelijk.

Ze spreidt haar neusvleugels, misschien om de lucht van Bens vuile luier op te snuiven. 'Ja, modellenwerk moet *leuk* zijn. Foto's werken alleen als het kind zich prettig voelt in de fotostudio. Maar denk eraan,' ze rolt de parels tussen haar vingers, 'dat je altijd op tijd bent voor een opname. Je mag wel een kwartier te vroeg zijn, maar nooit een seconde te laat.'

Als ik weer op straat sta, in de buitenwijk, bedenk ik dat ik geen taxi heb besteld en Ben nog steeds niet heb verschoond. Ik zou kwaad op mezelf moeten zijn, of misschien in tranen moeten uitbarsten, maar in plaats daarvan zie ik Ben in die Organica-reclame, als een modelbaby die zich zeker niet zou snijden aan een blikje appelmoes. 'Organica,' hoor ik de voice-over al zeggen. 'Verdient uw kind ook niet het beste?'

Ik ga op weg en zwaai Bens Maxi-Cosi als een handtas heen en weer. Een zwarte taxi stopt. 'Kom je van dat kindermodellenbureau?' vraagt de chauffeur als ik instap. Hij heeft een gerimpelde bruine nek, als een worstvelletje.

'Ja. Little Lovelies.'

'Dat dacht ik al. Ik weet zeker dat ik je baby al eens eerder heb gezien. In dat spotje waarin de vader staat te koken en de baby een keukenrol afwikkelt waarin hij helemaal verstrikt raakt? Is het die?'

Ik staar naar de huizen met hun bolle erkerramen, alsof ze zwanger zijn. Eengezinshuizen met een tikkende klok en stof dat langzaam neerdaalt. 'Hij ziet er schattig uit in dat spotje,' zegt de chauffeur.

'Dank je,' zeg ik. 'Hij heeft het goed gedaan. Iedereen vindt hem een natuurtalent.' We draaien de hoofdstraat in, waar de huizen plaatsmaken voor armoedige groentewinkels met bloemkolen voor de deur die wegrotten in de uitlaatgassen. Ben staart naar het bordje met NO SMOKING in de taxi, verpletterd door zijn ervaringen bij Little Lovelies.

'Je kunt niets beters wensen dan een mooie baby,' vervolgt de chauffeur. 'Mijn vrouw en ik hebben het bijna tien jaar geprobeerd. Ik moest zelfs een kwakje inleveren, en zo. Heel vernederend.'

Op de stoep zie ik een vrouw in een wijd Garfield T-shirt, die haar zoon voor zijn broek geeft. Met een wapperende hand rent ze hem achterna, een hondentrimsalon binnen. Aan de gevel hangt een bord met KNIPPEN, VLOOIENBEHANDELING, WASSEN, FOTO'S VAN UW HUISDIER DOOR ERKENDE PROFESSIONALS.

'Toen hebben we maar een chihuahua genomen,' zegt de chauffeur. 'Dat is eigenlijk net een baby. 's Nachts wordt hij wakker, springt bij ons op bed en loopt achter mijn vrouw aan naar de wc.'

Op de radio heeft een vrouw net de honderdduizend gewonnen en gilt dat ze het niet geloven kan. Het zal haar hele leven veranderen, zegt ze tegen de diskjockey. 'Nu kunnen we in Essex gaan wonen.' De dj lacht neerbuigend.

'Een gelukkige vrouw,' zegt de chauffeur.

'Ja, ik mag niet klagen,' zeg ik.

Je lichaam na de bevalling

ZONDER PLANNEN VOOR DE REST VAN DE DAG KOM IK THUIS EN HOOR Jonathans bericht op het antwoordapparaat: 'Waar zit je? Ik dacht dat je thuis was. Ik weet niet waar je bent. In het park, denk ik. Bel me even.'

Mijn stem klinkt geforceerd vrolijk. 'Ik moest even de flat uit,' zeg ik tegen hem. Nou ja, dat is waar. De rest zal ik hem later wel eens vertellen, maar niet nu, terwijl hij op zijn werk zit. 'Waar belde je eigenlijk voor?' vraag ik.

'Vind je het goed als ik straks nog even met de jongens meega?' Zijn stem schiet aan het eind wat omhoog, als zo'n vinkje in het hokje van een formulier. 'Om tien uur ben ik thuis,' gaat hij verder. 'Een paar biertjes, dat is alles.'

'Ja, natuurlijk is dat goed. Neemt er iemand afscheid?'

'Nee, hoor. We hadden er gewoon behoefte aan. Even uitblazen van het project.'

Welk project? Ik? Of de baby, of het pureren van de groente? Jonathan heeft nooit laten blijken dat hij zich opgesloten voelde. Ik dacht dat hij er juist van genoot.

'Ze gaan ook mee naar die managerscursus,' legt hij uit. 'Ik wil ze wat beter leren kennen. Dat is goed voor de verhoudingen. Misschien kun jij dan een avondje met Eliza gaan stappen.'

'Je hoeft het heus niet te vragen. Ga maar.'

De flat is zo stil en leeg dat ik er onmogelijk kan blijven. Ik loop de kamer door en veeg met mijn duim wat stof van de radiatorknop.

Beth, de ongekroonde koningin van de koffieochtend, is altijd wel met een onnozel huishoudelijk klusje bezig als ik bel: haar speldenkussen organiseren, een lampsnoer poetsen of olijven marineren, net als bij dat restaurant aan de rivier. Ze geeft een uitvoerige beschrijving en ik hoor mezelf toegeven dat ik de wc-pot moet ontkalken. Ik praat nu al net zo hijgerig als zij. Mijn oude stem ben ik kwijt. Als Beth vertelt hoe leuk ze het vindt om uit haar slaap te worden gehaald ('Je hoort mij niet klagen als ik daardoor extra tijd met Maudie heb.') bevestig ik dat het voor mij ook een hoogtepunt is om 's nachts om drie uur de keuken in te stommelen. Ik moet hiermee ophouden, voordat ik straks ook met een konijnenrugzakje loop.

Ik heb Ben meegenomen naar het zwembad om aan de radiatorknoppen te ontsnappen. In de kleedhokjes gonst het van meisjes met scherpe ellebogen die luchtig babbelen over jongens met namen als Giles en Eddie. 'Hij is zó onvolwassen!' kreunt een tenger ding met blauwgroene oogschaduw.

'Ja, niet te geloven. Ik bedoel, doe normaal! Je raakt nog gestrest van hem,' beaamt haar bijna identieke vriendin.

Waar zouden die meiden gestrest van moeten raken? Op school hebben ze alleen meerkeuzetoetsen en elke avond krijgen ze voor de televisie hun eten opgeschept door een moeder die ze niet kunnen uitstaan. Ze zijn jong genoeg om hotpants te kunnen dragen zonder dat er iemand over zijn nek gaat.

'Wat vind jij van Giles?' vraagt het meisje met de blauwgroene oogschaduw, terwijl ze haar mascara aanbrengt. Ze beweegt haar lippen als een vis.

'Homo,' zucht haar vriendin.

Ik staar hen met open mond aan, misschien wel kwijlend, voordat ik me omdraai en Ben voorover in het speelhoekje leg. Hij drukt zich op zijn armpjes omhoog en kijkt geïnteresseerd om zich heen. Het probleem met dit zwembad is dat iemand bij de verbouwing heeft besloten dat gescheiden kleedkamers uit de tijd zijn. Daarom is er gekozen voor een gemeenschappelijke ruimte. Mannen lopen voorbij terwijl ze hun haar droogwrijven, zich op hun borst krabben of hun broek dichtritsen. Ik zie natte billen, rughaar en roze bierbuikjes.

Hele hectaren druipend mannenvlees. De uitdaging is hoe ik me hier moet omkleden zonder me bloot te geven aan het mannelijke publiek of Ben onbeheerd in het speelhoekje achter te laten.

Het meisje smeert concealer over de wallen onder haar ogen. Het druipt uit een gouden tube op een borsteltje. Er is een heel nieuw soort cosmetica bedacht toen ik even niet oplette. 'Neem me niet kwalijk,' zeg ik tegen haar. Ze schrikt. 'Zou je even op mijn baby willen letten terwijl ik me omkleed?'

'O, wat een liefje,' roept ze enthousiast. 'Ik ben dol op baby's. Ga maar, ik zal wel op hem passen.'

Ik duik een hokje binnen en trek in één keer mijn vest en T-shirt uit, zonder de bovenste knoop van het vest los te maken, die losschiet en onder de deur door rolt. Ik kniel op de tegels, zonder eraan te denken dat ik mijn jeans nog aan heb, die daardoor meteen kletsnat zijn vanaf de knieën. De knoop ligt in het volgende hokje, binnen handbereik. Het maakt niet uit, maar mijn zachte roze vest is het enige kledingstuk dat tot nu toe niet door Ben is ondergespuwd. En in die stoffige roze kleur zie ik er minder doods uit. Het vest roept een zacht en wollig visioen op van een normaal, gezond wezen dat acht uur heeft geslapen en zelfs op doordeweekse avonden nog spannende seks heeft.

Zonder dat bovenste knoopje zal het nooit meer hetzelfde zijn.

Ik schuif mijn hand onder het schot door. Het knoopje ligt in een plas. Ik vorm een pincet met mijn vingers en wil het net pakken als iemand een grote voet op mijn hand zet.

'Hallo?' zegt de eigenaar van de voet.

'Ik probeer alleen iets te pakken.'

Stilte. 'Er ligt helemaal niets.'

'Jawel. Een knoopje.'

'Ik zie niks.'

'Een klein knoopje. Parelmoer. Bij je linker grote teen.'

Ik kijk onder het schot door als de voet – heel groot, met lange knobbeltenen met zwarte haren erop – gezelschap krijgt van een hand die voorzichtig het knoopje uit de plas pakt.

Buiten in de gemeenschappelijke ruimte heeft het meisje met de weggepoetste wallen onder haar ogen Ben opgetild. Ze laat hem op en neer dansen voor de spiegel. Hij jubelt van vreugde bij elke glimp van zijn spiegelbeeld.

Een man van een meter tachtig in een strakke zwembroek komt uit het andere hokje naar buiten en bestudeert mijn flodderige zwangerschapsbadpak. Mijn borsten hangen slap als zakjes van een slagroomspuit.

'Hier is je knoop,' zegt Ranald.

Zou hij me herkennen? Onze kampeertocht is al anderhalf jaar geleden. 'Bedankt,' zeg ik. 'Je weet niet meer wie ik ben, hè?'

'Ik ken je wel ergens van,' aarzelt hij.

'Kamperen,' help ik hem. 'Bij de boerderij van je oom in Devon. Het ging niet zo goed tussen ons.'

Hij ontwikkelt een tic onder zijn linkeroog. 'Je ziet er heel anders uit,' zegt hij.

'Ja, ik heb een baby gekregen.'

Zijn gezicht betrekt. Een stevig meisje in een hoog opgesneden, zilverkleurig badpak komt uit de douches. 'Hallo,' zegt ze tegen mijn borsten.

'Gabs,' zegt Ranald, 'dit is iemand die ik nog van vroeger ken. Van lang geleden.'

Haar tepels priemen trots tegen haar badpak. Ranald lijkt moeite te hebben met ademhalen. 'Dit is Gabrielle,' hijgt hij. 'Gabs, dit is... Nancy.'

De verkoopster staart kritisch naar de vuile buggy en de bijbehorende afgetobde moeder als we proberen ons met geweld toegang te verschaffen. Eliza kijkt geïnteresseerd hoe ik de gegraveerde glazen deur ram.

'Wilt u oppassen met die deur?' zegt de verkoopster. Ik vraag me af hoe het zou zijn om in zo'n zaak te werken. Natuurlijk moet je er altijd goed uitzien en al 's ochtends om halfzes met je huidverzorging beginnen. Maar behalve mooi zijn op een verveelde manier – en geschrokken reageren als er iemand van meer dan vijfenveertig kilo probeert de winkel binnen te komen – lijkt het me geen zwaar beroep. 'Kan ik u helpen?' vraagt ze, er duidelijk van overtuigd dat ik de verkeerde winkel ben binnengestapt en eigenlijk de prijsvechter zocht.

'Ik kijk even rond.'

Eliza inspecteert wat grijsgroene kleren die somber aan een rail hangen. Ze zijn niet mooi, maar ruiken wel duur. 'Hoi, Cindy,' zegt ze.

'O, schat, ik had je niet gezien. Zoek je iets speciaals?'

'Het is voor mijn vriendin. Ze is moeder,' legt Eliza onnodig uit. De buggy domineert de hele winkel, als een vorkheftruck.

'Wat leuk,' zegt Cindy onbehaaglijk.

'Ze zoekt iets om zich wat beter te kunnen voelen. Zo is het toch, Nina?'

Cindy glimlacht dapper, alsof ze op het punt staat een injectie te krijgen. 'Denk eraan, ik heb mijn kortingskaart bij me,' sist Eliza in mijn oor. Ik kijk naar het kaartje aan een zwarte sweater met een spinragmotief. 'Dat is niks voor jou,' zegt ze kritisch. 'Je koopt nooit wat behoorlijks en ik laat je niet weggaan met zo'n saaie zwarte trui.'

Cindy doet alsof ze een paar grijze zijden jurken rechthangt.

'Vroeger zag je er geweldig uit,' vervolgt Eliza. 'Je hoeft geen leggings te gaan dragen alleen omdat je moeder bent.'

'Ik héb geen leggings,' zeg ik. Maar het is al te laat. Haar harde woorden zetten mijn traanklieren in werking. Ik bestudeer een crèmekleurige zijden jurk, afgezet met antiek ogend kant.

'Nee, dat is het ook niet,' snuift Eliza. 'Je moet broodmager zijn om crème te kunnen hebben. Zelfs míj zou dat niet staan.'

'O, jawel,' zegt Cindy. 'Je ziet er fantastisch uit. Mooi bruin. Ben je weg geweest?'

'Naar Mauritius,' antwoordt Eliza. Ze heeft me alles verteld over haar laatste reisje: de zware taak om in maar drie dagen tijd negen bikini's op de gevoelige plaat vast te leggen. Zo bleef er weinig tijd over om van de badplaats te genieten, hoewel ze nog wel een merkwaardige massage met hete stenen op haar naakte billen heeft ondergaan.

'Dit, dit en dit,' zegt ze, terwijl ze een verzameling kleren in diverse moddertinten uit de rekken trekt.

'Ik houd niet van bruin.'

'Dit is geen bruin, maar *putty*. En je weet niet of je ervan houdt, omdat je het nog nooit gedragen hebt.' Meteen zie ik Eliza de Moeder. 'Hoe weet je nou of je geen ansjovis lust? Je hebt het nog nooit gegeten.'

'Kan het niet wat kleuriger?'

'Ze is er een tijdje uit geweest,' zegt Eliza tegen Cindy. 'Ze belde me uit een café, in paniek, omdat ze wilde winkelen maar niet durfde in haar eentje. Te veel beslissingen, zei ze. Helemaal van streek door een knoop die van haar confectievest was gesprongen.'

Eliza ziet het natte spoor niet dat over mijn wang loopt. Ik knijp mijn ogen dicht en probeer de tranen terug te dringen. Ze houdt een lange, smalle donkergrijze jurk voor zich. Het lijkt wel de schoorsteen van een schip.

Ben opent zijn oogjes en geeuwt naast een rij rokken in de kleur van afwaswater. Ik hap naar adem, met een geluid als van een kikker. 'Gaat het wel?' vraagt Eliza. Cindy borstelt de crèmekleurige jurk af alsof ze probeert al mijn huidcellen te verwijderen die mogelijk nog aan de stof kleven.

'Ik weet het niet. Ik voel me zo stom.' Mijn lippen trillen en mijn tranen vermengen zich met snot. Ik sta leeg te lopen in een winkel waar panty's nog meer kosten dan mijn roze vest.

'Ach, kindje,' zegt ze, en ze trekt me tegen zich aan. De lovertjes van haar topje krassen langs mijn gezicht. Haar dunne armen vouwen zich om me heen. 'Mag ze even gaan zitten?' vraagt Eliza, alsof ik een oudere dame ben die onwel is geworden.

'Arme meid,' zegt Cindy als ze mijn natte gezicht ziet. Ze neemt me mee naar een vaag verlichte achterkamer, waar ze me in een bruine leren leunstoel zet.

De twee vrouwen nemen me zorgelijk op. 'Heb je een depressie?' vraagt Eliza.

'Nee, dat is het niet.'

'Veel vrouwen krijgen dat. Ze draaien door en huilen de hele dag. Soms gooien ze hun baby's de trap af.'

'Dat was ik niet van plan.' Maar ze heeft gelijk. Als soort zijn moeders inderdaad nogal labiel. Mijn eigen moeder is ook allesbehalve normaal. Op ouderavonden van mijn middelbare school zat ik zenuwachtig thuis en hoopte vurig dat ze niet de zoon van mijn leraar Frans zou uitnodigen om me gezelschap te houden.

Voor *Lucky* heb ik eens een vrouw geïnterviewd die acht weken na haar bevalling een relatie was begonnen met een schooljongen die met zijn skateboard indrukwekkende flips van 360 graden kon maken. Hij had toevallig een blik in haar kinderwagen geworpen en iets aardigs gezegd over haar baby. Drie weken later hing ze bij zijn school rond in een paars geborduurde corduroybroek met een strapless satijnen topje. 'Het kan me niet schelen wat de mensen denken,' zei ze tegen mij. 'Ik hou van hem en hij van mij. Het enige probleem is dat zijn vrienden komen binnenvallen en al onze drank opmaken.'

Het verhaal van die vrouw is niet zo vreemd. Moeders kunnen de raarste dingen doen. Tientallen jaren sporen ze kleine mensjes geduldig aan om hun vissticks op te eten en netjes te vragen of ze van tafel mogen, totdat ze er op een dag zelf vandoorgaan zonder zelfs maar een briefje achter te laten of de koekenpan af te wassen.

'Je zit te beven,' zegt Eliza.

'Mijn hersens werken niet. Ik kan geen beslissingen meer nemen, zelfs niet over de simpelste dingen: ga ik nu naar de wc, of moet ik het nog even volhouden? Ik weet gewoon niet wat ik met mezelf moet beginnen.'

'Zou je niet professionele hulp zoeken?'

Ik denk aan Ashley en de paardenpillen.

'Hoe komt dat nou?' vraagt Eliza. 'Ik dacht dat je het zo goed redde en dat je plezier had in die grappige wereld van overdag?'

Ik vertel haar over de vernedering bij de kleedhokjes in het zwembad. Daarna probeerde ik te kalmeren bij een kop koffie. Er was een nieuwe lunchroom in plaats van het gezellige oude tentje met zijn ontbijtkaart van vijf gerechten, die je de hele dag kon bestellen. Nu serveerden ze tientallen onbekende koffiesoorten in grote stenen bekers of glazen met verchroomde oortjes, met of zonder witte chocoladevlokken, speculaaskruimels of vanilleroom. Ik had naar het schoolbord zitten staren en me afgevraagd of de speculaaskruimels zouden blijven drijven of soppend naar de bodem zouden zakken. De met krijt geschreven teksten en tekeningetjes van dampende koffiekopjes draaiden voor mijn ogen. 'Koffie om mee te nemen,' zei ik maar.

'Wat voor soort?' vroeg een meisje met een opgespoten gezichtje.

'Dat weet ik niet.'

'Wil je iets kiezen? We hebben het druk.'

Ik was weggegaan zonder iets te kopen.

'Je hebt me toch niet gebeld omdat je geen koffie kon bestellen?' vraagt Eliza.

'Nee, ik heb je gebeld vanwege Ranald. Herinner je je Ranald nog, de kampeerder? Hij noemde me Nancy!'

Cindy geeft me een porseleinen kopje met een onduidelijke kruidenthee. Het zakje zit er nog in en lekt een rood mengsel.

'Je hebt iets speciaals nodig,' zegt Eliza, 'iets om je eraan te herinneren dat je nog altijd vrouw bent.'

Cindy heeft Ben in haar armen. Hij knippert overdreven met zijn ogen tegen haar, alsof hij zich afvraagt waarom zijn moeder er niet net zo verzorgd bij loopt als deze dame. Ze pakt een smalle zwarte jurk van het rek. 'Probeer deze eens. Ik let wel op je kindje.'

Ik kijk naar haar, zo slank en gestroomlijnd, met een tevreden baby. Ze kan zo in een tijdschrift als de ideale moeder met kind. Rustig verdwijnt ze de winkel in met Ben. Ik doe mijn bovenkleren uit en trek de jurk aan, maar zonder hoge verwachtingen: een kokerjurk van zwarte stretchstof met dunne bandjes.

Hij valt heel elegant, alsof ik nog nooit een kraamafdeling van binnen heb gezien.

'Schoenen,' beveelt Eliza.

Cindy duikt weer op met sandalen van dropveter.

'Waar moet ik die dingen ooit dragen?'

'Waar je maar wilt,' zegt Eliza. 'Als je weer aan het werk gaat, bijvoorbeeld. Mensen dragen tegenwoordig van alles naar kantoor.'

Mijn werk lijkt zo lang geleden dat ik een beeld voor ogen heb van verstandige wandelschoenen en reusachtige, rammelende computers. Het redactiekantoor van *Lucky* had zulke akelige beige tinten dat ik blij was als ik de deur uit mocht voor zo'n dramatisch interview, ergens bij iemand thuis. Zelfs Luton was nog een verademing op een zonnige dag.

'Daar is de oude Nina terug!' roept Eliza enthousiast. Ik bekijk mezelf in de spiegel en probeer mijn schouders recht te trekken. Ondanks mijn natte ogen en mijn dikke behabandjes is het effect... nou, misschien niet goddelijk, maar toch een hele verbetering vergeleken bij de vrouw die zo onhandig de glazen deur binnenkwam.

En dat bevalt me wel, geef ik eerlijk toe.

Om halfelf is Jonathan nog niet terug van zijn avondje stappen en heeft hij ook niet gebeld om te zeggen hoe laat hij komt. Ik moet me beheersen om niet zijn mobieltje te bellen. Waarom zou hij niet een keertje laat thuis mogen komen? Hij heeft recht op ontspanning, net als iedereen. Zelfs Beth gaat weleens uit met haar koffievriendinnen, met wie ze zich beklaagt over de toestand van de parken in Oost-Londen en kritiek levert op moeders die hun kinderen koolzuurdrankjes geven. Jonathan en ik kunnen ook samen gaan stappen. Dan draag ik die jurk en mag hij me de hele avond aanstaren met die rare blik van hem. Maar tot nu toe heeft hij nooit de behoefte laten blijken om na het donker de stad in te gaan – tot vanavond dus. Waarschijnlijk is hij op kroegentocht, met een heel stel vrouwelijke collega's op sleeptouw.

Om kwart voor elf repeteer ik mijn preek. 'Zoals je ziet heb ik iets gekocht om mezelf aantrekkelijk voor je te maken. Maar blijkbaar sta ik onder aan je lijst van prioriteiten.' Tegen kwart over twaalf heb ik het einde van de speech herschreven: 'Lazer toch op.' Ik vraag me af hoe hij zou reageren op een scheldkanonnade. Ik heb Jonathan nog nooit echt horen vloeken, afgezien van 'shit' als hij 's ochtends te laat is en zijn manchetknopen niet dicht krijgt. Maar zelfs dan verpest hij het door zich achteraf te verontschuldigen voor zijn vloek.

Om vier minuten voor halftwee wordt Ben wakker voor een voeding. Het interesseert me eigenlijk niet dat ik hem in mijn armen houd terwijl ik een jurk draag die meer heeft gekost dan onze stereo, die we nooit gebruiken omdat Jonathan niet van muziek houdt; zelfs niet van klassieke muziek. Terwijl Ben van zijn flesje drinkt, neem ik me voor Jonathan te zeggen dat ik bij Eliza intrek en dat hij maar op een geschikt moment mijn spullen moet verhuizen. Niet dat ik veel bezittingen heb. Die leken veel te armoedig in Jonathans smetteloos ingerichte flat. Wat had ik eraan? Beduimelde pockets en een paar kookboeken die mijn moeder me had meegegeven toen ik het huis uit ging, hoewel ik me niet kon herinneren dat ze ooit een echte maaltijd had gekookt. Er stond een hoofdstuk in over gruwelijk ingewikkelde gerechten met gesneden fruit en room. Jonathan wierp een kritische blik op mijn eigendommen en stelde voor om de nuttige dingen te houden en de rest naar de kringloop te brengen. Mijn zwarte fotoalbum – een cadeautje van Eliza, waar ze foto's van ons tweeën op

Korfoe had ingeplakt – moest in de doos met het moeilijke kookboek zijn verdwenen, want ik had het nooit meer teruggezien.

Al mijn kleren heb ik natuurlijk nog, van vóór mijn zwangerschap en dus hopeloos verouderd, maar niet zo ouderwets dat ik ze als retro zou kunnen dragen. Gelukkig heb ik mijn nieuwe jurk, die er zelfs nog beter uitziet in het zachte schijnsel van het nachtlampje. Wat Jonathan ook mag denken, ik vind mezelf een stuk. Maar waarom zou ik de schijn ophouden? Het is voorbij.

Als er een taxi voor de flat stopt, repeteer ik mijn tekst nog eens. *We moeten er een streep onder zetten. We hebben ons best gedaan, maar het werkt niet. Je mag Ben zo vaak zien als je wilt. Ga maar met hem naar het park, zoals alle weekendvaders doen. Hij zal er geen trauma aan overhouden als we scheiden terwijl hij nog zo klein is. Het hoeft niet onaangenaam te worden. We zijn toch redelijke mensen?*

Er stapt iemand uit de taxi die aarzelend bij ons hekje blijft staan. Een inbreker, die vermoedt dat hier een vrouw alleen woont, met een baby. Door het kijkgaatje zie ik dat de man iets in zijn zakken zoekt: een koevoet, een mes? Dan wankelt hij tegen een verzinkte pot met lavendel aan.

Ik maak de deur open.

'Hallo,' zegt Jonathan.

'Waar kom jij vandaan?'

Hij glipt langs me heen, overdreven rechtop, alsof hij boeken op zijn hoofd balanceert. 'Je hebt een jurk aan,' zegt hij.

'Waarom heb je niet gebeld?'

'Heel mooi.'

'Ik was vreselijk ongerust.'

'Mag ik die jurk van dichtbij zien? Leuk, zo laag uitgesneden.'

Ik doe een stap terug. 'Je moet niet denken dat ik kwaad ben omdat jij een gezellige avond hebt gehad. Daar gaat het niet om...'

'Je bent sexy,' zegt hij.

'Waarom heb je me zo in de rats laten zitten? Je weet niet hoe het voelt om hier in je eentje te moeten wachten.'

'Ik vind je leuk.'

'O ja?'

'Kunnen we naar bed?'

Nee, wil ik zeggen, want dat soort dingen doen we niet meer. Ik bedoel, we gaan natuurlijk wel naar bed, maar niet *naar bed*. Maar hij is al op weg naar de badkamer en slaat de deur achter zich dicht. Dan hoor ik het geluid van een zware klap op de vloer. Ik probeer de deur, maar die gaat niet open.

'Jonathan, laat me binnen, alsjeblieft.'

Het lichaam schuift iets opzij, zodat ik me door de kier kan wringen. Jonathan is in elkaar gezakt. Zijn das ligt scheef over zijn shirt. Ik hurk naast hem en probeer hem vast te houden, maar hij deinst terug zoals baby's doen als ze je niet willen.

'Wat is er?' vraag ik.

Hij staart naar het punt waar de blauwe en de crèmekleurige tegels elkaar raken. Rustgevende kleuren, waar hij van houdt.

'Ik heb te veel gedronken,' zegt hij tegen de tegels.

'Ik zal wat water voor je halen.'

'Nina,' roept hij me na, 'het deugt niet, dit allemaal, is het wel?'

Ik draai me om. Hij ligt met zijn wang tegen de wc-pot. Als ik dichterbij kom, zie ik dat hij geluidloos begint te huilen, geen discrete tranen, maar een waterval die over zijn vlekkerige kin op de keurig gesteven maar vuil geworden kraag van zijn overhemd druipt.

Babyvriendinnen maken

JONATHAN SLAAPT DOOR HET BELEEFDE GEZOEM VAN DE REISWEKker heen en reageert niet op mijn waarschuwingen dat het bedrijfsleven met spanning op hem wacht. Ik vermoed dat dit de eerste keer is dat Jonathan niet op zijn werk verschijnt. 'Zal ik voor je bellen?' vraag ik.

Ik hoor een bedeesd gemompel.

'Wat moet ik dan zeggen?'

Hij draait zich van zijn rug op zijn buik. Zijn haar kleeft in vochtige pieken tegen zijn hoofd. 'Dakziekben,' kreunt hij.

'Ziek?'

'Wat dan ook.'

'Goed,' zeg ik, en ik steek mijn hand uit naar zijn zwetende hoofd. Meteen maar bellen, dat lijkt me het beste. 'Ik zal zeggen dat de vis niet goed gevallen is.'

Ik toets het nummer en begin: 'Hallo, met Nina, Jonathans...' Heel lastig, altijd. Hoe noem je jezelf als je niet getrouwd bent? 'Vrouw' is duidelijk niet waar, maar 'vriendin' lijkt te vluchtig als je bedenkt dat we samen een keukenmachine bezitten. 'Partner' klinkt te zakelijk, alsof we nooit seks zouden hebben (dat hebben we ook niet, maar goed).

'Ik bel voor Jonathan,' zeg ik maar. 'Hij heeft de hele nacht last van zijn maag gehad.'

Jonathans collega grinnikt en zegt: 'Is de vis verkeerd gevallen?'

'Precies.' Ik loop terug naar de slaapkamer om te melden dat ik talentvol voor hem gelogen heb, maar Jonathan is alweer bewusteloos. De kamer stinkt naar een kroeg. Verschaalde drank, gistend in zijn darmen. Het schuifraam gaat met moeite open en valt weer terug, boven op mijn vingers. Ik zet het klem met een van Jonathans schoenen die hij naar zijn werk draagt.

Er wordt gebeld. Beth marcheert naar binnen, met een ginganglint om haar dunne vlechtjes en Maud met een dun sjaaltje tegen haar heup gebonden. Ik krijg een snelle kus op mijn wang. Van dichtbij verspreidt ze een baklucht. Ik was vergeten dat Beth' moederclubje vanochtend bij me op de koffie komt, dus heb ik ook geen indrukwekkende stapel warme, zelfgebakken lekkernijen klaarliggen, zoals gebruikelijk bij deze gelegenheden.

Ik ben bij toeval in die koffieochtendjes verzeild geraakt, door toedoen van Beth, die me al in het zwangerschapsklasje onder haar hoede heeft genomen. 'Je hebt babyvriendinnen nodig,' verklaarde ze toen we allebei een kind hadden en duidelijk werd dat zij veel meer wist dan ik. Een 'netwerk', noemde ze het. *Vrouwen die begrijpen wat je allemaal doormaakt.* Mijn naam werd haastig toegevoegd aan een lijst van jonge moeders, die voorzichtig vriendschap sloten, met elkaar over slaappatronen en de genezing van keizersnedes praatten en allerlei tips uitwisselden. Binnen een paar weken kwamen de eerste confidenties. Ik was niet meer zoveel onbekende nieuwe gezichten tegengekomen sinds de kleuterschool, op mijn vierde.

Phoebe arriveert kort na Beth. Ze kauwt nog ergens op, waarschijnlijk haar ontbijt. Ze heeft een onderkaak als een baksteen en een overdreven liefde voor rouge. Het lijkt of ze haar wat oudere baby uitsluitend voedt met soepstengels en rauwkost, terwijl ze zelf de hele ochtend zoetigheid naar binnen werkt, wat me niet eerlijk lijkt tegenover het kind. Geen wonder dat hij zo'n ontevreden indruk maakt, alsof hij iets mist – chocola, vermoed ik.

Beth heeft Phoebe ontmoet in een schilderatelier. Bij het woord atelier denk je aan een kleine, lichte werkplaats, maar in dit geval ging het om een plek waar baby's en peuters op een plastic laken werden gezet en daar hun creativiteit mochten uitleven met kwastjes en waterverf. Beth heeft Mauds kunstwerk in een grote lijst boven hun klassieke open haard gehangen. Steeds als ik er kom, voel ik me verplicht iets intelligents te zeggen over de kleuren: 'Zoals dat purper zich met het rood vermengt, en dat contrast tussen het paars en het groen!'

Ik zoek in mijn kast naar iets dat een zelfgebakken traktatie suggereert. Een vrouw met blauwgeaderde oogleden en door zonnebrand vervelde schouders zegt dat haar man naar het platteland wil verhuizen.

'Waarom?' vraagt Beth. 'Het is leuk voor een uitstapje, maar wat zou je er de hele dag moeten doen?'

'Dat zei ik ook tegen hem,' beaamt ze. 'Ik wil echt niet op meer dan tien kilometer van een Hobbs gaan wonen!'

Ik zet een schaal met kunstig gearrangeerde (maar duidelijk kant-en-klaar gekochte) volkorenkoekjes op het koffietafeltje. 'In de provincie is nooit iets te krijgen,' vervolgt Beth. 'Matthew en ik zijn net terug uit Somerset. Iedereen was heel vrolijk en vriendelijk, op die simpele manier van het platteland, maar nergens vond je waterkers of lekkere salade, zodat ik me met ijsbergsla moest behelpen!'

'Koffie?' vraag ik. Er zijn inmiddels vier vrouwen bijgekomen, met bazige stemmen en druk bewegende monden. Hun kinderen zijn op een kleed geparkeerd waar ik een hopelijk eco-vriendelijke selectie speelgoed heb klaargelegd, vervaardigd uit natuurlijke materialen en bedoeld om de coördinatie tussen oog en hand te stimuleren. Ik leer snel. Je kunt baby in de eenentwintigste eeuw niet afschepen met een beduimeld *Nijntje*-boek.

Ben houdt zijn speelkameraadjes wat angstig in het oog. Een volgende gast tilt haar kind uit zijn draagzak. Ik heb haar bij Beth ontmoet, maar ik weet haar naam niet meer – zoveel nieuwe kennissen, plus baby's. De namen van de kinderen zijn nog het moeilijkst. Als ze geen eigenaardigheden hebben, zoals een dichte bos haar of grote flaporen, kan ik de één nauwelijks van de ander onderscheiden. En in zo'n kluwen als deze lukt me dat helemaal al niet. Als ik vraag 'Hoe slaapt Jacob tegenwoordig?' krijg ik als antwoord: '*Joshua* slaapt nu de volle zes uur door, dank je.'

De naam van de vrouw begint met een J of misschien een K, dat weet ik wel. Ze maakt vilt, een procédé waarbij wol door oude vitragegordijnen wordt gewreven, waarna ze de vellen aan haar waslijn te drogen hangt. Haar huidige project is een groot wandkleed voor de kantine van een basisschool. Beth heeft me verteld dat ze vuilniscontainers afstruint om allerlei spulletjes – schimmelige bekleding, oude handgrepen van ladekasten – te zoeken die ze op de lappen vilt naait. 'Hoe gaat het met je vilt?' vraag ik.

'Mijn wát?' Ze steekt haar hand uit naar de schaal, ziet wat voor koekjes het zijn en bedenkt zich.

'Dat kleed dat je voor de school maakt,' zeg ik aarzelend.

Ze wrijft over haar krachtige bovenarmen en schraapt haar keel. 'Dat is een installatie.'

'En is het bijna klaar?'

Haar kind, een slechtgehumeurd bol jongetje dat Ernie of Alfred heet, begint te huilen. Ze legt hem aan haar boezem terwijl ze nog rechtop staat. 'Dat is nooit klaar,' antwoordt ze. 'Het is een voortgaand proces. Daar gaat het juist om. De kinderen kunnen er nog jarenlang dingen aan toevoegen, erop vastnaaien... onbeperkt, eigenlijk... zodat het zich blijft ontwikkelen.'

'Ik zou het graag zien als het klaar is,' zeg ik. 'Als het *niet* klaar is, bedoel ik.'

Het is drukkend warm in de kamer, misschien door al die mensen, of doordat Jonathans zwetende lijk in de slaapkamer zo'n hitte afgeeft. Beth en het Viltvrouwtje hebben het over hun 'poep van de stoep'-campagne. Beth zal de gemeente onder druk zetten om een hondentoilet te installeren. Ik stel me een soort Portakabin voor met een mini-wc, maar het blijkt een omheind stukje grond te zijn.

Het Viltvrouwtje biedt aan om folders te maken die aan eigenaren van poepende honden kunnen worden uitgereikt. Samen met Beth buigt ze zich over een opschrijfboekje om een geschikte tekst te verzinnen: '*Uw hond is waargenomen bij het bevuilen van openbaar terrein,*' begint Beth. '*Wilt u de uitwerpselen in de daarvoor bestemde emmer deponeren?*'

'Niet krachtig genoeg,' vindt het Viltvrouwtje. 'Wat dacht je van: *Schijt aan alles? Hondenbezitters moeten de poep van hun beesten opruimen op straffe van een boete van...*'

'We kunnen geen boetes uitdelen,' zegt Beth. 'We zijn de politie niet.'

Maud onderbreekt de discussie met een luid gejammer, alsof ze is gebeten. Beth neemt haar mee naar de keuken en wijst naar onze glazen potten met pasta. 'Kijk,' zegt ze sussend. '*Tagliatelle. Penne.* Spag-*yetti*.'

Maud huilt ontstemd verder. Phoebes peuter – hij is twee of drie, dat kan ik nog niet goed bepalen bij die oudere kinderen – doorzoekt een la met verraderlijk bestek. 'Hebben jullie geen kindveilige laden?' vraagt Beth.

'Dat hoeft niet. Het duurt nog tijden voordat hij gaat kruipen.'

'Probeert hij het nog niet? Ik weet dat hij pas vier maanden is, maar Maud ook, en die doet al goed haar best om zich te bewegen. Onze consulente kon niet geloven hoe voorlijk en vastberaden ze al is. Maar we doen ook heel veel met haar.'

Ik werp een blik in de huiskamer, waar Ben ligt te sabbelen op het oortje van de zwarte, vormeloze beer die hij van Eliza heeft gekregen.

'Misschien heeft hij meer stimulerend speelgoed nodig,' oppert Beth.

Phoebes kind haalt een speelgoedtaxi uit de zak van zijn tuinbroek en ramt er hard mee tegen de deur van onze roestvrijstalen oven. Ik weet niet hoe scherp ik het kind van een ander wat mag verbieden. 'Ho, ho,' mompel ik. 'Doe dat maar niet.'

Maud, niet onder de indruk van onze pastaverzameling, worstelt in Beth' lange armen. 'Heb je geen rijstwafels waar ze op kan knabbelen?' vraagt ze. Ik vind een pakje vuilwitte tegels en hoop dat Beth niet merkt hoe oudbakken ze zijn. Phoebes zoontje trekt de ovendeur open en zet zijn taxi op het rooster.

'Dat is een oven,' zeg ik. 'Heel heet.'

Hij draait aan de knoppen en probeert alle vijf de pitten aan te zetten om ons te vergassen. Het is drie minuten voor halfelf. Behalve Beth, die weigert zich te vergiftigen met mijn versgezette brouwsel en alleen warm water drinkt, zitten we allemaal aan de koffie. Dit moet dus een koffieochtend zijn. Als Eliza nu binnenkomt, tussen haar jacht op geschikte rokjes door, zal ik haar zeggen dat deze vrouwen me zonder waarschuwing hebben overvallen, zich een weg naar binnen hebben gebaand en zelf het koffieapparaat hebben aangezet. Dat is bijna de waarheid. Het zijn geen vriendinnen van me, goed beschouwd. Het enige dat we gemeen hebben zijn onze bezigheden – billetjes afvegen, melk geven – en een blind verlangen naar volwassen gezelschap.

'Mag ik je wat vragen, Nina?' zegt Beth. Ze lijkt vandaag erg vettig. Haar pony en haar voorhoofd glimmen. Ze haalt een vinger langs de kraag van haar snoeproze blouse.

'Natuurlijk.'

'Is Jonathan romantisch?'

'Dat hangt ervan af hoe je dat bedoelt. Hij is heel attent,' zeg ik. Dan herinner ik me de vorige avond. 'Meestal.'

Beth breekt een hoekje van een taaie rijstwafel af. 'Matthew niet. Vroeger wel. Dan kocht hij spontaan cadeautjes voor me in zijn lunchpauze. Van die dingen die je nooit voor jezelf koopt: parfum, kanten ondergoed met van die klemmetjes om je kousen aan vast te maken... Om me te laten weten dat hij me nog steeds als zijn minnares zag, begrijp je?'

'Ik weet het,' lieg ik. Jonathan en ik hebben de romantische fase maar overgeslagen. Zijn enige bijzondere cadeautje was een sluwe zaadcel die zich als een duikbommenwerper op mijn eitje stortte. Heel spontaan, dat wel.

'Heb jij ooit het gevoel dat het ze niet interesseert?' vraagt Beth.

'Wie?'

'Onze mannen. Onze *betere helften*.'

'Ach, het ligt nu anders,' zeg ik, alsof ik alles van relaties weet. 'Er is minder tijd om...'

'Ja, vertel míj wat!' Ze snuift.

'Het gas staat aan, weet je dat?' vraagt het Viltvrouwtje. Ik draai de pitten uit. Phoebes kind, dat nu een wijnfles uit Jonathans rek heeft gerukt, krijgt een tik op zijn hoofd van zijn moeder.

'Daar kun je hem schade mee toebrengen,' zegt Beth verwijtend. 'Je laat hem weten dat het oké is om iemand te slaan. Zo gaat hij fysiek geweld als normaal beschouwen.'

Voordat Phoebe nog gewelddadiger kan worden neem ik Beth apart bij de luieremmer. 'Ik dacht dat het goed ging tussen Matthew en jou,' zeg ik. 'Jullie gaan altijd samen op stap. Je bent toch net terug? Jonathan en ik doen dat nooit.'

'Wat? Dat weekend in Somerset?' zegt ze smalend. 'Nou, dat was een succes. Het huisje dat hij had gereserveerd was zo'n ramp dat we maar een hotelkamer hebben genomen – baby-vriendelijk, met alle faciliteiten. We komen daar aan en alles lijkt in orde.'

'Maar?'

'We leggen Maud in haar bedje, een mooie wieg met een Shakerquilt, en gaan naar beneden om te eten. Maar de babyfoon werkt niet.

Dus ga ik weer naar boven om in dat ding te roepen: "Hallo? Hallo?" Vergeet het maar, Matthew hoort niets.'

'Dus hebben jullie het eten op bed gekregen?' opper ik.

'Nee, in een akelig vergaderzaaltje met zo'n glimmend, afneembaar schoolbord waar je met viltstift op kan schrijven. Alleen hij en ik, met een krakende babyfoon. En weet je?' Haar stem trilt. 'De hele maaltijd hebben we geen stom woord gezegd.'

'Dat is juist goed,' merkt het Viltvrouwtje op. 'Ik heb het niet op die stellen die zo druk zitten te praten alsof ze willen bewijzen dat het nog goed tussen hen gaat. Ik vind het juist heerlijk om niets te zeggen en echt samen te zijn.'

'Maar wij waren niet *samen,*' snauwt Beth. 'We hebben elkaar niets meer te zeggen. We weten niets meer te verzinnen, behalve "Heb ik je al gezegd dat de afzuigkap kapot is?" of "Heb je de container buiten gezet?"'

Haar stem schiet uit. Koffieochtendjes zijn dus niet van die saaie toestanden voor eenzame moeders, zoals ik eerst dacht. Je hoort nog eens wat, als je maar luistert.

'En hoe was de rest van het weekend?' vraag ik.

'We kwamen terecht in een dorpskroeg, met veel koper en paardenhoofdstellen aan de muur, heel rustiek. Boerenknechten met grote handen.'

'Was dat leuker?'

'Ja, totdat de tv aanging. Matthew houdt helemaal niet van tv. We hadden er niet eens een, totdat we niets meer tegen elkaar wisten te zeggen. Nu steekt hij elke avond zijn hand op om me de mond te snoeren als hij naar een of andere stomme quiz kijkt. Ten slotte, omdat er geen woord uit hem te krijgen was, ben ik weggelopen uit die kroeg. Hij kwam achter me aan,' besluit ze luid, 'en toen moesten we nog afrekenen met de babysit van het hotel, een of andere puber met een stapel tienerblaadjes.'

'Wat een ellende,' zegt het Viltvrouwtje.

'Misschien moet je er eens tussenuit,' opper ik.

'Waarheen? Naar Somerset?'

'Zo te horen wordt het je te veel. Misschien heb je extra hulp nodig.'

'Ja. Het is geen gewone baan, dat moederschap. Je bent er vierentwintig uur per dag mee bezig. Er komt geen einde aan. Zelfs als ze slapen moet je nog de volgende voeding klaarmaken, het speelgoed steriliseren en de katoenen luiers wassen.'

'O, gebruik je katoenen luiers?' vraagt het Viltvrouwtje. 'Die heb ik ook geprobeerd. Ik dacht dat ze wel handig waren, makkelijker zelfs dan wegwerpluiers, en dat je 's nachts niet wakker hoefde te liggen omdat je het milieu vervuilde.'

'Ik weet het,' zegt Beth. 'Als je alle vuile wegwerpluiers achter elkaar zou leggen zouden ze eh... de hele wereld omspannen of zoiets.'

'Nou, dat is dan jammer,' zegt het Viltvrouwtje, 'maar ik heb geen tijd om de hele dag gewone luiers uit te koken en aan de lijn te hangen.'

'Zoals je vilt,' zeg ik.

Ze knippert met haar ogen. 'Vilt wordt niet gekóókt! Ik heb die gewone luiers de deur uit gedaan. Dat levert me meer tijd op, waardoor ik een betere moeder ben – en veel aardiger. Dus bewijs ik de wereld een dienst door wegwerpluiers te gebruiken.'

'In elk geval doe jij nog aan recycling in je werk,' zegt Beth. 'Niemand is volmaakt. Je kunt niet álles goed doen. Daarom nemen we nu een au-pair.'

Beth en Matthew hebben een huis van drie verdiepingen, dat nog meer glimt dan het onze. Bij ons gaat het trouwens bergafwaarts, heb ik gemerkt. Ik vind kruimels op de tafel en het aanrecht, en Jonathan laadt niet meer onmiddellijk na het eten de vaatwasser in. 'Heb je die echt nodig, een au-pair?' vraag ik aan Beth.

'Nódig? Dat weet ik niet. Maar ik wil wel hulp. Ik red het niet in mijn eentje.'

'En wat vindt Matthew ervan?'

'Die zegt er niets over. Ik heb een bureau gebeld dat zeven meisjes heeft gestuurd, lieve buitenlandse kinderen die blij zijn met de kans om in een beschaafd land te werken. Ik hoef er maar een te kiezen.'

'Waar komen ze vandaan?'

'Uit een of ander koud en troosteloos Oost-Europees land, waar armoe troef is.'

'Je hebt dus nog niets tegen Matthew gezegd?'

'Het kan hem toch niet schelen. Tegen de tijd dat hij het merkt, is het een voldongen feit.'

'Je moet geen geheimen hebben voor je partner,' zegt het Viltvrouwtje verwijtend. 'Dan verlies je je intimiteit, je samenzijn.'

'Dat is waar,' zeg ik.

'Jij hebt makkelijk praten,' valt Beth uit. 'Jij zou nooit iets voor Jonathan verborgen houden. Moet je zien hoe keurig je erbij loopt in je mooie roze vest... Is er een knoopje af? Je hebt een prachtige flat en je maakt je eigen babyvoeding!'

'Ongelooflijk,' zegt Phoebe, die nog net kan voorkomen dat haar kind met onze kaasrasp aan de slag gaat. 'Snij je het met de hand of gebruik je een keukenmachine?'

Ik schenk haar nog eens bij, blij dat ik de moeite heb genomen om Jonathans goede koffiebonen te malen. Boven het geroezemoes uit hoor ik de vrouw met de geaderde oogleden: 'Nina? Telefoon! Zal ik opnemen?'

'Graag.'

'Het is iemand... ik kon het niet goed verstaan. Het is *lovely* hier, zei ze. Ik heb maar gezegd dat het hier ook *lovely* is.'

Ik gris de telefoon uit haar hand en vlucht de gang op. 'Goh, wat klinkt het druk bij jou,' zegt Lovely. 'Heb je een feestje?'

'Een paar vriendinnen over de vloer.'

'Moeders! Jullie doen alles samen.' Ik hoor iets rammelen – haar parels, denk ik. Waarschijnlijk draagt ze iets perzikkleurigs. 'Maar daar bel ik niet voor. Er is een auditie voor een commercial. Echt iets voor Ben. Maar het is wel kort dag. Vanmiddag om halfvier. Red je dat?'

Het Viltvrouwtje doemt voor me op met een onbehaaglijke uitdrukking rond haar ogen. 'Sorry, Nina,' onderbreekt ze me. 'Ik moet echt naar de wc, maar die is al tijden bezet en er komen rare grommende geluiden vandaan. Heb je een huisdier?'

10

Huilen en troosten

ALS DE LAATSTE LEDEN VAN DE KOFFIEBENDE ZIJN VERTROKKEN naar hun diverse workshops zie ik mezelf in de slaapkamerspiegel en herinner me Lovely's waarschuwing: de moeder moet er onberispelijk uitzien. Mijn onderarmen steken nat uit mijn roze vest en resten van volkorenkoekjes kleven tussen mijn tanden.

Jonathan probeert op verhaal te komen in de badkamer. Zijn mond hangt half open, met slappe lippen. 'Hoe voel je je?' vraag ik.

'Hoe zie ik eruit?'

Het is al een tijd geleden dat ik Jonathan naakt heb gezien. Hij heeft tengere, enigszins vrouwelijke schouders en blond donshaar op zijn borst. Hoewel hij niet aan sport doet, is hij in redelijke conditie. In elk geval heeft hij geen vetschort.

'Valt wel mee,' zeg ik. Ik heb met hem te doen. Dat ik al ruim een jaar geen kater meer heb gehad, komt alleen doordat ik de kans niet krijg om te zuipen. Ik kon vroeger behoorlijk ziek zijn, totdat de ene kater in de volgende overging. Het was voor mij heel normaal om me totaal leeg en vergiftigd te voelen en niets anders te willen dan eieren, een dekbed en duisternis.

Ik vraag me af of ik wat melkdisteltinctuur voor hem moet kopen, dat volgens Beth heilzaam voor de lever is. De hare heeft dat niet nodig, want ze drinkt alleen met Kerstmis, en dan alleen wat aangelengde wijn. Waarschijnlijk raadt ze het middeltje aan omdat het zo gezond klinkt.

Eliza weet beter hoe je een kater moet bestrijden. Als ze er zelf last van heeft, zoekt ze het internet af en probeert allerlei adviezen, zoals bouillon met wodka. Ze hoopt nog altijd een zeldzame, maar kennelijk heel effectieve remedie te vinden die is bereid uit gedroogde stierenpik. Daar zeg ik maar niets over tegen Jonathan. 'Voel je je goed genoeg om op Ben te passen terwijl ik een douche neem en me verkleed?' vraag ik hem.

'Zet hem maar in zijn Maxi-Cosi, dan kan er niets gebeuren.'

'Dan neem ik hem straks mee en heb jij de hele dag voor jezelf, om weer op te knappen.'

Ik verwacht een bedankje, maar het enige dat hij zegt is: 'Goed.'

Tegen de tijd dat ik Eliza tref, ben ik al aan de late kant om nog om halfvier op de fotosessie te zijn. Maar ik wil eerst naar de kapper. Eliza heeft haar belangrijke modeafspraken zo geregeld dat ze op Ben kan passen terwijl iemand mijn hoofd fatsoeneert. Het was haar eigen idee. 'Je bent het jezelf verschuldigd,' zei ze. 'Je haar vertelt de wereld wat er in je hoofd omgaat. Je wilt toch uitstralen dat je alles onder controle hebt en dat het leven geweldig is?' De enige boodschap die mijn haar uitstraalt is een wanhopig verlangen naar kam en borstel.

Eliza staat te wachten voor de kapper. Ze draagt een crèmekleurige jurk tot op de knie, met dunne zilveren oorringen. Die oorringen lijken me riskant. Ben heeft de gewoonte opgevat om naar bungelende voorwerpen te grijpen. Zelf draag ik al geen sieraden meer. 'Wat ga je met hem doen?' vraag ik.

Haar glimlach bevriest. 'Met hem doen? Hoe bedoel je?'

'Hoe wil je dat uur besteden?'

'Een uur?' sputtert ze. 'Gaat het zo lang duren?'

'Ja, minstens. Hoe lang zit jij normaal bij de kapper?'

Ze herstelt zich en zegt: 'Ik zou hem kunnen meenemen naar kantoor, maar ik hoopte dat hij zou slapen.'

'Hij heeft al twee uur geslapen. Hij blijft nu een hele tijd wakker.'

'O, ik dacht dat baby's zoveel sliepen. Zal ik hem meenemen naar een galerie? Dat vindt hij misschien ontspannend.'

'Dat klinkt goed.' Ik werp een blik door de ruit van de kapper. Een vrouw laat haar hoofd masseren. Een caramellucht zweeft naar buiten als de deur opengaat. 'In elk geval heb je daar een toilet om hem te verschonen,' ga ik verder. 'Hier, dit heb je nodig.'

Eliza staart naar de tas met babyspullen en heeft duidelijk spijt. Ze zou liever terug zijn op haar werk om met modellenbureaus te overleggen. De tas is zo groot als een kussen, met een repeterend motief van paarse hobbelpaarden. 'Zou hij zich... bevuilen op deze tijd van de dag?' vraagt ze met een hoog stemmetje.

'Ik denk het niet, maar misschien heb je geluk.'

'Nee, vast niet,' verklaart ze ferm.

De kapper is een jaar of negentien en heeft een retro-sixtiescoup met krullen rond zijn oren en in zijn nek. Hij heeft duidelijk de pest in dat hij mij moet helpen in plaats van het jonge meisje met de mooie haren dat naast me zit. Daarom zegt hij geen stom woord.

Gelukkig maar. Sinds de baby heb ik mijn talent verloren om met jonge mensen te communiceren. Of het is een bijverschijnsel van mijn leven met Jonathan. Op een avond zapte hij per abuis naar *Top of the Pops*. Een boyband zat op hoge krukken en zong met onzekere stemmen en ingehouden emotie. 'Vinden ze dat nou mooi?' vroeg hij.

'Wie?'

'De jeugd.'

Ik keek hem van opzij aan. Hij was vijfendertig en gedroeg zich alsof hij nooit jonger was geweest. De jongens die bij ons in de straat rondhingen irriteerden hem. Op een avond ging een dikke puber op de motorkap van onze auto zitten. Jonathan zag hem op en neer wippen en vroeg hem om daar weg te gaan. De jongen lachte en spuwde op straat. De volgende morgen vonden we ciderflessen in onze bloembakken gestoken.

Zou Ben ook zo opgroeien? Met de pest aan mij, zijn moeder? Van je dertigste tot je vijftigste maak je je zorgen wat je kind allemaal eet, drinkt, rookt of snuift, en ten slotte zit je met een hormonaal monster dat jou met dezelfde mengeling van afkeer en fascinatie bekijkt als een vis die wordt schoongemaakt.

'Nog wezen stappen, de laatste tijd?' vraagt de kapper.

'O, zo'n beetje. Ik heb een baby, dus het valt niet mee.'

'Dat zou ik niet volhouden. Ik wil geen kinderen voor mijn dertigste.'

'Groot gelijk,' zeg ik tegen de spiegel. 'Ik zou er ook niet aan toe zijn geweest op jouw leeftijd.'

Hij lacht plichtmatig en knipt zo haastig dat ik vermoed dat hij me snel uit die stoel vandaan wil hebben om prachtige dingen te kunnen doen met het jonge meisje. 'Wat ga je doen vanmiddag?' vraagt hij op verveelde toon.

'Ik moet met mijn baby naar een auditie voor een commercial. Hij is model. Je hebt hem wel eens gezien, denk ik.'

'O ja?' Hij klinkt nu geïnteresseerd. 'In welke reclames zit hij dan?'

'O, van alles. Ze vragen hem overal voor. Heel druk voor mij, maar zo kom ik nog eens de deur uit.'

'Ja, dat is leuk,' beaamt de kapper. 'Ik werk ook als model. Hier en daar, als ik er zin in heb. Ik ben eigenlijk acteur.' Hij krult de punten van mijn haar en zet de spuitbus erop. 'Zo goed?' vraagt hij. Zijn eerste echte lachje.

'Geweldig.' Ik bloos.

Met Ben en mijn heftige nieuwe kapsel arriveer ik om zeven over halfvier bij het vier verdiepingen hoge herenhuis, zeven minuten te laat. Mijn mobieltje gaat als ik probeer de buggy in te klappen terwijl ik Ben vasthoud. Ons eigen nummer. Ik kan Jonathan niet zeggen waar we zijn, niet nu zijn lever zo opspeelt.

De auditie is op de bovenste verdieping. Een groepje volwassenen zit tegen elkaar aan geklemd. Baby's kruipen over een vloermat met Duplo.

Ik krijg een formulier van een vermoeid uitziende vrouw en vul de gegevens in: Bens naam, leeftijd, maten en bureau. Het vakje met *bijzondere talenten* laat ik maar leeg.

'Dat zul je altijd zien,' zegt een vrouw in een dikke fluwelen jurk en bijpassende ingezakte baret (wat me eraan herinnert dat ik nooit een soufflé moet proberen). Ze dept de pony van haar dochtertje met een nat doekje. 'Niet te geloven,' gaat ze verder. 'De hele week gaat alles prima, maar vandaag valt ze voorover op de stoep en schaaft haar voorhoofd.'

'Het valt wel mee, zo te zien,' stel ik haar gerust.

'Nee, ze bloedt. Ik zou de steentjes er wel uit halen, maar dan lijkt het misschien nog erger.'

'Je moet oppassen dat het niet gaat ontsteken,' zegt een andere moeder. 'Dan kan het gaan zweren en krijgt ze bloedvergiftiging.'

Het kind met de steentjes in haar voorhoofd draagt een hooggesloten jurkje van dezelfde stof als haar moeder. Ik parkeer Ben tussen de baby's en sla Eliza's blad open op de pagina met mijn zoon, Fern in haar dunne zalmkleurige jurk en het mannelijke model dat geen model is.

'O jee,' zegt de vrouw met de baret. 'Dat ziet er niet vrolijk uit. Raven doet meer commercials.'

Raven plukt aan het koord om haar hals. Ze lijkt niet blij met het vooruitzicht om in een commercial op te treden. Haar haarpunten zijn nat. Ze pakt een lok en zuigt erop.

'Niet doen, Raven,' zegt haar moeder.

'Wachten jullie al lang?' vraag ik.

'Twintig minuten. Het zal nu niet lang meer duren. Ze werken eerst de oudere kinderen af, dan de peuters en de baby's. Jij kunt hier nog uren zitten.'

Ik vraag me af of Jonathan nog in het bad zit te stomen en wanneer hij zich ongerust zal maken.

'Wil je Ravens boek zien?' vraagt de vrouw.

Ik durf geen nee te zeggen. 'Kijk,' zegt de vrouw, en ze geeft me een dikke map vol met tijdschriftenknipsels. Elk knipsel is zorgvuldig op een A-viertje geplakt, waarop met potlood de datum is geschreven, met onderschriften als: *Hier moest ze tapdansen* of *Raven maakt een salto*.

'Goh,' zeg ik. 'Raven krijgt heel wat werk.'

'Ze wordt zoveel gevraagd. Het is een volledige baan voor mij, als chaperonne.'

'Vind je dat niet vervelend?'

Ze schudt haar hoofd, waardoor haar baret gevaarlijk wiebelt. 'Zo kan ik geld voor haar wegleggen. Stort jij het geld voor je baby ook op een rekening voor later?'

'Natuurlijk,' zeg ik snel.

'Raven?' De vermoeid uitziende vrouw wenkt het fluwelen tweetal. Raven wordt met stramme knieën door de meute van ouders en kroost geloodst, naar een deur met het opschrift AUDITIERUIMTE.

GEEN TOEGANG TOTDAT U OPGEROEPEN WORDT. NIET MEER DAN ÉÉN CHAPERONNE PER KIND, AUB.

Tegen het einde van de middag heeft Ben geen zin meer in de Duplo. Ik denk dat ze ons vergeten zijn. Moeten we blijven zitten totdat de conciërge het licht komt uitdoen?

Ik breng hem naar de babykamer om hem te verschonen. Eliza heeft zijn luier zo strak gedaan dat hij rode vlekken op zijn heupen heeft. Met een klap valt de luier in de emmer. Ben heeft zwaar genoeg van het modellenwerk en ik overweeg om in de lift te stappen, naar huis te gaan en Jonathan te zeggen dat we zijn gaan winkelen. Zo'n leugentje is toch niet erg?

'Ben?' roept de vermoeide vrouw. 'We hadden je al geroepen, mamma. Wil je hem nu binnenbrengen?'

Ben reageert op de halfdonkere ruimte door zijn hoofd in mijn vest te begraven. 'Hallo, Ben,' zegt een jongen die niet veel ouder is dan mijn kapper. 'Hoe gaat het, vandaag?'

Ben klemt zich nog dichter tegen me aan.

'Is hij verlegen?' vraagt de jongen, met een blik op zijn horloge.

'Het is zijn eerste auditie,' leg ik uit, 'maar hij heeft al een kleine opdracht gedaan voor een vriendin.' Ik sla Eliza's blad open.

'Dit is een stapje hoger,' zegt de jongen. 'Wij zoeken een aantal kinderen van verschillende leeftijden. Ze moeten allemaal samen in een badje spelen, met de producten.'

'Wat voor producten?'

'Little Squirts – shampoo, zeep, conditioner.'

'Conditioner? Voor baby's?'

'Een gat in de markt. Alle kinderen van beroemdheden gebruiken het. Het haar gaat erdoor glanzen en is makkelijker te kammen. Wil je Ben op het vachtje zetten, rechtop?'

'Hij kan nog niet zitten, hij is pas vier maanden. Hij kan alleen maar op zijn buik liggen en zich een beetje opdrukken.'

'Misschien is hij wat te jong voor deze opdracht. Al dat water. Maar probeer het toch maar. Hij moet in het water spartelen en plezier maken met de andere baby's.'

Ik laat Ben op de grond zakken. Hij blijft voorover op het vachtje liggen.

'Kun je hem wat omhoog krijgen?' vraagt de jongen. 'Hij moet echt plezier uitstralen. Daar gaat het om bij Little Squirts.'

Bens voorhoofd komt aarzelend omhoog. Zijn rode gezichtje verschijnt even op een monitor voordat hij door zijn armpjes zakt en weer op zijn neus op het vachtje valt. 'Misschien voelt hij zich beter als je vlak bij hem blijft,' oppert de jongen.

Ik hurk naast hem, in de hoop dat mijn achterste niet op de monitor komt en het hele beeld vult. 'Ben,' zeg ik zacht, 'het is wel goed. Lach maar tegen die meneer.'

Wat begint als een klein, angstig kuchje mondt uit in een wanhopig geproest. Ik leg hem tegen mijn schouder. 'Allemachtig,' zegt de jongen. 'Hij stikt toch niet?'

'Emoties, dat is alles. Een beetje snot in zijn keel.'

'Geen probleem.' Hij zucht. 'Iedereen heeft wel eens een slechte dag.'

Ik klem Ben stevig onder mijn arm, terwijl ik met de andere de buggy probeer uit te klappen. Ik sla de wielen tegen de stoep, maar het lukt niet erg. Bens wangetjes zijn vuurrood en hij houdt zich stijf als een plank als ik hem laat zakken. Een bijna identiek geklede moeder en dochter steken de straat over, onze kant op. 'Hoe ging het?' vraagt de moeder.

'Goed hoor,' mompel ik. 'Hoewel je nooit precies weet wat ze zoeken, hè?'

Ze kijkt fronsend naar Bens vlekkerige gezichtje. 'Hij lijkt van streek. Ga maar meteen naar huis. Ik laat Raven nooit auditie doen als ze niet in de stemming is.'

'Was ze vandaag in de stemming?'

'O, ja,' straalt de vrouw. 'Ze wond iedereen om haar vinger. Haar voorhoofd was geen enkel probleem. Maar zoals je zegt, je weet nooit wat ze zoeken. Dat maakt het zo spannend, vind je niet, Raven?'

Raven likt aan een fel oranje ijslollie. 'Mammie,' jengelt ze en duikt weg in de diepe plooien van de fluwelen rok van haar moeder.

Jonathan lijkt er weer helemaal bovenop. Hij zit gehurkt op de keukenvloer en maakt de binnenkant van de oven schoon met een spuitbus met de waarschuwing *Uiterst giftig. Gevaar voor ernstige beschadiging van de ogen.*

'Je moet het rustig aan doen,' zeg ik.

'Ik voel me beter als ik me nuttig maak. Wat heb jij gedaan?'

'Gewandeld. Ik wilde je wat rust gunnen.'

'Je bent naar de kapper geweest.'

'O, ja. Daar had ik zin in,' zeg ik, terwijl ik Ben uitkleed tot op zijn hemdje.

'Hij kijkt boos.'

'Hij was een beetje lastig bij de kapper,' zeg ik, als ik naar de slaapkamer loop voor een schoon hemdje, hoewel dat niet nodig is.

'Nina?' roept Jonathan me na.

Ik trek laden met sokjes, mutsen en kruippakjes open, maar kan nergens een hemdje vinden. Jonathan komt achter me aan, nog steeds met de spuitbus in zijn hand. Ik vraag me af hoe hij zou reageren als ik het hem vertelde. Zou hij me in mijn gezicht spuiten? 'Wat zoek je?' vraagt hij.

'Waar liggen Bens hemdjes?'

Hij opent de kleerkast en pakt een hemdje van de stapel. 'Ik moet het je zeggen,' zegt hij.

Ik lach wat vaag.

'Je haar zit geweldig.'

'Dank je.'

Hij kijkt me onderzoekend aan, alsof hij me wil uittekenen. 'Ik vind het leuk dat het zo springerig is, van onderen. Dat maakt je een beetje... brutaal.'

'Je vindt het niet te jong?'

'Nee. Maar wel anders.'

'Hoe anders?'

'Meer zoals... voordat je Ben kreeg.' Hij doet nog een stap naar me toe. Ik heb de neiging terug te deinzen, uit angst dat hij van dichtbij iets zal ontdekken: mijn leugenachtige ogen, de weerspiegeling van de auditie. Maar ik sta al met mijn rug tegen de kleerkast, gevangen door een Zweeds bouwpakket.

'Ik moet even bij Ben kijken,' zeg ik snel.

'Hij is in zijn zitje gesnoerd; hij kan nergens heen.'

'Maar als hij huilt?' Ik voel Jonathans adem op mijn gezicht. Hij ruikt frisgewassen en hij smaakt naar pepermunt. Nog steeds heeft hij de ovenspuitbus in zijn hand. Mijn benen haken zich loom om de zijne. En er gebeuren geen rampen. Ik hoor geen rammelende geluiden uit mijn binnenste. Alles werkt nog.

Kinderopvang

BETH LOOPT DRUK HEEN EN WEER IN HAAR KEUKEN EN GOOIT GE-sneden dadels in een mengkom, waarschijnlijk om te voorkomen dat de cake straks te lekker wordt. Drie weken zijn verstreken sinds haar ontboezeming op de koffieochtend. Ze is wat energieker en haar voorhoofd glimt niet meer. Zelfs haar vlechten lijken minder doods.

'Jonathan wil trouwen,' zeg ik tegen haar.

Ze schuift de bakvorm in de oven. 'Wil jij dat ook?' vraagt ze.

'Ik zou niet weten waarom niet. We willen geen groots feest, hoor. En in elk geval weet ik dan hoe ik hem moet noemen.'

Ze lacht fijntjes. Beth denkt dat ik Jonathan heb leren kennen bij een etentje, via gemeenschappelijke vrienden. Ik wilde haar niet de indruk geven dat ik goedkoop of wanhopig genoeg was om een afspraakje met een onbekende te maken. Jonathan heeft instructies om niets over de advertentie te zeggen voor het geval we nog ooit met Beth en Matthew uit eten gaan (die kans is klein, na het spuugincident).

Ik ga op een rustieke keukenstoel zitten die door veel achterwerken is gladgesleten. Beth houdt van een landelijke stijl: emaille mokken met ridderspoor, een fruitmand met geruit katoen. In een van die laden, gedecoreerd met eendjes met gele snavels, moet een schort liggen. 'Trouwen geeft meer zekerheid,' zeg ik. 'Dan weet je waar je staat.'

'Ik wil niet weten waar ik sta,' zegt Beth. 'Ik wil uitgaan, ik wil een verrassing die goed is voorbereid zonder dat ik er zelf iets van weet.

"Hé, Beth,"' doet ze Matthew na, '"je hoeft vanavond niet te koken. Leg die lepel maar neer, schat. Trek je mooie schoenen aan, met die dunne enkelbandjes. We gaan naar iets heel bijzonders toe."'

Ze stelt de tijdklok van de oven in. Ik vraag me af wanneer ik dat ooit zal leren, een oven bedienen en taarten bakken. Over vijf jaar zit ik in de oudercommissie en moet ik walnotenbrood en suikercake bijdragen voor de fancy fair om geld voor leermiddelen bijeen te brengen. Tegen die tijd zal de overheid nog maar één leerboek per zeven kinderen vergoeden en zal de studie van mijn zoon volledig afhankelijk zijn van mijn talent om iets uit mijn oven te produceren waar iemand vijftig pence voor over heeft.

'Waarom vraag *jíj* het hem niet? Ik pas wel op Maud,' stel ik voor.

'We hebben een oppas. We kunnen uitgaan wanneer we willen. Maar als ik het hem moet vragen is de lol eraf...'

'Wie hebben jullie dan als oppas?'

'De au-pair, natuurlijk.'

'Dus je hebt zo'n meisje uit Oost-Europa aangenomen?'

Beth lacht. 'Niet helemaal. Ze heet Rosie en ze komt uit Kent; een leuke, frisse meid. Ze heeft op zo'n progressieve school gezeten waar de leerlingen alleen komen opdagen als ze er zin in hebben.'

'En zo niet?'

Beth haalt haar schouders op en neemt de keukentafel af met een oranje spons in de vorm van een goudvis. 'Dan zaten ze onder de bomen, geloof ik. Iedereen had een eigen hoekje van de tuin. Ik heb haar gevraagd om Maudie genoeg frisse lucht te geven. Zelf hou ik niet zoveel van het buitenleven, dat weet je.'

'Kan ze je tuin niet doen?' vraag ik.

'Dat vraag ik haar liever niet. Het staat eigenlijk niet in haar taakomschrijving. Maar ik hoop dat ze die rodebessenstruik wil uitgraven. Die wordt te oud. Matthew doet het niet. Vroeger werkte hij wel in de tuin, maar tegenwoordig kijkt hij alleen nog televisie. Moet je dat grasveld zien.'

Ik kijk door het keukenraam naar Beth' tuin, die aan alle kanten wordt ingesloten door een bijna twee meter hoge, groengebeitste schutting. Ze wil privacy om op het gras haar yoga-oefeningen te doen. Het terras bestaat uit houten vlonders, waar Beth meteen spijt van had. Matthews schuld, hij wilde niet meedenken, heeft ze me verteld. Beth was zo vermagerd door de borstvoeding dat haar vingers steeds dunner werden (blijkbaar de eerste plek waar je het gewichtsverlies kon zien). Daardoor is haar dure diamanten ring van Liberty van haar vinger gegleden en in een spleet tussen de vlonders verdwenen. Alles moet er weer uit. Niet om sentimentele redenen – hoewel het haar verlovingsring is, uit de tijd dat Matthew haar nog spontaan verraste – maar omdat ze de gedachte niet kan verdragen dat er ooit nieuwe bewoners komen die misschien de vlonders weghalen omdat ze te ouderwets zijn, en dan een gouden ring in het zand zullen zien glinsteren.

'Waar is Maud?' vraag ik.

'Boven. Ze speelt met Rosie. Je moet meteen duidelijke regels stellen. Rosie weet dat ze uit de buurt moet blijven als ik vriendinnen op bezoek heb. Ze mag ook best biscuitjes nemen uit de gewone trommel, maar als ik mijn kastje opendoe wil ik niet merken dat al mijn chocoladekoekjes op zijn.'

Boven hoor ik een jong meisje zingen. Maud lacht. Ik heb dat kind nooit eerder horen lachen. Misschien speelt Rosie wel een bandje af met giechelende babygeluiden, om Mauds gevoel voor humor te prikkelen.

Beth dekt twee plaatsen voor de lunch aan de keukentafel. Met een zwierig gebaar trekt ze de theedoek van een grote schaal met salade. Ik zie nootjes en gegrilde paprika tussen de glinsterende blaadjes. 'Je voelt je zeker een stuk beter?' vraag ik. 'Anders had je nooit de tijd genomen om nootjes te roosteren en zo.'

'O, dit heeft Rosie klaargemaakt. Je zou zelf ook een au-pair moeten nemen. Je verdient het.' Ze wil druivensap inschenken, maar ik heb wijn meegenomen en ik lust wel een glas. 'Eén slokje dan,' zegt Beth. Ik wil voorstellen om Rosie ook een glas te brengen, maar ik neem aan dat zij later de kliekjes krijgt, samen met Maud in de kinderkamer.

Het briefje op de binnenkant van de wc-deur van de kraamafdeling ging ongeveer zo:

Dames, denk erom als u plast,
houd dan uw bekkenbodem vast.
Klemmen en knijpen, dat is goed,
Omdat u die spieren trainen moet.

Het leek me zonde van de tijd, al dat geknijp, terwijl je nog zoveel zichtbare gebieden had om aan te werken, maar nu heb ik spijt. Ik ben zo incontinent als een vergiet, maar bij Beth in huis zijn zoveel traphekjes dat een bezoek aan de wc een tocht met hindernissen wordt. Daarom stel ik het uit en zit ik zo lang op de keukenstoel te draaien dat mijn blaas dreigt te knappen. Gelukkig ben ik nog net op tijd.

Opgelucht vind ik Rosie en Maud, twee etages hoger. Rosie lacht met een spleetje tussen haar tanden en een grote massa bruine krullen. Ze is een frisse, energieke meid, met precies de juiste hoeveelheid sproetjes. Ze zou met een tienertoer op de trein moeten stappen, in plaats van met een houten telraam te spelen op de bovenverdieping van Beth' huis.

'Bedankt voor de lunch,' zeg ik.

'Geen punt. Graag gedaan.' Ze draagt jeans, een wit hemdje en geen beha. Ze heeft een huid die goed op de zon reageert, zonder gedoe met zonnebrandcrèmes. Maud blaast met een vage blik haar wangen op. Zelden heb ik een onaantrekkelijker kind gezien. In haar snoezige geruite zonnejurkje lijkt ze op een travestiet. 'Is het geen schatje?' zegt Rosie. 'En zo slim. Je staat ervan versteld wat ze allemaal kan.'

Maud ramt een gebald vuistje in haar mond.

'Kom je pas van school?' vraag ik, hopelijk niet te neerbuigend, want ze is geen kind meer.

'Ik werk al een paar jaar,' zegt Rosie. 'In de bediening, en als model voor tekencursussen – naaktstudies, je weet wel. In zo'n ijzig koud activiteitencentrum. Twee uur zitten, maar het lijkt wel een week.'

'Vreselijk.'

'Maar het laatst heb ik gedanst, dat was veel leuker.'

'Gedanst?'

'Ja, lap-dancing. Dat betaalt heel goed, maar je werkt tot diep in de nacht. Dat hou je geen maanden vol. Op een gegeven moment knap je af. Daarom heb ik dit maar geprobeerd.'

Ze drukt op de play-toets van Mauds cassettespeler:

'Een heel klein, heel lief spinnetje
klom door de regenpijp omhoog.
Toen begon het hard te regenen
en bleef het spinnetje niet droog.'

Wie zijn die opgewekte zangers? Drie jaar op de kleinkunstacademie en je mag een cd volzingen met kinderliedjes, zo helder dat de vullingen uit je tanden springen.

'Lap-dancing?' herhaal ik.

'In zo'n club voor vieze ouwe kerels?' blaft Beth, die achter me is opgedoken.

Rosie kijkt op en bloost charmant. 'Niet alleen mannen, hoor. Er komen ook vrouwen. Veel mannen nemen hun vriendin mee, voor de grap.'

Beth zucht diep, alsof er een dokter naar haar longen luistert.

'Misschien een idee voor Matthew?' plaag ik haar. 'Samen een avondje stappen. Je zei toch dat hij nooit meer een verrassing voor je had?'

'Nee, dank je wel.' De pezen in Beth' nek staan gespannen, alsof ze elk moment kunnen knappen.

'Het is niet wat je denkt,' zegt Rosie. 'De meisjes dansen alleen maar, verder niets. Handen thuis.'

'En wat droeg je bij dat "dansen"?' vraagt Beth.

Rosie zet Maud op haar knie en plant een kus op haar korte, stugge haartjes. 'Niks. Alleen bij het paaldansen moet je een broekje dragen, daar zijn ze heel streng in.'

Beth tilt Maud van Rosies schoot. Het kind protesteert huilend en steekt haar armpjes uit naar haar nieuwe beste vriendin. 'Waar gaan we heen?' vraag ik Beth als ze de trap af stampt. Ondanks de lome hitte hijst ze Maud in een dik gebreid jasje, gestreept als Italiaans ijs, met een muts als een schuimpje, waarvan ze het drukknoopje ergens tussen de vele plooien van Mauds kinnetje sluit. 'We gaan wandelen,' verklaart ze.

'Dat is niets voor jou,' zeg ik, 'zoveel haast om de deur uit te gaan.'

Ze propt Mauds linkervoet in een bootee van schapenvacht. 'Ik voel me opgesloten. Nee, ik ben misselijk.'

'Misschien is het de wijn,' opper ik. 'Je bent er niet aan gewend. Het is ook een slecht idee om overdag te drinken. Als ik dat te vaak deed, zou ik de hele middag zitten slempen. Ik ben dol op wijn.'

Dat had ik niet moeten zeggen. Dat is het probleem met de dames van het koffieochtendje. Soms vergeet je dat je elkaar helemaal niet kent, niet echt, en dat je vriendschap enkel is gebaseerd op discussies voor of tegen katoenen luiers en een gemeenschappelijk weerzin tegen hondenpoep.

Beth probeert Mauds handje in een kleurig gestreepte want te krijgen. 'Het komt niet door de wijn,' zegt ze, als Maud het wantje van haar hand schudt. 'Hoe zou jij je voelen als iemand die je hebt ingehuurd en aan wie je je *kostbaarste bezit* hebt toevertrouwd, vertelt dat ze spiernaakt voor mannen heeft gedanst?' Maud begint te brullen als Beth haar in de buggy duwt en ruw de riempjes vastmaakt. 'Ik ben heus niet preuts, dat weet je wel. Maar ze had me kunnen waarschuwen, in plaats van er nu pas mee te komen.'

'Je hebt het haar niet gevraagd,' merk ik op.

'Wat had ik dan moeten vragen? Dag, kind, ga zitten en vertel eens: heb je nog duistere geheimen in je verleden?' Beth laat een kort, maniakaal lachje horen.

'Ze lijkt me heel aardig. Wat maakt het uit?' Waarom neem ik het op voor iemand met wie ik nog geen vijf minuten heb gesproken?

'Ze is een prostituée,' sist Beth. 'Je gelooft toch zelf niet dat ze alleen maar tegen zo'n paal dansen? Zulke meisjes zijn overal toe bereid, voor geld.'

Rosie is zachtjes de trap afgekomen. 'Je mag de mannen niet privé ontmoeten,' zegt ze. 'Dan raakt de club zijn vergunning kwijt.'

Ik werp een snelle blik op haar lichaam, met dat zongebruinde middeltje dat zo vloeiend beweegt als ze zich naar Mauds babytas aan de kapstok buigt. Zodra ze Rosie ziet, kalmeert Maud en begint te stralen.

'Ik neem het kleed en wat speelgoed mee,' zegt Rosie. 'Dan kan Maud lekker in de zon spelen.'

De stoet vertrekt naar buiten, terwijl er uit de babykamer nog zachte kinderliedjes klinken.

Op de speelwei laat Beth zich op een bankje zakken. Voordat ik Ben had, zag ik het nut van parken en plantsoenen niet in. Die groene rechthoeken op de stadsplattegrond waren alleen interessant voor proleten met rottweilers en voor mensen die doelloos zo'n buggy voortduwden.

Beth' park staat veel lager in de hiërarchie dan het onze. 'We zijn heel berekenend geweest om hier een huis te kopen,' vertrouwde ze me eens toe, op een toon die ik van Jonathan kende. Mensen kopen niet meer een flat omdat ze er graag willen wonen, maar om 'berekenend' te zijn. 'Deze buurt raakt steeds meer in trek,' beweerde ze. 'Kijk maar naar al die *giftshops* met smeedijzeren kandelaars en etnische rommel.' Je zou het nog bijna geloven als je bij Beth door de wijk loopt. Overal zie je die nutteloze winkeltjes waar je kaarsen kunt kopen die te duur zijn om aan te steken. Maar het park vertelt de trieste waarheid. Beth probeert de weggesmeten mixdrankflesjes in het gras te negeren. Als een man in een felgekleurd joggingpak zijn windhond op het gras laat schijten, heeft Beth de moed niet er iets van te zeggen of hem zelfs maar een foldertje in zijn hand te drukken.

Rosie installeert zich op de deken met de twee baby's. 'Vind je het goed als ik haar wat uitdoe?' vraagt ze. 'Ze heeft het veel te warm in al die kleren.'

'Doe maar wat je het beste vindt,' zegt Beth, maar het kost haar moeite.

Het kan niet gemakkelijk zijn, twee vrouwen die in wezen hetzelfde werk doen en zo akelig beleefd tegen elkaar zijn. Ik vraag me af hoe het moet zijn om een meisje, zeker zo'n knap ding als Rosie, 's ochtends om zeven uur uit je eigen badkamer te zien komen, vochtig en fris geurend van de douche.

Beth strijkt met haar dunne vingers door haar vlechten, die zijn losgeraakt. Als ze haar handen weer laat zakken, steken er pieken opzij als de vleugels van een vogel.

'We hadden zonnebrandcrème mee moeten nemen,' zeg ik, om haar aandacht af te leiden van Rosies verhaal over lap-dancing. Ze wrijft haar droge vingers over elkaar. Beth heeft eczeem. Dat speelt op zodra ze niet goed in haar vel zit, heeft ze me eens verteld. Alsof haar huid ruzie heeft met haar lichaam en zich daarvan wil losmaken.

'Nina,' zegt ze opeens, 'zie je die deken?' Maud ligt vrolijk op haar rug en slaat met een rammelaar tegen de plaid. 'Die heb ik zelf gemaakt,' zegt Beth.

'Wat goed van je! Ik zou er het geduld niet voor hebben.'

'Ik ben eraan begonnen zodra ik zwanger was. Nou ja, zodra de dokter het bevestigde. We hadden het al twee jaar geprobeerd en alle tests gedaan. Het was al een mechanische handeling geworden, net als het doorsmeren van een auto. Tijdverspilling, leek het. Maar toen ik toch zwanger werd, begon ik aan die deken. En ik ben ermee doorgegaan tot aan de eerste weeën, als een soort talisman, om echt in de baby te kunnen geloven.'

Beth heeft me nooit eerder zoiets persoonlijks verteld. Ik weet niet goed hoe ik moet reageren. 'Honderdvierenzestig gekleurde lapjes,' gaat ze verder. 'Denk je dat Matthew me daarom niet meer wil?'

'Het is een mooie deken,' zeg ik hulpeloos.

'Maar wie neemt die moeite, als je in de winkel een mooiere kunt kopen? Ik moest de helft van de lapjes weggooien omdat ze te lelijk of waardeloos waren. Je weet hoe achterlijk je soms doet als je zwanger bent en elk perspectief verliest. Ik was geobsedeerd door die stomme deken.' Ze schuift haar trouwring heen en weer over een gezwollen vinger.

'Heb je Matthew weleens gevraagd wat er mis is?'

'We krijgen tegenwoordig geen kans meer om echt te praten, met Rosie vierentwintig uur per dag op onze lip, bezig met Mauds eten.'

Beth staart voor zich uit, met haar handen in haar schoot geklemd. Rosie strekt haar slanke bruine benen. Opeens slaat Beth een hand voor haar mond.

'Wat is er?' vraag ik.

'De cake! Hij staat nog in de oven.'

Chase heeft zijn flamboyante haar opgekamd met een gel die meer volume geeft. 'Meisje!' roept hij, als hij enthousiast de receptie binnenkomt. Ik was de grote, hoekige bewegingen vergeten waarmee mijn voormalige hoofdredacteur de beschikbare ruimte maximaal benut. 'We hebben je gemist,' zegt hij. 'Er is een persoonsvormig gat waar Nina hoort te zitten.' Hij doet een stap terug en neemt me kritisch op. Ik draag een stug grijs jasje dat als karton om me heen hangt. De buggy doet mijn professionele uitstraling geen goed. Ben zuigt één voor één op al zijn vingers, gehypnotiseerd door de felle lampen en Chases vollemaansgezicht.

Ik mocht Chase meteen. Op mijn eerste dag bij *Lucky* verschool ik me stilletjes achter mijn bureau en mijn computer. Mijn collega's roddelden over beroemdheden die ik niet kende en trendy restaurants waar ik nog nooit gegeten had. Ik voelde me te nieuw, als schoenen die nog in je enkels snijden. Chase verscheen voor mijn bureau, een drukke man met een heleboel poeha. 'Kom even praten op mijn kantoor,' zei hij, en hij nam me mee naar zijn glazen hokje. 'Vind je het goed als ik rook? Ik probeer te stoppen. Ik heb dit dingetje...' Hij zwaaide met een witte plastic nepsigaret. 'Maar daar zit je toch voor gek mee. Je kunt net zo goed op een balpen zuigen.'

Het glazen hokje vulde zich al snel met grijswitte wolken. 'Je maakt een interview,' kondigde hij aan. 'De duivenvrouw van Bethnal Green. Geschift. Ze voedt de vogels, maar het is totaal uit de hand gelopen. Buren, politie, dwangbevelen, maar ze gaat door. Ze maakt vogelkoeken van cornflakes vermengd met... geen idee, een soort vet. Ga er maar op af en vergeet niet je taperecorder aan te zetten.'

Nu loop ik met hem mee naar zijn kantoor, net zo onwennig als op die eerste dag. De buggy rammelt als een landbouwwerktuig. Zou hij een sigaret opsteken, zelfs nu ik Ben bij me heb? Wat zegt Beth ook alweer over passief roken? Dan kun je net zo goed je baby een sigaret aanbieden, zonder de tussenhandel. Chase kletst honderduit: 'Ik zou het leuk vinden als je... Kom een dagje werken, dan kun je...' Haastig ren ik achter hem aan en stoot tegen de stoel van een vrouw die ik niet ken. Ze kijkt me nijdig aan.

'Neem dat kinderkarretje maar mee,' zegt Chase als hij zijn kantoor binnenstapt. Hij heeft een asbak in de vorm van Australië. Er liggen twee peuken in, waarvan er een nog brandt. Met moeite parkeer ik de buggy naast de hoge kasten waarin archiefdozen met concurrerende bladen zijn opgestapeld. Aan de muur ertegenover hangen de nieuwste *Lucky*-omslagen, elk met een model met veel tanden (Chases vuistregel: een stralende lach, felrode lippen, een eenvoudig topje in een primaire kleur, hoewel roze soms ook mag), dat bijna schuilgaat achter de titels van de onderwerpen, elk met minstens zeven uitroeptekens. Om de verkoop te stimuleren is op sommige omslagen een gratis geschenk geplakt, zoals een zakje cacao of viooltjeszaad. Je krijgt hoofdpijn als je ernaar kijkt.

'Ik neem aan dat je terugkomt,' zegt hij. 'Je kunt niet eeuwig blijven lummelen.'

'Nou, Jonathan verdient genoeg voor twee, dus ik heb geen haast.' Jonathan en ik spreken nooit over mijn verdere carrière. De pinautomaat levert altijd het gewenste aantal briefjes. Ik heb natuurlijk niets van mezelf, minder nog dan niets, nu ik die belachelijke jurk en sandalen heb gekocht.

'Je zult best tevreden zijn met onze nieuwe aanpak,' vervolgt Chase. 'We zijn gestopt met die dramatische verhalen over mensen die tegenslagen overwinnen. Daar was de markt mee verzadigd. Alle bladen joegen achter dezelfde vrouw in Bradford aan die haar man in de garage had verborgen. Die mensen vragen nu ook geld, wist je dat? Geen onkostenvergoeding, een klein bedragje, maar hónderden ponden!'

Ik was vergeten hoe rap hij praat en hoe snel het leven buiten het babygebeuren gaat. Redacteuren rennen van het ene scherm naar het andere, telefoons blèren voortdurend om aandacht, net als hongerige baby's, en een mager meisje met stressrimpels op haar voorhoofd zit op een toetsenbord te rammen (míjn toetsenbord).

'De andere bladen zijn al zo wanhopig dat ze zelf verhalen verzinnen,' ratelt Chase verder. 'Een vrouw die zogenaamd met een bigamist getrouwd is... je ziet haar met een koffer bij de voordeur staan. Het is een redactie-assistente, dat weet iedereen. Allemaal uit de duim gezogen. Ik heb haar zelf eens gesproken toen ze hier kwam solliciteren.'

'Maar wat voor nieuwe dingen doen jullie nu?' vraag ik.

'Kijk zelf maar.'

Ik til Ben uit zijn buggy en controleer of hij presentabel is. Binnen zes maanden tijd lijkt het hele personeelsbestand van *Lucky* vernieuwd. Niemand rent op me af om te vragen of hij Ben mag vasthouden. Ik voel me als een stagiaire die uitleg krijgt over de werking van de telefoon. Ik heb een vetvlek op de revers van mijn jasje en leg mijn hand eroverheen alsof ik mijn hartslag controleer.

'We willen warmte, een gevoel van betrokkenheid,' zegt Chase, wijzend op een dubbele pagina op het scherm. Twee vrouwen omhelzen elkaar nerveus. WE HEBBEN ONZE OVERSPELIGE MANNEN DE DEUR UITGEZET, luidt de kop, EN NU ZIJN WE DE BESTE VRIENDINNEN.

'En er komt een nieuwe vaste rubriek,' vervolgt Chase, 'met de voorlopige werktitel *Mijn geheim*. Daarin onthult een gewone vrouw iets onverwachts uit haar verleden.'

'Klinkt goed,' roep ik enthousiast, met een raar stemmetje.

'Zou jij dat kunnen doen? Het kost je maar één dag per week. Je krijgt hier een bureau. Het zal je goed doen om even de deur uit te zijn. Maar als je liever thuis werkt, geef ik je wel een laptop mee...'

'Ik heb mijn eigen computer.'

'Wat is het probleem dan?'

'Ik heb geen oppas,' mompel ik.

'Ach, dit doe je in je slaap!'

Welke slaap? wil ik hem vragen, maar ik hoor mezelf zenuwachtig antwoorden dat ik wel iets zal regelen. Als ik vertrek, heb ik Chase beloofd om binnen twee weken mijn eerste verhaal voor *Mijn geheim* in te leveren.

Natuurlijk kan ik niemand vinden om te interviewen. Ik weet niet eens meer hoe dat moet. Ik vraag me af wat Chase met mijn blanco kopij zal moeten beginnen. Wat is er gebeurd met sterverslaggeefster Nina? Ze kon het knopje van haar computer niet meer vinden. Zo achterlijk word je als je een kind krijgt.

'Ik heb haar totaal verkeerd ingeschat,' zal Chase verzuchten. 'Ik dacht dat ze het wel aan kon.' En hij zal Jess, mijn vervangster, vragen om de lege pagina te vullen met een grote kruiswoordpuzzel.

Met nog een uur te gaan voordat Jonathan thuiskomt, duik ik in de rubriek *Kinderopvang* van de gouden gids. 'Rakkers', 'Klein grut', 'Hummelhonk', al die crèches hebben de vrolijkste namen, alsof kinderen kleine schatten zijn, in plaats van ettertjes, zoals dat jochie van Phoebe met zijn zwarte speelgoedtaxi en zijn fascinatie voor gas. Ik bel 'Rakkers' en krijg te horen dat ze een wachtlijst hebben van bijna een jaar. Ik had Ben al moeten opgeven – met een aanzienlijke aanbetaling – toen hij nog maar zo groot als een sinaasappel was. Bij 'Klein grut' krijg ik een hijgend meisje aan de lijn dat vraagt: 'Kunt u later terugbellen? Ik sta er even alleen voor.'

Ik wil net 'Hummelhonk' proberen als ik zelf word gebeld. 'Goed gedaan,' zegt Lovely. 'Ze willen Ben.'

'Wie?'

'Little Squirts, voor die spot van douche- en badproducten. Volgende week donderdag.'

'Maar hij huilde voortdurend,' werp ik tegen, 'en hij was onhandelbaar.'

'Misschien zoeken ze dat wel. Zo gedragen kinderen zich toch? Baby's huilen. Het zijn geen robots. Ik zal je de details geven.' Ze noemt een adres, dat ik op mijn hand noteer, en besluit: 'Een mooie opdracht, Nina. Wat zal zijn pappa trots zijn.'

Plezier in het badje

JONATHAN HEEFT ZICH GESNEDEN BIJ HET SCHEREN. ER ZIT EEN stukje wc-papier op het wondje, dat Ben probeert eraf te trekken bij de afscheidskus. 'Je bloedt nog,' merk ik op.

'Ik kom te laat,' zegt hij korzelig. 'De wekker ging niet af. Ben je eraan geweest?'

'Natuurlijk niet. Je moet mij niet de schuld geven omdat je zelf te laat bent.'

Hij trekt zijn saaie blauwe jasje aan; een kantoorpak, niet ontworpen voor plezier. 'Het is belangrijk om op tijd te komen, Nina,' zegt hij. 'Vooral vandaag. Mensen met een baan hebben het druk. Dat zul je zelf nog wel merken als... of beter wanneer... je weer aan het werk gaat.' Hij maakt de veters van zijn glimmende zwarte schoenen vast en haalt een witte veeg weg met een natte vinger.

'Hoe bedoel je, "of beter wanneer"?'

'De nummers van die crèches bij de telefoon. Je wilt Ben de deur uit doen, terwijl we dat nog niet eens hebben besproken!'

'Ik doe hem niet de deur uit. Chase heeft me gevraagd om één dag per week voor hem te werken.'

'Je hebt altijd gezegd dat Ben een moeder nodig heeft. Thuis.'

Heb ik dat echt gezegd? Dat betwijfel ik. Goed beschouwd lijkt het veel logischer om je kind toe te vertrouwen aan een crèche met deskundigen. Mensen die weten wanneer ze een vinger in de keel van een baby moeten steken om te voorkomen dat hij stikt, of die autootjes met draaiende wielen kunnen maken van een melkpak.

'Neem een voorbeeld aan Beth,' gaat Jonathan verder. 'Die is toch gelukkig? Maud is haar eerste zorg. Zij zou haar kind nooit naar een crèche brengen.'

'Ben is ook míjn zorg,' protesteer ik. 'En Beth heeft een au-pair. Het grootste deel van de dag heeft ze *helemaal niets te doen.*'

Jonathan kijkt op zijn horloge. Hij ontwijkt mijn blik, alsof ik een verkoopster ben die hem aan de praat houdt om hem stofdoeken aan te smeren. 'Ik heb hier geen tijd voor,' zegt hij.

'Je begon er zelf over.' Ik kijk naar het adres dat ik op mijn hand heb gekrabbeld en verberg hem in de holte van mijn elleboog.

'Als je ongelukkig bent, práát er dan over.'

'Ik ben juist heel *gelukkig*!' roep ik, maar hij is al de deur uit in zijn saaie pak met zijn zwarte weekendtas met vrijetijdskleding en Aloë Vera-conditioner. Nu pas herinner ik me dat hij vandaag naar Bath moet om teamgeest te kweken met zijn collega's, en dat ik hem drie dagen niet zal zien. Ik wil hem achterna rennen om sorry te zeggen en iets te brabbelen over het spotje voor Little Squirts, maar hij is al verdwenen.

Ik maak me niet druk over Bens eerste echte opdracht. Wat mij betreft blijft hij roerloos zitten als een boeddha, met zijn vinger in zijn navel. Het is de eerste en de laatste keer. Zodra hij klaar is met zijn gespetter in het Little Squirts-bubbelbad (met frambozengeur en huidverzachter, alsof baby's schubben hebben als een hagedis) zal ik Lovely bellen om haar te zeggen dat Ben ermee stopt.

Ik weet niet of ik haar wel mag. Kindermodellenbureaus moeten toch enige belangstelling hebben voor baby's en hun ontwikkeling? Maar toen ik Lovely vertelde dat Ben met zijn nieuwe voortandjes dwars door de overtrek van ons suède kussen had gebeten, zei ze alleen: 'O ja? Nou, als je een pen bij de hand hebt, Nina, het adres is Unit B, Henrietta Wharf, en je moet er om halfelf zijn. Zorg dat je op tijd komt, anders wil Marcus hem niet meer gebruiken.'

Het zat hem in dat woord, *gebruiken*. 'Wie is Marcus?' vroeg ik.

'De regisseur. Je hebt hem toch gezien bij de auditie?' vroeg ze overdreven verbaasd, alsof ik iedere figuur in de reclamewereld zou moeten kennen. Ze hing abrupt op, zodat ik bleef zitten met mijn vragen:

Wat moet ik meenemen? Hoe gedraag ik me in het gezelschap van zulke belangrijke mensen?

Het leven zonder Jonathan is vormeloos. Ik ga te laat naar bed en drentel door de flat in mijn zwarte jurk en mijn gevaarlijke sandalen, terwijl ik me voorstel dat ik weer single ben en kan gaan stappen. Ik trek een pruilmondje in de badkamerspiegel en probeer mezelf te versieren met een sterke tekst. Een afgetobd en verbitterd gezicht staart terug. Niemand belt om te vragen of ik het wel red als alleenstaande moeder. Ik overweeg om bij een zelfhulpgroep te gaan. Billy, Jonathans oudste vriend, belt op, maar alleen om te pochen dat hij helemaal op het eindpunt van de Northern Line is uitgekomen en de nacht op een grafsteen heeft geslapen. 'We gaan trouwen,' zeg ik tegen hem.

'Geweldig! Ik begin vast aan mijn speech.'

Ik vertel hem maar niet dat Jonathan overweegt om Matthew als getuige te vragen, ook al kennen ze elkaar alleen van het zwangerschapsklasje. Ik betwijfel of Matthew er wel zin in heeft, maar Jonathan aarzelt zelfs of hij Billy nog zal uitnodigen.

Steeds weer denk ik aan de sessie voor Little Squirts, die als een donkere wolk de ruimte tussen mijn oren in beslag neemt. Ik word wakker op rare tijden: 's ochtends vier minuten voor zes, bang dat ik een seconde te laat zal komen, tastend naar de wekker, die van het nachtkastje valt, samen met Jonathans fles met water. Gelukkig zit er een dop op, tegen de bacillen. Als Jonathan eindelijk belt, zegt hij dat ik heel ver weg klink. Waarom hou ik de hoorn zo'n eind bij mijn mond vandaan? Dat doe ik niet, maar ik heb een soort luchtbel in mijn keel. Het lijkt een telefoongesprek tussen vreemden. ('Hoe gaat het?' 'Goed, en met jou?') De cursus bevalt hem niet. De mannen hebben opdracht gekregen een vijver te graven bij een jongerencentrum. Dat is goed voor het teamverband. Maar Jonathan hoeft niet mee te helpen en mag taart gaan kopen in Bath. 'Ik weet niet of ik wel zo'n *team player* ben,' zegt hij.

Jonathan komt thuis met een video van het vijverproject. Zijn bemodderde collega's grijnzen naar de camera, zwaaiend met hun spades. Jonathan staat op enige afstand, opvallend schoon. De avond voor de sessie van Little Squirts merk ik dat hij me midden in de nacht weer terugbrengt naar bed. 'Je was aan het slaapwandelen,' zegt hij. 'Ik vond je bij de kleerkast. Je mompelde dat zijn blauwe fleece jackje niet geschikt was, of zoiets.' Ik draai mijn kussen om en laat mijn hoofd op de koele kant vallen. 'Geschikt waarvoor?' vraagt hij.

'Geen idee. Een droom, denk ik.'

'Misschien heb je een virus. Heb je wel goed gegeten toen ik weg was? Er lag bijna niets meer in de koelkast. En je ademt zo vreemd.'

'Ik heb het druk.'

Hij streelt mijn wang. Zijn vinger voelt als een spin. 'Vanwege de bruiloft? Ach, dat valt wel mee, Nina. Maak je nou geen zorgen, beloof je me dat?'

'Dat beloof ik,' hoor ik mezelf zeggen. Valse lucht fluit door mijn neusgaten.

Marcus' hoofd steekt uit een gekreukt shirt dat los over een spijkerbroek hangt die wijd genoeg lijkt om plaats te bieden aan alle zeven baby's en kinderen in de studio. Het lijkt of hij zich in de kleren van een grotere, robuuste mensensoort heeft gehesen. Hoewel hij de regisseur is en dus vermoedelijk de leiding heeft, praat hij met niemand, zeker niet met de ouders of de kinderen. Ik probeer zijn aandacht te trekken en hem te bedanken omdat hij Ben heeft uitgekozen voor de commercial, maar hij kijkt me verstoord aan, alsof hij me heeft betrapt terwijl ik aan zijn auto zat.

Van buitenaf lijkt het gebouw een grote steenklomp zonder ramen. Het heeft me een kwartier gekost om na talloze omzwervingen de ingang te vinden. Binnen straalt de set met fel oplichtende kleuren. Narcissen groeien in kunstgras, wiegend in de luchtstroom van een windmachine. Peuters hangen onderuitgezakt op een verschoten divan alsof hun ruggengraat operatief is verwijderd. Op een tv met uitgeschakeld geluid wandelt Pingu over namaakijs.

Aan de andere kant van de ruimte zijn twee slecht verzorgde mannen bezig de bobbels uit het tapijt van kunstgras te stampen. Een opblaasbaar rond zwembad wordt met water gevuld door een vrouw met knokige billen en een gouden ketting om haar heupen. In het gedeelte voor de modellen en hun ouders – uitsluitend moeders, afgezien van een ongemakkelijke vader, die geïrriteerd in de *Daily Mirror* bladert – gedraagt iedereen zich zo ontspannen alsof hun kinderen elke dag in een commercial optreden. Blijkbaar moet je een verveelde indruk wekken, stel ik vast.

'Wij zijn hier alleen omdat we Marcus kennen,' pocht een vrouw met goudblonde, verwaaide lokken, alsof ze hier op een galopperend paard is aangekomen. 'Hij is Oscars peetvader. Oscar zit niet eens bij een bureau. *Tots and Pepperpots* wilde hem inschrijven, maar ik heb geen zin in die onzinnige concurrentie.'

'Nee, daar hebben we geen tijd voor,' beaamt een West-Indische vrouw, die efficiënt haar zoontje verschoont op een gevoerd matje en de vuile luier tot een keurig pakketje opvouwt. 'Als hij maar plezier heeft, daar gaat het om. Het dochtertje van een vriendin van me heeft een fotosessie gedaan voor een tijdschrift. Iets over driftbuien. De fotograaf heeft ze urenlang buiten in de regen laten rondhangen, terwijl hij het kind provoceerde en zelfs haar teddybeer afpakte.'

'Om een driftbui te veroorzaken?' fronst de vrouw met de gouden lokken.

'Precies, maar zo noemde hij het niet. Hij wilde een *significant moment,* zei hij.'

Ravens moeder komt als laatste binnen. Ze transpireert en draagt haar haar in een knotje in haar nek, als een soort struik. 'We praten straks nog wel,' zegt ze, terwijl ze haar kind aan haar mouw met zich meesleept. De eenzame vader schuift mijn kant op om plaats te maken op de sofa. Ravens moeder draagt weer iets van fluweel, deze keer met de kleur van geronnen bloed.

Het kind van de vader wil zijn gezicht tegen het televisiescherm drukken en begint te huilen als dat niet mag. Ik werp de man een meelevende blik toe, zoals ik altijd doe met eenzame vaders en kinderen. Moeders vinden het geweldig als een vader in zijn eentje voor een kind zorgt. Ik ook. 'Hoe doe je dat toch allemaal?' heb ik wel eens bewonderend aan een vader gevraagd die zijn kind op een schommel heen en weer duwde. Een man hoeft maar een baby te verschonen – eraan te denken om Pampers én doekjes mee te nemen – of vrouwen geven hem een daverend applaus en spelden hem als 'pappa van de week' een medaille op zijn met snot besmeurde T-shirt. Een moeder daarentegen kan boodschappen doen in de supermarkt, terwijl haar losgeslagen kroost stapels blikjes omgooit en dozen cornflakes openrukt om de gratis cd-roms te bemachtigen, zonder dat iemand roept hoe geweldig ze het allemaal doorstaat. Hooguit staart er iemand naar haar knokige enkels en neemt zich voor nog wat voorbehoedmiddelen in te slaan (een spiraaltje plus extra verstevigde condooms).

De vrouw met de magere heupen draait de tuinslang dicht en giet een roze smurrie in het badje. 'Hallo, mamma's... en pappa,' roept ze, terwijl ze charmant boven ons uit torent. 'Ik ben Jackie. Ik zal vandaag voor jullie zorgen.' De eenzame vader staart geïnteresseerd naar de strook zonnebankbruin tussen haar topje en haar jeans. 'Als jullie nog even willen wachten filmen we eerst het badje zonder kinderen erin. Het water is warm, maar we willen ze er niet langer in zetten dan noodzakelijk is.'

'Ik wil poedelen,' zegt Raven.

'Dat komt straks wel,' zegt Jackie ferm. 'Iedereen blij?'

'Ik wil in het water!' brult Raven. Jackie ontbloot haar tanden, loopt terug naar het badje en haalt een paar levensgrote poppen uit een tas met een rits. Je zou verwachten dat ze op hun buik of hun rug zullen drijven (niet het vrolijke effect waar Little Squirts op mikt), maar als door een wonder blijven ze in de juiste houding in het water hangen, met lege ogen, als poppen uit een horrorfilm die om middernacht tot leven komen en griezelig de trap af wankelen.

'Ik wil die pop,' zegt Raven.

'Kijk eens, schat, Pingu!' zucht haar moeder.

'Ik wil die pop met het grote hoofd.'

'Maar hij is nát, kindje. Dan wordt je mooie jurk vies.' Ravens mondhoeken gaan omlaag. Haar moeder zoekt in een geheime zak van haar fluwelen jurk naar een rolletje Rolo's. Raven scheurt het goudkleurige folie open en de Rolo's stuiteren over de betonvloer. Eén moment heb ik medelijden met de vrouw in het troosteloze fluweel, die niets anders te doen heeft dan haar kind van de ene auditie naar de andere te slepen en pakjes te naaien naar een Butterick-patroon. Totdat ik bedenk dat ik niet veel anders ben, behalve dat zij dertig jaar geleden waarschijnlijk al betere kruissteken maakte dan ik.

Jackie legt zes paar gevoerde broekjes op een tafel. 'Als jullie deze aantrekken,' zegt ze, 'voorkomen we ongelukjes in het badje.'

'Die passen me niet,' kaats ik terug.

Ze grijnst beleefd en richt zich tot Ravens moeder. 'Raven zetten we als laatste in het badje, helemaal alleen, in dit schattige roze badpak. Dat wil je toch wel, Raven?' Raven zit gehurkt voor Pingu, terwijl ze haar Rolo's naar binnen propt, ogenschijnlijk zonder te kauwen of te slikken. Ik vraag me af wanneer ze er allemaal weer uit rollen.

Ben spartelt opgewonden als ik zijn benen in het gevoerde broekje steek. In het badje deint hij zachtjes heen en weer op zijn opblaaseendje, terwijl hij voorzichtig met zijn hand in het water slaat. De andere baby's volgen, en Ben trekt aan de snavel van het eendje. Tot mijn verbazing gedraagt hij zich alsof dit grote bad, vol met vreemde kinderen, niets anders is dan zijn eigen badje thuis.

Alle kinderen verschijnen één voor één op de monitor, behalve Ben. Hij fronst gespannen en streelt het gele plastic, totdat een wezenlijk deel van zijn kleine hersentjes beseft dat hij niet voor zijn plezier in het warme water dobbert, maar dat er iets van hem wordt verwacht. Grijnzend en met grote ogen staart hij omhoog, alsof de logge camera, die over een rail naar hem toe glijdt, een grote met melk gevulde tiet is. 'O!' zegt de vrouw met de gouden lokken. Bens gezicht vult het scherm, niet alleen als een aanprijzing voor de rommel van Little Squirts, maar ook voor het ouderschap zelf: *Kijk eens wat je op de wereld kunt zetten, als je je best doet. Zelfs als je niét je best doen. Eén slippertje, en dit is het resultaat.*

Ben knippert naar de camera. De eenzame vader legt zijn *Daily Mirror* neer. Er valt een korte stilte, gevolgd door een klaterend applaus. 'Geweldig,' zegt Jackie, terwijl ze Ben weer uit het water tilt en hem in een gele handdoek met capuchon wikkelt. 'Een echte ster, dat kind van jou!'

Het is zo snel voorbij, die gelukkige scène, dat zelfs Jonathan er niet over had kunnen klagen. Ik zal het hem vanavond vertellen. Eerst lekker eten, met een wijntje erbij, en dan zal ik iets zeggen als: 'Jonathan, ik ben niet helemaal eerlijk tegen je geweest. Ben en ik, wij...' Hij zal wel even boos zijn, vooral om het bedrog, niet om het modellenwerk zelf. Waarom heb ik het hem niet eerder verteld? Dacht ik echt dat hij kwaad zou worden om zoiets onnozels? Hij zal begrijpen dat ik gewoon iets anders wilde – even ontsnappen aan Beth en haar bakkeuken. Dan sla ik mijn armen om hem heen, opgelucht dat ik het heb opgebiecht. We gaan naar bed en hij bestijgt me en klimt van me af, zoals dat tegenwoordig gaat, alsof het een punt op een boodschappenlijstje is:

Groente van de markt
Band voor de buggy
Trouwringen
Seks

En zo gaan we verder met de voorbereidingen voor de trouwerij. Geen groot feest, een lopend buffet, meer niet. We zijn eigenlijk al getrouwd. We hebben een getrouwde keukenmachine en getrouwde seks. Alsof we al tientallen jaren bij elkaar zijn. En natuurlijk vindt Jonathan het goed dat Ben doorgaat met zijn modellenwerk, als ik dat zo leuk vind. De volgende keer – want die komt er, natuurlijk – gaat hij misschien wel mee.

'Wát heb je gedaan?' hijgt Eliza.

'Ben zit in een tv-spotje,' herhaal ik, met een schokkerige stem als de auto over een verkeersdrempel hobbelt. 'Marcus vond hem een ster. Een natuurtalent. Binnenkort komt hij voor minder dan tienduizend pond niet meer zijn wieg uit.'

Ze lacht bitter. 'Ik had niet gedacht dat je het zo ver zou doordrijven. Ik heb Ben alleen voor die foto gevraagd om jou een middag het huis uit te krijgen.'

Die reactie had ik niet verwacht. Ik zou denken dat Eliza, met haar minachting voor huismoedertjes, blij zou zijn dat ik een stap in de wereld van de glamour heb gezet, al is het maar via het knappe smoeltje van mijn zoon.

'Het is maar één spotje,' zeg ik in mijn wiek geschoten. 'Waarschijnlijk wordt het alleen in Japan uitgezonden of zoiets.'

'Wát? Op de nationale Japanse televisie?'

'Geen idee. Dat heb ik niet gevraagd.'

Ben zit in zijn zitje gesnoerd en verspreidt een synthetische frambozenlucht. Ik begin me zorgen te maken. Stel dat het uit de hand loopt en hij allerlei eisen gaat stellen? Misschien krijgt hij het zo hoog in zijn bol dat hij geen gewoon eten meer lust. Hij zou zelfs een nieuwe moeder kunnen eisen. 'Wat vindt Jonathan ervan?' vraagt Eliza.

'Die weet het nog niet.'

'Zie je wel!' zegt ze triomfantelijk. 'Je weet hoe hij zal reageren. Hoeveel krijgt Ben hiervoor?'

'Niet veel,' zeg ik. Ik zou het werkelijk niet weten. Ook dat heb ik niet gevraagd. Het leek me niet belangrijk.

'Dat had je moeten weten,' gaat ze verder. 'Anders is het misschien kindermisbruik. Heb je geen contract getekend?'

Ik open de gele doos op mijn schoot; hij is versierd met roze motiefjes en bevat het hele assortiment van Little Squirts. Een attentie om je te bedanken, zeiden ze. Raven weigerde het badje in te gaan. Ze had wel het badpak aangetrokken, maar Rolo's over de hele voorkant gesmeerd. Zij en haar moeder hadden geen geschenkdoos gekregen.

'Ik doe het niet voor het geld,' zeg ik lamlendig.

'Waarvoor dan wél?'

Ik knijp in een tube Little Squirts-shampoo: een voedende melange van kiwi en papaya, 'omdat wij net zoveel om uw baby geven als u'.

'Niet voor het geld, dus,' snauw ik terug.

Jonathan verschijnt pas om een uur of negen en ruikt naar oude wijn. Hij is naar de kroeg geweest met Billy. Meestal gaan ze pas wat drinken nadat Jonathan het drie keer heeft afgezegd. En na afloop is hij doodmoe van zijn pogingen om zijn oude vriend te lozen. Dat gebeurt als iemand je te aardig vindt en je te hard nodig heeft. 'Ik weet niet waarom hij de schijn ophoudt dat wij oude kroegvrienden zijn,' zegt Jonathan, terwijl hij zijn verregende jasje over een stoel hangt. 'Ik ben nog nooit iemands kroegvriend geweest. Ik ben liever thuis bij jou.'

Hij laat zich als een versleten kussen op het bed vallen. 'Heb je al gegeten?' vraag ik.

Hij schudt zijn hoofd. 'Kun jij niet snel iets klaarmaken?'

Ik sta een moment perplex. Ik ben niet degene die snel iets klaarmaakt; dat is Jonathan. Ik leef van snacks, plus wat Jonathan kookt.

Verder denk ik nooit aan eten. 'Misschien,' oppert hij voorzichtig, 'zou je overdag eens wat kunnen inslaan.'

'Inslaan?' vraag ik.

'Eten, bijvoorbeeld.' Hij kijkt me scherp aan. 'Om te koken, begrijp je? Omdat je toch de hele dag thuis bent.' Hij stapt uit zijn broek en hangt hem op een hangertje, keurig in de vouw. 'Ik bedoel, je kunt toch wel een pasta klaarmaken? Als je een minuutje over hebt? In de loop van de dag?'

Hij wrijft over zijn voorhoofd alsof hij de rimpels probeert weg te strijken. Sinds zijn promotie tot teamleider zitten zijn kleren steeds ruimer en worden zijn wangen steeds holler. Soms neemt hij zelfs kant-en-klaarmaaltijden mee naar huis, waar hij nauwelijks van eet. In plaats van de gebruikelijke verse combinatie – een salade van vijgen en parmaham, bijvoorbeeld – schoof hij op een avond zelfs een zeevispastei of iets dergelijks in de magnetron. Al tijdens het opwarmen droop het vet eruit.

'Je bedoelt dat ik toch geen fluit te doen heb?' reageer ik verontwaardigd. 'Dat ik de hele dag met mijn ziel onder mijn arm loop, terwijl ik heerlijke sauzen voor jou zou kunnen maken om in te vriezen?'

Langzaam knoopt hij zijn witte overhemd los en gooit het in de rieten wasmand. Dan trekt hij een gevlekt grijs T-shirt aan, dat los om zijn schouders zakt. 'Ik weet wel dat je het druk hebt,' zegt hij zacht. 'Ik heb je de hele dag gebeld, maar je mobieltje stond niet aan. Ik wil je niet controleren, Nina, maar het zou prettig zijn om te weten waar je uithing.'

'Waar belde je dan over?' vraag ik voorzichtig.

'Om te horen of je het restaurant al had geregeld. Of The Fox een koud buffet met gerookte zalm kan verzorgen. Je weet wel, voor onze *bruiloft*.'

'Dat ben ik vergeten. Ik doe het morgen wel.'

Hij werpt me een snelle blik toe en loopt dan naar de kamer om Ben op zijn buikje te kietelen. 'We hebben niet veel tijd meer,' wijst hij me terecht.

'Het is pas over drie maanden.'

Ben reageert niet als Jonathan hem tegen zijn blote buik blaast. Onze zoon hangt slap in zijn stoeltje, met zijn hoofd opzij, doodmoe na een dag modellenwerk.

'Ja, maar mensen zijn soms jaren bezig met de voorbereiding van een bruiloft. Je moet aan zoveel dingen denken.'

Ik ben er niet blij mee dat hij Ben tegen zijn buikje blaast. Waarom stopt hij daar niet mee? Straks ruikt hij nog die frambozenlucht of vangt hij een glimp op van de glamour en roem waaraan Ben geroken heeft.

Maar voor Jonathan is hij natuurlijk dezelfde, vertrouwde Ben.

'Ik dacht dat we er geen groot feest van zouden maken,' mompel ik, terwijl ik met grote letters THE FOX BELLEN! op het bord in de keuken schrijf, dik onderstreept.

Hoewel ik nu officieel ben belast met de voedselvoorziening van mijn gezin, vind ik het niet nodig om elke avond vers te koken of zelfs maar een warme maaltijd op tafel te zetten. Limoncello, de nieuwe delicatessenzaak die in de plaats is gekomen van die angstaanjagende tandarts waar je nooit je mond zou durven opendoen, zeker niet voor een behandeling, is het antwoord op ons culinaire probleem. Het personeel bestaat uit vrolijke studenten van de toneelschool met blikkerende tanden en blauw-witgestreepte schorten. Ik koop er ham, salami, kant-en-klare salades en met meel bestoven broden die een halve ton wegen. Als de hoofdgroepen van de voedingswijzer – eiwitten, koolhydraten en wat groen – allemaal vertegenwoordigd zijn, kunnen er geen rampen gebeuren met onze botten of ons gezichtsvermogen. En zo hoef ik niet echt te koken, maar alleen iets samen te stellen.

Het werkt. Het feit dat hij nu een maaltijd krijgt voorgezet, is zo'n nieuwe ervaring voor Jonathan dat ik geweldig in zijn achting stijg. 'Lekkere salami,' zegt hij, als hij mijn eerste poging probeert. 'Een heerlijke salade, Nina. Is dat veldsla?' Ik knik en zeg hem dat we voortaan van Limoncello zullen eten; een eenvoudig bestaan, net als de Italianen of de Fransen, die zich met grote gezinnen en moppen tappende grootmoeders om de keukentafel scharen. Misschien nemen we zelfs wijn bij de lunch.

'Grappig dat je over grote gezinnen begint,' zegt hij. 'We hebben geen haast en je biologische klok begint nog niet te tikken, maar ik dacht...'

Er blijft een stukje salami in mijn keel steken. Misschien had ik dat buitenste velletje eraf moeten halen. Waar is dat trouwens van gemaakt – varkensdarmen of onverteerbaar plastic? 'Het is niet goed voor Ben om enig kind te blijven,' vervolgt hij. 'Dat ben ik zelf ook. Net als jij. En moet je zien wat er van ons geworden is.'

Hij kijkt me met een hoopvolle glimlach aan. Ik peuter een salamivelletje tussen mijn voortanden vandaan. 'Wij hebben het helemaal niet zo slecht gedaan,' zeg ik dapper.

Na drie weken van *deli-cuisine* stelt Jonathan voor het repertoire wat uit te breiden. Hij stort zich met de buggy in de drukte van de zaterdagmarkt, zich verontschuldigend als hij een scheenbeen of een enkel raakt. De meeste kramen verkopen *tie-dyed* broeken en Indiase wikkelrokken of andere etnische kleren die moeten bewijzen dat je paspoort regelmatig de grens over komt. De meeste klanten staren lodderig voor zich uit alsof ze een kater hebben. Ze zoeken wat in rekken met gekrast vinyl en scharrelen hun voedsel bij elkaar. Bijna iedereen loopt te eten. Een jongen met rode ogen bijt in een pitabroodje en morst hummus op Bens zachtleren bootee. Als we ons terugtrekken naar de rustige zijstraten, hebben we niet meer gekocht dan een bruine papieren zak met radijsjes.

Te ver van huis begint Ben al te huilen. 'Laten we hem hier zijn flesje maar geven,' stel ik voor.

Jonathan kijkt naar een grasveldje omzoomd door wat dorre rozenstruiken en een afbladderend zwart hek. 'Hier?' vraagt hij. 'Het is niet erg...'

Ben brult om een vloeibare versnapering. We parkeren de buggy bij een gietijzeren bank met graffiti: ALS JE HET MET MELISSA WIL DOEN, BEL DAN... Het nummer staat eronder, met dikke zwarte viltstift. Jonathan slaat zijn arm beschermend om mijn schouders. Het kleine speelveldje bestaat helemaal uit gras, afgezien van een gebarsten betonvloertje onder het bootvormige klimrek, dat een ernstige hoofdwond garandeert als een kind uit de stellage valt. 'Wil je ergens heen?' vraagt Jonathan.

Ik kijk naar de maisonnettes rond het park, met balkons vol lobelia. 'We kunnen beter naar huis gaan. Ik ruik Bens luier al en ik heb geen andere bij me.'

'Nee, als huwelijksreis, bedoel ik. Dan moeten we nu wel reserveren. Enig idee?'

Vreemd dat we al vader en moeder zijn zonder dat we ooit samen op vakantie zijn geweest. Daar was nooit tijd voor, zelfs niet voor uitstapjes naar de provincie, zoals Beth en Matthew. Die zijn dit weekend ook weer weg. Samen, naar Shropshire. Tijd voor onszelf, zoals Beth het noemde – heel belangrijk voor het herstellen van de intimiteit. Met tegenzin heeft ze Maud gespeend. De eerste paar dagen had ze borsten van beton en kwam er nog melk uit die wegspoelde door het putje van de douche. ('Zo zonde!' klaagde ze. 'Maar het is het wel waard. Nu krijg ik mijn borsten weer terug. Het zal wel geen toeval zijn, maar Matthew heeft weer belangstelling voor seks, alsof hij zich herinnert dat ik ook *vrouw* ben.')

Als het flesje leeg is, zakt Ben op Jonathans schoot in slaap. 'Waar is het warm in december?' vraag ik. West-Indië. Ja, de Cariben. Wit zand, bikini's. Nee, misschien maar geen bikini. Een zilverkleurig badpak, hoog opgesneden. Ik moet iets aan mijn heupen doen. Laat die bekkenbodem maar zitten. Ik doe wel sit-ups. *Crunches*, heet dat tegenwoordig, wat nogal gevaarlijk klinkt. Beginnen met tien keer per dag en dan uitbouwen tot twaalf of dertien.

Ik bedenk dat ik geen idee heb waar Jonathan graag naartoe gaat. Ik kan me hem niet voorstellen in een zwembroek. Ik ben degene die Ben altijd meeneemt naar het zwembad. We gaan nog altijd eens per week, heel dapper, ondanks de vernedering met Ranald. En Jonathans huid lijkt niet geschikt voor de zon. Ik vraag me af of hij ooit wel met vakantie is geweest. Hij heeft me nooit foto's laten zien of iets verteld over andere landen. 'Waar ging jij heen,' vraag ik, 'toen je nog een kind was?'

'Naar Schotland,' antwoordt hij. 'Elk jaar. Naar een boerderij waar ze kamers met ontbijt verhuurden. In de loop van de jaren werden de mensen daar bekenden van mam en mij. Ze stuurden kerstkaarten. Als we vroeg genoeg gingen, namen ze me mee de wei in en mocht ik de lammetjes voeren met een flesje. Mam keek dan toe vanaf het hek, doodsbang dat ik gebeten zou worden.

Ze hadden ook een spelletjeskast,' gaat hij verder. 'Cluedo, Muizenval, en dat ding met die stangetjes die je uit gaatjes trekt zodat er een knikker omlaag valt.' Ik stel me voor dat Jonathan en Constance het niet erg vonden dat het in Schotland regende. Ze hadden in elk geval de spelletjeskast, en alles bleef er hetzelfde. Geen wonder dat Constance moeite heeft met mij. Als je altijd met z'n tweeën bent geweest is een nieuwkomer heel lastig, met haar grote mond en haar dikke reet. Misschien functioneert een gezin veel eenvoudiger en blijer als het maar klein is.

'Gingen er ook andere mensen mee,' vraag ik, 'op jullie vakanties?'

Jonathan veegt Bens druipende neusje af met de katoenen zakdoek met monogram die hij altijd in zijn zak heeft. Ben schrikt wakker en deinst verbolgen terug voor die grote, vegende hand.

'Wie had er dan mee moeten gaan?' vraagt hij.

'Nou, je vader, bijvoorbeeld.'

'Mijn moeder heeft me alleen verteld dat er iemand was. Ja, logisch. Maar hij had haar laten zitten. Meer zei ze er niet over en ik heb er ook nooit naar gevraagd.'

Ik wil erop doorgaan, alles weten. Waarom geeft hij altijd van die schaarse informatie, stukje bij beetje? Misschien omdat er niets meer te vertellen valt. 'Ik vraag me af of ze nog leven,' zegt hij. 'Dat echtpaar, bedoel ik, de Brodies van de boerderij.'

'Je kunt ze opzoeken. Heeft je moeder hun nummer nog?'

'We zouden erheen kunnen gaan,' zegt hij. Ik vraag me af of hij een grapje maakt. Eliza zit in Mexico, met modellen die in doorschijnende jurken in zee moeten duiken, waar dan onder water foto's worden gemaakt. 'Ik zou het je graag laten zien,' zegt hij. 'En voor Ben is het ook leuk, de lammetjes voeren.'

'Er zijn geen lammetjes in december,' zeg ik met een misselijk gevoel.

'Mam zou het geweldig vinden,' vervolgt hij. Ik moet bijna braken. 'Ik bedoel dat mam het leuk zou vinden als *wij* gingen.'

Dat is zo'n opluchting dat ik mezelf hoor zeggen: 'Waarom doen we dat niet?'

Jonathan zoent me met onverwachte heftigheid. Ben begint te jammeren, geschrokken van zoveel publiek vertoon van affectie. '*Ker-Plunk*,' zegt Jonathan. 'Zo heette dat spel met die stokjes. Ik vraag me af of het nog in die kast ligt.'

Een rol voor oma

ALS MODESTILISTE MAAKT ELIZA ZICH ZORGEN OVER MIJN BRUIDSjurk, dus heeft ze heel attent de laatste zes nummers van het blad *Confetti* gestolen. Ze hebben een kantoor op de verdieping boven haar, met het beste uitzicht. 'Een lui en verwaand stelletje,' verklaart ze. 'Hoe moeilijk kan het zijn om maar vier nummers per jaar uit te brengen? "En wat zetten we nu weer op het omslag? O, ik weet het. Bruidsjurken. Huwelijksreizen. Dure schoenen. En nog een quizje. Is hij een toekomstige echtgenoot of een leugenachtige rat?"'

Ik heb Ben thuisgelaten bij Jonathan. Het is mijn eerste vrije avond sinds Bens geboorte en ik lig op mijn buik op Eliza's kleed, iets met roestbruine en grijsgroene herfstkleuren, waar je op kunt kotsen of zelfs op kunt sterven zonder vlekken na te laten. Eliza's kat slentert naar binnen en neemt me achterdochtig op. 'Lieve Natalie,' schrijft Penny uit Droitwich aan *Confetti's* probleemrubriek. 'Moet ik de namen van de mensen die ik uitnodig op hun kaart schrijven of alleen op de envelop?'

Penny komt niet veel buiten, dat is duidelijk. Ik vraag me af hoe lang het zal duren voordat haar aanstaande ontdekt dat hij een gruwelijke vergissing heeft begaan en opeens héél vaak naar verre congressen moet.

Lieve Natalie,
Ik wil het lint van mijn bruidsboeket wat persoonlijker maken, daarom ben ik op een cursus kalligrafie gegaan. Wat voor pen moet ik gebruiken?
Chloe, Saffron Walden

Lieve Chloe,
Ik zou niet op het lint schrijven, omdat de inkt kan doorlopen en vlekken maken op je handen, vooral als die een beetje zweten van de zenuwen op de grote dag. Gelukkig zijn er postorderbedrijven waar je een lint kunt bestellen met je eigen tekst erop.

Lieve Natalie,
Help! Mijn bruidsmeisjes hebben roze rozenruikertjes, maar wat moeten mijn bruidsjonkers dragen?
Sally, Dumfries

Lieve Sally,
Je hebt gelijk, de jongens willen natuurlijk niet met bloemen lopen. Wat dacht je van satijnen kussentjes voor de ringen? Die zijn licht, gemakkelijk te tillen en ideaal om kleine handen bezig te houden.

Wat zouden die jochies met hun handen doen, vraag ik me af, als ze geen kleine kussentjes hadden? Beth heeft me al gewaarschuwd dat ik moet oppassen als Ben oud genoeg wordt om zijn edele delen te gaan verkennen. 'Jongens zitten daar altijd aan te voelen,' zei ze huiverend. 'Ze kunnen dat ding niet met rust laten.' Een goede reden, vond ze, om ze zo lang mogelijk in luiers te laten. 'Dan kunnen ze voorlopig nergens aankomen.'

'Je moet niet iets nemen dat te strak zit,' zegt Eliza, die zich naast me op het kleed laat zakken. 'Er is weinig lol aan om de hele dag je buik in te houden.'

Het enige licht komt van een Anglepoise-lamp die zachtjes heen en weer zwaait en een roomwitte ovaal over een gespikkelde formicatafel werpt. Eliza's inrichting lijkt afkomstig uit vuilniscontainers: wiebelende planken, die net niet helemaal recht hangen, hoge stapels tijdschriften. En er hangt een zware, zoete stank, die doet vermoeden dat er ergens griezelige dingen gebeuren in een fruitschaal.

'Je moet niet aan je buik hoeven te denken,' vervolgt Eliza, terwijl ze een foto bestudeert van een afschuwelijke trouwjurk die helemaal uit servetten lijkt genaaid. 'Een wijde jurk, maar geen tent, iets waar je die dag geen last van hebt.'

'Je hebt gelijk,' zeg ik. 'Ik dacht zelf aan een duffelse jas.'

Zuchtend spreidt ze pagina's uit die ze uit *Confetti* heeft gescheurd. De *hot look* voor de moderne bruid: soepel en simpel, met ruches bij de hals en de schouders, wat een snoezig accentje geeft. 'Wat vind je van blote armen?' blaft ze.

Ik weet helemáál niet wat ik vind. *Confetti*, met zijn dunne sluiers en paarse bruidssuikers in gehaakte netjes, geeft me het gevoel dat ik een logge, snuivende os ben. Dat meisje in de jurk met de ruches wekt absoluut niet de indruk dat ze gaat trouwen. Om te beginnen is ze veel te jong. Als ze dat opgestoken, met lak ingespoten haar zou losgooien, is ze niet ouder dan zo'n schoolmeisje van het zwembad, met scherpe sleutelbeenderen en bungelende armen, handig om ongewenste attenties van jongens weg te slaan.

Ze zou er heus niet zo zelfverzekerd en sereen bij staan als ze ging trouwen. Dan zou ze uitslag hebben in haar nek. Ik vraag me af of die ruches bij de hals de aandacht kunnen afleiden van een vlekkerig décolleté.

Eliza's magere knieën kraken als ze opstaat. Ze loopt naar de keuken om brood te roosteren – het enige dat ik haar ooit heb zien eten, behalve suikerklontjes. Ze lijkt teleurgesteld. Misschien neem ik dit niet serieus genoeg. De huiskamer zoemt van het rotte fruit, dat bijna op eigen kracht begint te ademen. Ik heb een gevoel alsof ik me in een long bevind.

Ik blader een *Confetti* door. Er zijn zoveel belangrijke dingen waar ik nog niet over heb nagedacht: de auto's, de tafelschikking, de volgorde van de speeches. 'Er is geen brood,' roept Eliza uit de keuken. 'Wil je een gin en tonic?' Ik ken Eliza's G&T's: vier vingers gin en een scheutje warme tonic voor het idee. Geen citroen of ijs. Ze komt terug met twee theeglazen met een motief van gouden strepen en sprieterige bloemen. Vroeger verzamelde ze die. Ze verzamelde ook borden in de vorm van slabladeren, bijzondere waaiers en asymmetrische hoeden, die altijd een beetje ingedeukt leken. Maar ze verliest altijd haar belangstelling voordat het een echte collectie kan worden, die iets betekent.

'Ik heb iemand ontmoet,' zegt ze, terwijl ze met gekruiste benen naast me komt zitten. Gretig neemt ze een slok uit het theeglas.

'Waarom zei je dat niet? Wie is hij?'

Ze lacht, om het niet te belangrijk te maken. 'Misschien is het alweer uit. Het is ook een beetje gênant. Hij is veel jonger. En ik ben oud genoeg om beter te weten.'

Ik heb geen idee hoe oud ze eigenlijk is. Een paar jaar geleden vierde ze haar dertigste verjaardag op een rivierboot die was ingericht met 'louche chic', zoals ze het noemde: overal grote lappen Indiase stof met sieraden, en jengelende sitarmuziek op de achtergrond. Het jaar daarna was het een wat rustiger feestje in een klein bar met lichtgekleurd hout en obers die kleine porties *fish-and-chips* serveerden in tot puntzakjes gevouwen servetten. Toen werd ze écht dertig, beweerde ze.

Ze pulkt aan een irritant korstje op haar scheenbeen.

'Zo jong kan hij toch niet zijn?' zeg ik.

'Hij is vierentwintig, dus dat is belachelijk. Vooruit, sla me maar.'

Ik lach en proef de gin met het puntje van mijn tong. Niet goed: te warm voor het alcoholpercentage.

'Het is Dale,' zegt ze. 'Gregs assistent, weet je nog? Je hebt hem op die fotosessie gezien. Ik denk niet dat het wat wordt. Het is gewoon, nou ja... lichamelijk.'

'Sinds wanneer?'

'Het reisje naar Mexico. De modellen hadden zich opzettelijk laten verbranden. Nog nooit van zonnebrandcrème gehoord, blijkbaar. Dus konden we ze niet gebruiken. We moesten iemand anders laten komen, die zeven uur op het vliegveld van Houston vast zat. En op het vliegtuig kreeg ze voedselvergiftiging door een stokbroodje kip.'

'Ik wist niet dat modellen ook aten,' zeg ik.

Door een of andere truc met haar keel weet Eliza de inhoud van haar glas in één keer naar binnen te gieten. 'Hè, dat is lekker. Ze eten alleen het beleg en laten het brood liggen. Dat is riskant. We konden niets anders doen dan ons bezatten tot ze weer beter was. Je kunt vreselijk met hem lachen, weet je.'

Als Eliza zo is, aangeschoten en een beetje dellerig, weet ik weer waarom ik haar graag mag. Haar blauwe nagellak is afgebladderd bij de randjes en ze heeft stoppels op haar schenen. 'Mag ik hem meenemen naar de bruiloft?' vraagt ze opeens. 'Niet als mijn vriend – Jezus, hij is nog maar een embryo – maar gewoon om iemand te hebben om... nou ja, als gezelschap. Ik voel me altijd zo opgelaten op een bruiloft.'

Het was nooit bij me opgekomen dat mijn bruiloft, of welke bruiloft dan ook, enig gevoel bij Eliza kon oproepen. Het leek me een ideale gelegenheid voor haar om zich op te tutten. 'Natuurlijk mag je hem meenemen,' zeg ik. 'Als hij maar niet blaft.'

Confetti ligt open bij de schoenenpagina. Die roze dingen met kralen zijn geen mensenschoenen. Die horen in een museum of aan de voeten van een pop. In gedachten zie ik de kristallen muiltjes steeds verder oprekken en ten slotte huilend uit elkaar spatten als ik mijn voeten erin probeer te wringen.

'Mooie schoenen,' zegt Eliza. 'Maar niet voor jouw brede voeten.'

Ik blijf slapen in Eliza's logeerkamer, op een luchtbed dat de capaciteit van haar longen te boven gaat en daarom maar half is opgeblazen. Als ik op mijn zij ga liggen, raakt mijn heup de grond. Een slordige stapel ondergoed puilt uit een haveloze ladekast, misschien in een poging uit Eliza's flat te ontsnappen naar een ordentelijk huis, waar het zal worden opgevouwen en met respect behandeld.

Doorschijnende jurken hangen aan knaapjes voor de ramen en filteren het licht van buiten. Eliza huurt deze flat al ruim tien jaar, sinds ze wellustig verliefd werd op de gebarsten lila tegeltjes van de badkamer. Dat ze elke dag de afgedankte koelkast moest ontwijken die iemand op de trap had geparkeerd deerde haar niet. Een paar jaar lang wrong ze zich erlangs en botste tegen de verchroomde handgreep. Toen, op een dag, was hij verdwenen. Een nieuw gezin was beneden haar komen wonen en had de flat volgestouwd met kitscherige meubels, te veel kinderen en mogelijk de koelkast erbij. De kinderen versperren de trap nu met ingewikkelde spelletjes waarbij ze zich als heksen verkleden en op bezemstelen rijden. Maar Eliza geeft geen krimp. Haar flat heeft dat comfortabele punt bereikt waarop de rommel niet meer groter kan worden en misschien ooit zichzelf zal reinigen, net als haar dat je niet meer wast. Vuiler wordt het niet – of je ziet het niet meer.

Ik hoor Eliza het licht uitdoen en een knokig onderdeel van haar anatomie tegen een hard oppervlak stoten. Waar ik lig is de stank van rottend fruit nog sterker. Ik inspecteer een geglazuurde kom op de ladekast, waar blauwachtige bollen – mogelijk ooit mandarijnen – vreemd liggen te sissen. Mijn maag rammelt en herinnert me aan de beloofde toast die ik nooit gekregen heb. Ik kan de gin nog proeven. Ik lig te woelen op het luchtbed en probeer de slaap te vatten, bang dat Eliza's beha's zich uit de ladekast boven op me zullen storten om me te wurgen.

'Nina? Sorry dat ik je stoor op een zaterdagmorgen.' De taxi rammelt door de hoofdstraat die de verbinding vormt tussen Eliza's wijk en de mijne. 'Je spreekt met Lovely,' zegt de stem. 'Ben heeft weer een boeking, voor volgende week. Ik wilde het je meteen laten weten om te horen of hij beschikbaar is.'

Ik ben nauwelijks wakker en ik sterf van de honger. Eliza sliep nog half toen ik vertrok en mompelde iets over een croissant achter in de koelkast. Ik heb gekeken, maar er lag alleen een fles met donker spul, tegen een kater.

'Je hebt me niet verteld hoe geweldig Ben het heeft gedaan in die commercial voor Little Squirts,' zegt Lovely geestdriftig. 'Marcus... je herinnert je Marcus toch wel? ... zei dat hij nog nooit zo'n natuurtalent had gezien. Hij leeft helemaal op voor de camera, zei Marcus. Dat zou je niet denken als je hem zo ziet, vind je wel?' Haar enthousiasme druipt uit de telefoon als limonade. 'Daarom wil hij hem graag nog een keer. Je hoeft niet eens auditie te doen. Het is op vrijdag. Ik ga ervan uit dat je komt? Hij moet in een winkelwagentje rijden. Marcus wil alleen weten of hij rechtop kan zitten.'

'Zo ongeveer,' zeg ik. 'Een beetje aarzelend nog, maar als ik...'

'En hij vindt het niet erg als je hem door een supermarkt rijdt? Daar is hij aan gewend?'

De taxi stopt voor de flat. Onze slaapkamergordijnen zijn nog dicht. Ik voel me groezelig in mijn kleren van gisteren, met de bedorven fruitstank nog in mijn haar. 'Hij is nog nooit in een supermarkt geweest,' moet ik bekennen. 'Wij doen alle boodschappen bij een speciaalzaak omdat dat makkelijker is met de...'

'Dus vrijdag is akkoord?' valt ze me in de rede. 'Heel fijn. Ik heb het gevoel – en dat zeg ik nooit tegen ouders – dat Ben zal omkomen in het werk. Maar er is wel inzet voor nodig. Je moet de volledige steun hebben van je partner.'

De chauffeur trommelt op het stuur, ongeduldig om te vertrekken. Ik had wel kunnen lopen vanaf Eliza, maar ik was te moe van die nacht op het luchtbed. Tegen de tijd dat ik wakker werd, was het helemaal leeggelopen.

Ik zie het gordijn van de slaapkamer bewegen. Jonathan verschijnt voor het raam met Ben. Hij zwaait. 'Natuurlijk,' zeg ik tegen Lovely. 'Hij staat er helemaal achter.'

Even na tweeën arriveren we bij Constance, hoewel het elk willekeurig moment van de dag of de nacht had kunnen zijn. Ze heeft altijd haar gordijnen dicht, om te voorkomen dat inbrekers naar binnen kunnen kijken. De kamer baadt in een bruin schaduwlicht en ruikt naar koekjes. Jonathan houdt de schijn op dat we om de paar weken bij Constance langs gaan, maar in werkelijkheid zijn de tussenpozen veel langer. Ik vermoed dat hij elke keer dat we vertrekken, blij is dat hij weer iets heeft gedaan aan zijn schuldgevoel over zijn moeder. In elk geval is hij na ieder bezoek onnatuurlijk opgewekt.

Constances huiskamer wordt gedomineerd door een zwaar, wijnrood, driedelig bankstel. Op elk horizontaal vlak staan stenen beeldjes. De schoorsteenmantel wordt gesierd door een groepje herderinnetjes en porseleinen roofvogels (levensgroot). Over de armleuningen van het bankstel liggen gehaakte perzikkleurige kleedjes, alsof huidcontact onherstelbare schade zou aanrichten.

'Maak vooral geen drukte,' zegt Jonathan nerveus. 'We hebben al gegeten. Een kop thee is meer dan genoeg.' Dat zegt hij elke keer als we op bezoek komen, waarschijnlijk om niets gevaarlijkers naar binnen te hoeven werken dan een droog koekje. Hij is doodsbenauwd voor wat ze hem voorzet. De meeste etenswaren bij Constance in huis zijn aanzienlijk ouder dan onze baby. De pot met Schwartz-piment heeft een onduidelijk etiket. De doos eierkoeken, gekocht om in de pudding te verwerken, dateert waarschijnlijk nog uit de hippietijd. Vreemde dingen loeren in de koelkast: een keiharde perzik op een schoteltje, een overgebleven eierdooier, een dikke laag grijze jus in een porseleinen theekopje. Als Constance naar de wc is, rent Jonathan naar de keuken om de voorraadkast te inspecteren en alles wat hij niet vertrouwt diep in de beige plastic pedaalemmer te begraven.

'Ik laat meestal geen vreemden binnen,' vertelt Constance, 'maar het was zo'n aardig jong stel. Keurig gekleed ook. Heel netjes en beleefd, voor zulke jonge mensen.'

'Wie bedoel je?' vraagt Jonathan.

'Hun geloof is het mijne niet,' vervolgt Constance, 'maar ik wil best luisteren. Zo'n keurig gemanierde man.'

'Welk geloof?' vraagt Jonathan geïrriteerd.

Constance loopt naar de keuken en klimt op een wrak trapje om een plastic zak met aardappels van de plank boven het aanrecht te halen. 'Ga van die kruk af,' zegt Jonathan. 'Bewaar je eten in een laag kastje, waar je erbij kunt. Welk geloof?'

'De jehova's getuigen, meen ik. Dat zeiden ze niet. Ze hebben wel een kleurig tijdschrift achtergelaten en ze zeiden dat ze geen geld wilden. Maar je kent mij. Ik wil geen gunsten, dus heb ik ze vijf pond gegeven.'

'Wát?' vliegt Jonathan op.

'Volgende week komen ze terug.' Ze glimlacht. 'Ik ben blij met wat aanspraak.'

Ben spartelt op mijn schoot en steekt zijn handen uit naar de herderinnetjes. Een ervan heeft een bijzonder breekbaar ogende staf in haar hand. Ik leg Ben op het hoogpolige haardkleedje, waar hij onderzoekend op zuigt. Constance tuurt mijn kant op alsof ik een hardnekkige vlek ben. 'Nou,' zegt ze, 'ik zal maar even naar het vlees kijken.'

'Ik zei je toch dat we geen eten wilden, mam!' roep Jonathan haar na. Als ze de kamer uit is, wil ik sissen: *Waarom doet ze zo tegen me? Is ze zo teleurgesteld in de keus van haar zoon?* Maar daarvoor ken ik hem niet goed genoeg. Wel goed genoeg om een kind van hem te krijgen, maar niet om bedekte kritiek te hebben op zijn moeder. Daarom staar ik naar een porseleinen valk, die achterdochtig terugkijkt.

Constance komt weer binnen met drie borden met donker vlees, jus en grijze aardappels, die ze op de ovale eettafel zet. 'Bruine saus?' vraagt ze aan Jonathan.

'Nee, dank je,' mompelt hij. 'Het ziet er heerlijk uit.'

Ze blijft achter ons staan als we het vlees snijden.

'Ga je niet zitten?' vraagt Jonathan.

Ze laat zich zakken op een stoel met een bobbelige mosterdkleurige zitting. Misschien heeft Jonathan wel gelijk met zijn angst voor haar eten. Het is vergiftigd; het mijne, tenminste. Ze staart naar mijn bord om zich ervan te vergewissen dat ik het juiste stuk neem, met het rattengif.

'Mam, we hebben goed nieuws,' begint Jonathan. Hij lijkt moeite te hebben met het vlees. Zijn malende kaken weten er geen weg mee. 'We hebben een datum vastgesteld,' zegt hij, en slikt alles in één keer door. Constance maakt haar blik van mijn bord los en kijkt droevig naar het hare. Haar slappe haar hangt lusteloos langs haar gezicht. 'Voor de bruiloft,' vervolgt hij.

Ze steekt haar vork in de jus en likt hem af. 'Die mensen komen nog eens terug, heb ik dat al gezegd? Op maandag, geloof ik. Ze kunnen me niet bekeren, dat heb ik ze wel duidelijk gemaakt. Maar ik vind het leuk om bezoek te krijgen.' Ze kijkt me aan en vraagt zich af waarom ik nog niet van mijn stoel ben gevallen, met mijn hoofd tegen de haard.

Anders dan Constance hoopte mijn moeder juist dat ik iemand zou vinden. Wie dan ook. Ze nodigde jongens uit, heel gênant, zoals de zoons van mijn leraren of het ziekelijk ogende joch dat bij ons door de straat zwierf met een radio tegen zijn oor gedrukt, terwijl hij in zichzelf praatte. Ze warmde eten voor hen op, voorgebakken pannenkoeken en zo. Dat was nog vóór Ashley, toen ze er niet over gepeinsd zou hebben om paardenpillen tegen haar slapen te plakken. Ze kocht goedkope gele cakejes en strooide overal suiker over, zelfs over zoete vruchtenyoghurt. Het knarste tussen mijn tanden. Toen ik naar de middelbare school ging, had ik al elf vullingen.

Ze droeg te weinig kleren als die jongens op bezoek kwamen (of misschien deed ze dat altijd, maar viel het mij alleen op als we bezoek hadden). Je kon door haar dunne rokje heen haar dijen zien, en ook haar grijze beha scheen door haar verschoten nylonblouse. Ze deed me denken aan die jongensfantasie over een röntgenbril waarmee je door vrouwenkleren heen kon kijken. 'Ze heeft mooie benen, je moeder,' zei de radiojongen met een zwetend voorhoofd.

De jongens en ik trokken ons terug in verschillende kamers. Het bezoek hield zich bezig in mijn slaapkamer, waar niets interessants te vinden was, behalve een schoenendoos met uitgedroogde viltstiften en een spirograafset. Ik bleef op de logeerkamer, weggekropen onder afgedankte strijkplanken en stoelen met doffe verchroomde poten. Ten slotte gaf mam de moed maar op en nodigde geen jongens meer uit. Ze noemde me mensenschuw. Daar had ze gelijk in. Ik wilde niemand anders in mijn huis. Ik ontmoette een jongen uit Glasgow met een slechte huid en een liefde voor zware literatuur, maar ik nam hem niet mee naar huis. Hij loodste me mee naar het hoekje achter de tennisbaan, waar de natte varens langs onze benen schuurden. We kusten en hij haalde zijn penis tevoorschijn en begon er woest aan te trekken. Zijn blik werd glazig en ik was bang dat er een ader zou knappen. 'Vind je het goed als ik me afruk?' vroeg hij halverwege het trekken.

Ik dacht dat Afruk een Russische schrijver was.

Jonathan is in zijn gebruikelijke stemming na het bezoek aan zijn moeder, blij dat hij weer aan zijn verplichting heeft voldaan. 'Ze moet daar weg,' zegt hij, met een blik opzij om te zien of ik wel luister. 'Die huizen waren nieuw toen zij erin trok. Mensen knipten toen nog de heg en praatten met elkaar. Moet je nu zien. Geen wonder dat ze de gordijnen dicht houdt.'

'Zijn er geen bejaardenlunches en kaartmiddagen en dat soort dingen?' opper ik.

'Ze moet verhuizen. Ze heeft mensen om zich heen nodig. Daar moeten we iets aan doen.'

Ik stel me voor dat Constance bij ons zou komen wonen, rammelend met onze pannen terwijl ze haar eigen vlees braadt. Meteen verjaag ik dat beeld weer uit mijn hoofd. 'Ze leek niet enthousiast over onze bruiloft,' zeg ik voorzichtig.

Hij lacht. 'Mijn moeder zal nooit enthousiast zijn als ik ga trouwen.'

Waarom klampen volwassen vrouwen zich zo aan hun kinderen vast? Zou ik ook zo worden met Ben: zijn vriendinnetjes de deur uit kijken en ze de stuipen op het lijf jagen met mijn kookkunst? Beth vertelde me dat haar moeder een hele week moest huilen, het hele huis door rende en voortdurend koud water over haar gezicht plensde toen Beth haar vertelde dat ze zich met Matthew ging verloven. Nou ja, dat begrijp ik wel. Maar ik kan me niet voorstellen dat ik zelf zo kwaad zal zijn, alsof iemand me iets heeft ontstolen, als Ben het huis uitgaat.

Mijn ouders vertrokken ook geen spier toen ik op kamers ging wonen. Ze brachten me met de auto naar het zuiden en kwamen vast te zitten op de M25. Mijn moeder zwaaide met de kaart en zei: 'Er staan geen afzonderlijke straten op. Zo kunnen we nog uren rondjes rijden.' Pap nam een willekeurige afslag naar East London, waar we een paar keer langs het Museum of Childhood kwamen. Een politieman keek ons al argwanend na. En elke keer riep mijn moeder: 'Wat een leuk gebouw. Wat is dat?' Ten slotte stopte pap voor een bouwvallig huis, met daaronder een club die Jingles heette. Ik had een baantje gevonden. Ik zou ingezonden verhalen gaan beoordelen voor een vrouwenblad. De meeste verhalen bleken onleesbaar geschreven te zijn, in vlekkerige groene balpeninkt. Mijn nieuwe bazin wist een leegstaande flat van een vriendin van haar. Een van de muren van de huiskamer was glimmend zwart geverfd en er hing een rioollucht in de flat. 'Dit ziet er leuk uit,' zei mam. 'Je maakt er wel wat van.'

Pap droeg de kruideniersdozen met mijn spullen naar boven. Hij keek alsof hij me wilde omhelzen, maar hij deed het niet. 'Nou, dan gaan we maar,' zei hij. 'We moeten nog ergens eten voordat alles dicht is.'

Jonathan toetert als er een fietser voor ons langs schiet. 'We moeten mijn moeder en jouw ouders eens in contact brengen,' zegt hij. 'Ik heb nog vakantiedagen tegoed. Zal ik vrijdag vrij nemen voor een barbecue?'

Vrijdag moet Ben voor het eerst in een winkelwagentje rijden. 'Nee, vrijdag komt me niet uit,' zeg ik.

Hij kijkt even opzij, verbaasd dat ik al een afspraak heb.

'Mijn koffievriendinnen,' zeg ik snel. 'Een teddybeerpicknick in het park, als het weer een beetje meezit.'

Hij klopt me op mijn knie. 'Ik ben blij dat je je leven op de rails hebt, Nina. Ik maakte me zorgen dat je je niet zou kunnen... aanpassen.' Ik probeer me te ontspannen met zijn hand nu op mijn dijbeen, maar het lukt niet. Mijn leugentje zoemt door de auto. Ik vraag me af of hij het kan horen. 'Een ander keertje dan,' zegt hij. 'Maar wel gauw. Anders zitten ze straks samen op het stadhuis, zonder dat ze elkaar ooit eerder hebben gezien.'

Ik huiver bij de gedachte hoe mijn moeder zich zal gedragen tegenover Constance. In het bijzijn van vreemden valt ze terug in haar jeugd, speelt met haar haarklemmetjes en hoort niet meer wat er gezegd wordt. Ze zal zeuren dat ze Jonathans barbecue niet kan verdragen. Wanneer is eten zo'n probleem voor haar geworden?

Jonathan stopt voor het oranje licht, hoewel hij het nog wel had gehaald. Als het licht op groen springt, staan we vast. Een wit Transitbusje blokkeert het kruispunt. Iemand toetert. Ben wordt wakker uit zijn slaapje, ontstemd dat hij in de auto gevangen zit. 'We moeten hier weg,' zegt Jonathan. 'Het drukke verkeer, al het geweld... kijk maar waar mam woont.'

'Wij wonen niet in de straat van je moeder.'

'We moeten verhuizen. Waarom niet? Wat houdt ons hier?'

'Beth en Matthew,' probeer ik wanhopig.

'Die kunnen we toch blijven zien? We nodigen ze wel uit. Het zijn goede vrienden. Ze zullen ons heus niet laten vallen als we buiten de stad gaan wonen.'

Dit gaat me te snel. Het ene moment is hij nog kwaad over het verkeer, het volgende moment wonen we in een cottage met een laag plafond en kale balken, waar we Beth en Matthew te eten moeten vragen. 'Maar ik woon hier best gezellig,' protesteer ik. En dat meen ik ook. Tot mijn verbazing heb ik mijn plek gevonden in Jonathans flat. Het nieuwtje om in zo'n schone, goed functionerende omgeving te wonen is er nog steeds niet af. Ik heb zelfs wat dingetjes – een fotolijst, een kandelaar – gekocht bij die nutteloze winkels bij Beth in de buurt, om mijn territorium te markeren.

'Het is te klein,' zegt hij. 'Ben kan niet altijd bij ons op de kamer slapen. We hebben een extra slaapkamer nodig. Twee zelfs, als we nog een kind krijgen.'

'We kunnen jouw studeerkamer gebruiken,' zeg ik onbehaaglijk.

'Een tijdje misschien, zolang ze nog klein zijn. Maar het heeft geen enkele zin dat we hier blijven. We gaan toch nooit uit. Daar houden we niet van. En als we buiten gaan wonen, hebben we alles: ruimte, rust, een grotere tuin, een heel eigen gebied.'

Ik voel me duizelig, maar misschien komt dat door Constances jus, die nog steeds in mijn maag klotst. Een man in een met verf besmeurde overall stapt uit de Transit. Hij is zich bewust van de agressie, draait zich om en steekt zijn hoofd door het linkerraampje van een custardgele Volkswagen Kever. Als om Jonathans woorden over de geweldddadigheid van de stad te onderstrepen, springt er een magere man in een flodderig pak uit de Kever en timmert de kwade Transitbestuurder op zijn gezicht.

'Zie je?' zegt Jonathan. 'Dit is geen plek om onze zoon te laten opgroeien.'

Eindelijk komt het verkeer weer in beweging. Ben trekt een zielig smoeltje. Jonathan houdt zijn mond. Misschien heeft hij gelijk. Het leven in de provincie is veel rustiger, doodstil. Geen agressie op straat. We zouden middelbaar worden zonder het te merken. Hij zou vesten met bruine knopen gaan dragen en een schuurtje bouwen om zich terug te trekken. Ik zou naar middagen van het vrouwengilde gaan, en naar de kerk, hoewel ik me geen enkel bijbelverhaal kan herinneren, behalve dat van de vrouw die in een zoutpilaar veranderde. Ik zou jam maken, met de geur van sinaasappels en suiker in de keuken. Sommige mensen willen zo'n leven. Chase, mijn oude baas, heeft een vrijstaand huis in Surrey. Alleen woont hij daar niet, behalve in het weekend. Hij komt er om te spelen.

'Stel je voor,' zegt Jonathan, 'dat je een grote lap grond zou hebben. Wat kun je daar wel niet mee doen!'

Een grote lap grond? Wat moet ik daar in godsnaam mee?

De mobiele baby

BETH KIJKT ALSOF ZE MOET BRAKEN ALS IK HAAR OVER OPERATIE Wildernis vertel. 'Op het platteland kun je niet wonen,' zegt ze, terwijl ze haar buggy over de keitjes ramt, waardoor Mauds bolle wangetjes op en neer deinen. 'Geloof me. Ik heb tot mijn achttiende in zo'n akelig klein dorp gevangen gezeten. Ik wist niet hoe gauw ik er weg moest komen. De buren haalden nooit de plastic hoezen van hun bank. Met dat soort mensen krijg je te maken.'

We wandelen met de baby's rond de kinderboerderij. Wat is het nut van die dingen? Het zijn geen echte boerderijen. Ze liggen in de schaduw van torenflats en waslijnen. Goed, er lopen dieren rond, maar die schapen weten dat ze de hele dag worden lastig gevallen door kinderen van acht. Ze willen niet geduwd of geslagen worden. Ze hebben zo genoeg van die starende gezichtjes en die lollies dat ze niet eens meer lammetjes krijgen. Ik heb nog nooit een jong dier op een kinderboerderij gezien. Toen we hier kwamen, zag Beth een vlekkerig geschilderd bord met het opschrift: DIERENKINDERKAMER. HANDEN WASSEN NA HET AAIEN. Ze stapte het vervallen stenen gebouwtje binnen, in de hoop een jong konijntje aan te treffen, maar ze vond slechts twee meisjes met ingevallen wangen, die samen een sigaretje rookten.

Het bezoek aan de kinderboerderij was Beth' idee. Ze voelde zich schuldig, zei ze, omdat ze zo weinig met Maud deed sinds Rosie op het toneel verschenen was. Rosie is gewoon te efficiënt. Mauds billetjes worden al geveegd bij het eerste onaangename luchtje, zodat Beth te laat komt met haar luier. Geen wonder dat ze haar tijd nu vult met nutteloze dingen: zelf frambozenijs maken en luxe broden bakken met zongedroogde tomaten erin. Je kunt je nauwelijks bewegen in haar keuken zonder over glimmende witte apparaten of bundels snoeren te struikelen.

De met keitjes geplaveide binnenplaats wordt bevolkt door een paar magere kippen die nerveus naar weggegooide snoeppapiertjes pikken. 'We gaan ook niet verhuizen,' zeg ik tegen Beth. 'Dat is maar een gril van Jonathan. Het zal wel iets te maken hebben met de trouwerij. Hij is zenuwachtig; hij controleert voortdurend of ik alles wel geregeld heb. The Fox verzorgt het buffet. Het stadhuis is geboekt, maar nu maakt hij zich weer zorgen hoe we iedereen daar vandaan naar The Fox moeten krijgen.'

Beth geeft geen antwoord. Dat heeft ze wel vaker, dat ze zich terugtrekt in een parallel universum, misschien om over haar volgende broodrecept na te denken. 'En dan was er nog zijn pak,' ga ik verder. 'Dat kwam van de kleermaker terug met een dichtgenaaide zak.'

Beth stuurt Mauds buggy in de richting van een bobtail die op de keitjes ligt. De hond likt een bloedende wond aan zijn achterpoot en komt onzeker overeind, waardoor Maud een angstig kreetje slaakt. 'Laat je geen zand in de ogen strooien,' waarschuwt Beth. 'Het platteland lijkt heel mooi in de zomer, met al die rozen, clematis en kamperfoelie rond de deuren. Je denkt algauw: ik zou hier best kunnen wonen. Je ziet jezelf al achter een kraampje op de fancy-fair of de tombola. Het zijn de kikkervisjes, hè?'

Ik kijk haar vragend aan.

'Kikkervisjes in potjes. Kinderen die opgroeien met geschaafde knieën van het bomen klimmen. Maar je zit in de val. Op het platteland zijn ze allemaal geschift, en je kunt ze niet ontlopen. In ons dorp hadden we een gekke vrouw met een corgi die stierf. Toen heeft ze dat beest in de droogkast gelegd om hem weer tot leven te wekken.'

'Ligt hij er nog?' vraag ik, in de hoop op een verhaal voor *Lucky*. Beth snuift en knoopt de gebreide koordjes van Mauds muts nog eens vast.

We blijven staan bij een veld waar een koe probeert de vliegen weg te slaan met haar trieste kop. 'Het zullen de zenuwen voor de trouwerij wel zijn,' zeg ik tegen de koe.

Beth leunt op het splinterige hek. 'Is het wel wat jij wilt?' vraagt ze. 'Trouwen?'

De koe slentert weg en toont me haar aangevreten achterste. 'Ik ben bang,' zeg ik.

'Dat is heel normaal. Maar hij is toch de juiste man voor je – een pappa die zoveel dingen doet? Jullie werken heel goed samen.' Ik zou het graag beamen. Iedereen is goed gekleed en gevoed, en we hebben onze schoenen aan de juiste voeten. 'Jullie zijn een team,' zegt Beth, met een omhelzing waar ik niet op zit te wachten.

We hebben alle mogelijkheden van de kinderboerderij nu wel uitgeput. De baby's wriemelen onrustig in hun buggy's, zelfs als we bij een vijver komen met grote waterplanten en een eenzame eend. Ze zitten liever thuis tegenover de wasmachine.

Ik wil weg, uit die mestlucht vandaan, maar Beth heeft een picknickmand meegebracht. Het is te koud om buiten te eten. Ik had patat willen halen op weg naar huis.

We vinden een stukje kale grond waar misschien ooit gras heeft gegroeid en spreiden Beth' gehaakte kleed uit. 'Kruipt Ben nog niet?' vraagt Beth, terwijl ze potjes met couscous en een kruidige aardappelsalade openmaakt.

'Hij is niet geïnteresseerd. Ik heb geprobeerd hem wat speelgoed voor zijn neus te houden... zo staat het in mijn *Onmisbare gids*... maar dat vond ik nogal stom. Alsof je een ezel een wortel voorhoudt. Constance vertelde trouwens dat Jonathan nooit gekropen heeft. Hij heeft tot na zijn eerste verjaardag op zijn dekentje gezeten en begon toen rond te schuiven op zijn billen, steunend op één hand.'

'O.' Fronsend biedt ze Maud een stukje pitabrood aan. 'Laten we hopen dat het met Ben anders gaat.'

Ik kan beter stoppen met dit soort uitstapjes. Chase had gelijk: ik moet weer aan het werk. Een oppas inhuren. Die vrouwen zijn erin getraind en weten wat ze doen. De enige training die je als moeder krijgt zijn speelfilms met kinderen die nooit hun lunch uitspugen of gaspitten aanzetten. Zelfs het Viltvrouwtje heeft nu een oppas. Ze kreeg er genoeg van om haar lastige kind mee te nemen naar de school, waar hij tegen het nooit-voltooide wandkleed zat te grommen. Ik zal Jonathan zeggen dat ik lang genoeg full-time moeder ben geweest en mijn oude baan bij *Lucky* weer oppak. Als Chase me nog wil hebben. Over drie dagen moet ik mijn eerste verhaal voor *Mijn geheim* inleveren. Ik heb nog niemand voor een interview. Misschien kan ik mezelf als onderwerp nemen:

> De vader van kleine Ben denkt dat zijn zoon de hele week gewone babydingen doet: met zijn moeder naar het speelveldje of op bezoek bij andere baby's. Alleen Bens moeder kent het andere leven van hun kind. 'Het begon als een soort grap,' vertelt Nina. 'Ik wist dat Jonathan het niet goed zou vinden. Het probleem is dat we in december gaan trouwen. Misschien vertel ik het hem op onze huwelijksreis, bij een spelletje Ker-Plunk...'

'Volgende week om deze tijd ben ik vertrokken,' verklaart Beth, knabbelend op haar pitabroodje.

Mijn mond valt open. Het ging toch beter tussen haar en Matthew nu Rosie het grootste deel van de dag voor Maud zorgt?

'Kijk niet zo geschokt,' giechelt ze. 'Ik ga naar mijn moeder in Oxfordshire. Ze laat een parketvloer leggen. De hele kamer moet leeg. Ze verzamelt glazen dierfiguurtjes, waarvoor ze zelf een hele omgeving maakt: een kleine dierentuin en een bos met heggen van mosplantjes. Alles moet nu goed worden ingepakt in tissuepapier.'

Nu begrijp ik waarom Beth een konijntjesrugzak draagt. 'Gaat Maud niet mee?' vraag ik.

Beth trekt een pijnlijk gezicht. 'Het wordt een stoffige toestand; daar kan ze niet tegen. Rosie zal op haar passen. Het is maar voor twee of drie dagen. En natuurlijk is Matthew 's avonds thuis. Hij is allergisch voor mijn moeder – ervan overtuigd dat ze hem stiekem vlees wil voeren.' Ik stel me een oudere dame voor die de magere Matthew een dampende zwijnskop voorzet. 'Het is een spelletje,' gaat ze verder. 'Een manier om Matthew vlees te laten eten. Zoals haar groentesoep. Daar begint hij vrolijk aan, totdat hij onder in de kom een stukje soepbeen ontdekt. "Goh," zegt mijn moeder dan, "geen idee hoe dat er komt."'

Ben haalt wat pitabrood uit zijn mond en legt het voorzichtig op de deken. Dan opent hij zijn lippen en laat een crèmekleurige druppel speeksel over zijn kin lopen. In een poging tot recycling stopt hij het kleverige stukje brood weer tevreden in zijn mond.

Beth kijkt vol weerzin naar de picknickmanieren van mijn zoon. Het vee van de kinderboerderij staat klaaglijk te loeien. Beth kijkt snel naar Maud om vast te stellen dat zij Bens smerige gewoonten niet overneemt. Maar Maud is verdwenen. Haar gebreide mutsje ligt op de deken zonder een babygezicht eronder. Beth springt overeind. Haar dunne vlechtjes dansen op en neer. 'Maud?' roept ze angstig.

Ik kom haastig overeind en bestrijk een zo groot mogelijk gebied zonder Ben uit het oog te verliezen. Als niet-kruiper en toekomstig billenschuiver kan hij niet ver komen. Maud, boven aan de ontwikkelingsladder, kan wel zijn vertrokken door het labyrint van paadjes of meteen op weg zijn gegaan naar het metrostation, om zich daar van de roltrap te storten. Misschien is ze naar Covent Garden om te winkelen.

'Het erf!' roep ik, terwijl ik terugren om Ben op mijn arm te nemen voordat ik naar de binnenplaats met de keitjes loop. Beth rent achter me aan. Haar stevige veterschoenen kletteren over de steentjes. 'Mijn dochter!' jammert ze snikkend. Ze stormt de dierenkinderkamer binnen, maar komt meteen weer terug met de mededeling dat de rokende meisjes haar glazig aanstaarden en niet schenen te weten wat een baby was. Ze kijkt de gewonde hond aan, alsof hij misschien iets weet. Het beest laat geeuwend zijn zwarte tandvlees zien. Een jonge vrouw met slordig afgehakt haar en een prikkeldraadtatoeage om haar bovenarm is bezig het erf aan te vegen en houdt zich doof. 'Ik ben mijn kind kwijt!' roept Beth.

De vrouw leunt op haar bezem. 'Hoe oud?' vraagt ze toonloos.

'Zeven maanden.'

'O, een baby. Die kan niet ver zijn.'

'Ze kruipt heel snel,' houdt Beth vol. 'Je zou haar moeten zien. Echt een wonder, als je bedenkt...'

'Heb je niet goed opgelet?' vraagt de vrouw.

'Natuurlijk wel! We zaten te picknicken. Ze lag gewoon naast me.'

'Heb je al aan de vijver gedacht?' informeert de vrouw.

'De vijver? O, mijn...' Tranen springen in Beth' ogen.

En dan zie ik het. De eend zwemt een trage zigzagkoers rondom Maud, die tot aan haar middel in het stilstaande water zit en een handvol waterplanten bestudeert die in slijmerige slierten tussen haar vingers hangen, als dat spelletje waarbij je met touw een kop-en-schotel moet maken. Ze kijkt op. Groen wier bungelt uit haar mond. 'Rare meid!' roept Beth, balancerend op de oever. 'Je beste broek! En je hebt allemaal planten in je haar. Nina, haal haar uit het water; jij hebt oude kleren aan. Nee, pak mijn telefoontje uit mijn tas op de deken. Bel Rosie dat ze hierheen komt met schone kleren, handdoeken en een ontsmettingsmiddel.'

'Moeten we haar eerst niet uit de vijver halen? Het water is ijskoud.'

Maar Maud schijnt het te bevallen. Ze ruikt aan het wier in haar handen en likt met het puntje van haar tong aan een diepgroene stengel. Het kind kijkt langs haar moeder heen naar mij en begint te lachen. Haar schoudertjes schokken ervan. Ik hoor haar nog steeds als ik terugloop naar de deken. Ze zit te schateren met dat dikke hoofdje.

Binnen een paar minuten na Rosies komst is Maud weer brandschoon en in frisse kleertjes gehesen. 'Wat is dat?' vraagt Beth.

'Een tuinbroek,' zegt Rosie. 'Daar kwam Matthew mee thuis. Hij vond dat ze steviger kleren nodig had nu ze begint te kruipen.'

Beth fronst haar voorhoofd en kijkt Rosie scherp aan. 'Is hij al thuis? Het is nauwelijks drie uur. Waarom is hij niet op zijn werk?'

Rosie haalt haar schouders op. Ze inspecteert Mauds nageltjes en haalt een roze knippertje uit de tas die ze heeft meegebracht. 'Een bommelding. Ze hebben het gebouw ontruimd. Hij zou wel met me mee zijn gekomen om te helpen, maar hij dacht dat hij in de weg zou lopen.'

Beth pakt de picknickspullen in haar tas en plukt het gras van haar knieën. 'Een bommelding...' mompelt ze.

Rosie en ik lopen samen terug met de buggy's. Beth slentert achter ons aan, snauwend in haar mobieltje. 'Ja, ze is er. Wat...? Goed... O ja? Mooi zo... Nee, met *mij* gaat alles prima.' Als ik me omdraai, kijkt ze me aan met een brede grijns als een rookworst, om te bewijzen hoe uitstekend het met haar gaat.

Matthew is in de achtertuin, waar hij lusteloos wat bladeren harkt. Hij heeft de ontheemde houding van iemand die eigenlijk op zijn werk moet zijn. Drie vrouwen en twee baby's storen hem in zijn bezigheden. 'Hoe gaat het met de voorbereidingen van de bruiloft?' vraagt hij aan mij.

'Goed, hoor,' antwoord ik. 'Hoewel het een beetje...'

Hij verdwijnt naar binnen, gevolgd door Beth. Ik zie ruziënde hoofden door het keukenraam. Rosie en ik passen op de kinderen. Ze laat hen speelgoedtreintjes over een spoorbaan schuiven en helpt energiek bij het rangeren. 'Jij bent hier heel goed in,' zeg ik tegen haar. 'Je weet altijd wat je moet doen.'

'Maud is een makkelijk kind,' zegt ze, 'maar ze heeft een speelkameraadje nodig. Er zijn niet veel kinderen die ik kan uitnodigen. Beth is... nou ja.' Ze kijkt even naar het keukenraam, waarachter Beth nu aan het aanrecht bezig is. 'Ze is heel kieskeurig wat kennissen betreft. Jij bent zowat de enige die ze accepteert. Misschien wil je Ben een keertje brengen? Ik kan 's middags wel op hem passen.'

Dat zou goed uitkomen. Ik voel de hete adem van de deadline voor *Mijn geheim* al in mijn nek. 'Heus?' vraag ik. 'Ik doe freelance-werk. Maar de tijd begint te dringen en ik heb nog niemand gevonden voor een interview.'

Ze zit met gekruiste benen terwijl ze de rails aan elkaar past. 'Wat voor iemand zoek je?'

'Iemand met een geheim, die bereid is om sappige details op te biechten en met haar foto in de *Lucky* te staan.'

'Spannend,' zegt ze.

Helemaal niet, wil ik antwoorden, hoewel ik vroeger best plezier had bij *Lucky*. Het ging me ook goed af. Ik snuffelde de plaatselijke kranten door, op zoek naar rare verhalen, bijvoorbeeld over een vrouw die gedwongen was te verhuizen omdat haar buren bezwaar maakten tegen de gewaagde muurschildering die ze op haar huis had aangebracht. Zelf vond ze het kunst, een expressie van sensualiteit. De buren noemden haar een slet en gingen meteen met de witkwast over de muur zodra de verhuiswagen de straat uit was verdwenen.

'Wat voor geheimen?' vraagt Rosie.

'Maakt niet uit,' zeg ik wanhopig.

'Een verleden als lap-dancer?'

Uit het keukenraam klinken boze woorden en het geluid van iets dat met een klap wordt neergegooid – de broodbakmachine, misschien. Hopelijk is hij niet kapot. We kunnen Maud geen gekocht brood laten eten.

'Meen je dat echt?' vraag ik.

Ze knikt. 'Ik schaam me nooit voor wat ik heb gedaan.'

Ik zou haar recht op haar knappe smoeltje kunnen zoenen.

Ben is niet ontevreden over een winkelwagentje als vervoermiddel. Hij laat zich door de gangpaden rijden alsof hij dagelijks met zijn moeder naar de supermarkt gaat om ingrediënten voor taarten en ander heerlijks in te slaan. Hij wordt geduwd door Norrie, een leeftijdsloos model van het type dat ook op het omslag van *Lucky* staat, maar dan zonder een zakje cacaopoeder op haar gezicht geplakt. Ze heeft onopvallend blond haar en een heldere, witte glimlach die de indruk wekt dat ze nog nooit koffie heeft gedronken of een sigaret gerookt.

De commercial wordt opgenomen in een echte supermarkt, met figuranten die door de gangpaden slenteren. Maar het is geen realiteit. Er ligt geen kleuter op de grond te krijsen omdat hij zijn favoriete kaas niet krijgt. En de caissière is onwaarschijnlijk opgewekt. Marcus lacht zijn kleine tandjes bloot. Blijkbaar ben ik opeens de beste vriendin van de regisseur. Hij brengt me koffie en zoent mijn zoontje op zijn voorhoofd. 'Ben is echt een vondst,' roept hij enthousiast. 'Heel invoelend. Je ziet zelden baby's die zo ontspannen reageren voor de camera.'

'Ja, hij valt wel mee,' zeg ik op de verveelde toon van de ouders bij de Little Squirts-sessie.

Marcus ademt me zure koffie in het gezicht en zegt: 'Je bent heel professioneel, Nina. Ik kan je niet genoeg bedanken. We zullen elkaar zeker terugzien.'

Als ik thuiskom, heb ik een dringend bericht van Lovely. Als professionele moeder bel ik meteen terug. 'Ik wil Ben voordragen voor een bronwaterreclame,' zegt ze. 'Het idee is dat de baby wordt besprenkeld met water, als regendruppels. Hij moet nog auditie doen om te zien hoe hij op het water reageert, maar dat is een formaliteit.'

'Waarom?' vraag ik onnozel.

'De regisseur heeft de commercial voor Little Squirts gezien. Ben is precies wat hij zoekt. We moeten eens lunchen, Nina, misschien met je partner erbij. Ik wil Bens carrière plannen, ook voor de lange termijn.'

'Goed idee,' zeg ik.

> Rosie Lyall lijkt een gewone, zorgeloze meid van twintig. Als je haar aan het werk ziet, spelend met de zeven maanden oude baby voor wie ze zorgt, zou je niet vermoeden dat ze tot voor kort een heel andere baan had...

Het voelt niet goed om haar goedkoop te maken. 'Leg de nadruk op het geheime aspect,' had Chase gezegd. 'Het contrast tussen haar keurige leven bij dit welgestelde *middle-class* gezin en de groezelige onderwereld van de lap-dancingclub...'

> Rosie voelt gulzige blikken op haar soepele jonge lichaam gericht. Ze leeft helemaal in haar eigen wereld, waarin ze zich sexy en machtig voelt...

Ik staar naar het scherm. De woorden dansen voor mijn ogen. Ik haal hier een komma weg, daar een punt. Een beetje prutsen aan de tekst, om het uit te stellen. Ik zet de pc uit, en weer aan, maak kleine gestippelde vierkantjes met de cursor en verdwijn naar de keuken om een boterham met salami te maken, die ik opeet op de achtertrap. Ik heb nog precies zevenenvijftig minuten voordat Rosie mijn zoon weer terugbrengt.

'We hebben een reiswieg nodig,' zegt Jonathan, 'voor op de huwelijksreis.'

'Ze hebben er daar wel een,' antwoord ik. 'Ik heb het gevraagd.' De Brodies woonden niet meer op Netherall Farm in Kirkcudbrightshire, Schotland. De vrouw die opnam, een mevrouw Jackson, kon zich geen echtpaar Brodie herinneren en leek een beetje onwillig om ons een kamer te verhuren voor een week. Ten slotte gaf ze toe dat ze *bed & breakfast* deed, maar dat we elke dag van halftien tot vijf uur van de kamer moesten zijn. Ze klonk bazig en overwerkt. Ik vroeg maar niet of een spelletjeskast ook bij de voorzieningen hoorde.

'Ik heb liever dat hij in zijn eigen wieg slaapt,' zegt Jonathan, 'en niet in een splinterig oud ding met een vochtig matrasje.' Op de een of andere manier klinkt dit niet echt als een huwelijksreis.

Op een sombere zaterdagochtend gaan we naar Oxford Street om een reiswieg te kopen. Tenminste, dat is de bedoeling, maar Jonathan rijdt een heel andere kant op. De atmosfeer is drukkend en vochtig, alsof er onweer in de lucht hangt. We rijden een eindeloze reeks straten door tot we op de snelweg komen. Na een tijdje neemt Jonathan een afslag naar een gebied met niets anders dan velden, luie koeien en zo nu en dan een dorpje rond een brink.

Ik ben vastbesloten niet te vragen waar we heen gaan. Er is een kleine kans dat Jonathan een goedkope zaak in baby-artikelen heeft ontdekt in Koektrommelland, maar dat betwijfel ik. Jonathan zit wat te neuriën, alsof hij een cadeautje voor me heeft gekocht en niet kan wachten tot ik het openmaak.

'Is dit een mysterietocht?' vraag ik ten slotte.

Hij kijkt me snel en plagerig aan. 'Je zult het geweldig vinden,' zegt hij. Ik weet het al, nog voor hij stopt bij een pub die The Turkey heet en Ben uit zijn autozitje losmaakt. Met het kind op zijn arm haalt hij de buggy uit de kofferbak en schudt hem open. 'Ik wil je iets laten zien,' zegt hij, terwijl hij Bens riempjes vastmaakt en de veters van zijn eigen bleke denimschoenen strikt.

'Dit is veel te ver om te forensen,' zeg ik.

Jonathan wandelt langs een rij onberispelijke roodstenen cottages. 'Ik heb het precies berekend,' zegt hij. 'Het is niet veel langer dan een uur. En ik zou het leuk vinden. Ik kan gewoon wat lezen in de trein, of zelfs een taal leren.'

'Waarom zou je dat doen,' vraag ik, 'als je toch niet naar het buitenland gaat?'

We komen langs een kerk die ons met zijn gebrandschilderde ramen somber aanstaart. Daar moet ik dus 's zondags heen, terwijl ik niet eens gedoopt ben. 'Hier moet het ergens zijn,' zegt Jonathan peinzend, terwijl hij een straatnaam controleert. Wisteria Lane. Ik zei het al: Koektrommelland.

De huizen staan hier ver uit elkaar, met stevige stenen muurtjes tussen de percelen. Ergens klinkt zacht een radio. De vogels zingen. Je merkt de afwezigheid van vogels in de stad niet eens. Ik zou vriendschap kunnen sluiten met de vogels, net als dat rare duivenvrouwtje; brood in blokjes snijden en mijn gevederde vriendjes aansporen om het dorp te bevuilen met hun poep.

Jonathan blijft abrupt staan voor een mooi vierkant huis met vier identieke ramen en een glimmende rode deur, als in een kindertekening. Hij zwaait het tuinhek open. Op de witgeschilderde stoep staan terracottapotten knus bij elkaar. Aan een houten paal, naast een vogelhuisje, zie ik het bord: TE KOOP. BEZICHTIGING UITSLUITEND OP AFSPRAAK.

'Nou,' zegt hij. 'Wat vind je ervan?'

Ik vind het perfect. Maar ik wil het niet.

'Zie je?' zegt hij. 'Je staat sprakeloos. Geweldig, niet? Nog mooier dan in de folder van de makelaar. De foto doet het geen recht.'

'Welke makelaar?'

'Canning and Walker. Ze hebben de gegevens opgevraagd van hun regionale kantoren. Ik wilde je geen valse hoop geven totdat ik het juiste huis gevonden had.' Hij pakt mijn hand. 'Laten we gewoon even kijken,' zegt hij zacht.

'Je kunt niet zomaar aanbellen. Je moet een afspraak maken.'

Hij kijkt op zijn horloge. 'Gary kan hier elk moment zijn. Hij zal ons rondleiden. De familie is er niet. Hij zegt dat het precies is wat ik... wat *wij* zoeken.'

En daar verschijnt hij bij het tuinhek, de man die weet wat andere mensen zoeken. Hij is zongebruind en schudt mijn hand zo heftig dat ik het in mijn schouder voel. 'Schattige baby,' zegt hij. Ben staart hem zuur aan, alsof hij op een citroen kauwt.

Ik draag hem naar binnen. De hal heeft een houten vloer. Langs de muur staan kaplaarzen in keurige paren, allemaal met de neuzen dezelfde kant op. Die van de volwassenen zijn groen, de kinderlaarzen zilver met een patroon van wolkjes. Drie kinderen van verschillende leeftijden. Een groot gezin. Een groot gezinshuis.

'De keuken zal je bevallen,' zegt Gary enthousiast, in de veronderstelling dat het mijn domein wordt. Jonathan mag komkommers telen in de kas.

De keuken heeft gevlekte leistenen plavuizen en is ingericht met glimmende rode apparaten. Aan de kastjes hangen kindertekeningen. Een ervan is een tekening van 'Mamma', een lachende dame met lang zwart haar en dunne wimpers. Een andere tekening beeldt 'Pappa's nieuwe auto' af, die meer op een minibus lijkt.

En Jonathan heeft gelijk. Het huis is werkelijk perfect. Keurig opgeruimd, met een lekker luchtje en genoeg rommel om ons te verzekeren dat hier een echt gezin woont. Een goed functionerend gezin. De Lego is opgeborgen in een hutkoffer die ze op een veiling hebben gekocht. De moeder met de dunne wimpers maakt de avond tevoren al de lunchtrommeltjes voor de kinderen klaar. Ze eten gezond, want ik zie vers groenteafval in die grote Belfast-gootsteen. Wat doet pappa voor de kost? Hij is advocaat. Eliza zou hem geweldig vinden. Ze zou minder op hebben met het Aga-fornuis. Ik weet echt niet waarom een oven zoveel deuren nodig heeft.

'Genoeg kamers om in te groeien,' zegt Gary, als hij ons meeneemt naar de huiskamer. 'Dat is prettig, als je een gezin begint.' Lieve God, hoeveel kinderen worden er nog van mij verwacht? Moet ik de komende jaren constant met een dikke buik rondlopen terwijl ik de kraam beman van 'Hoeveel Smarties Zitten Er In De Pot'?

'Ik zal het jullie boven laten zien,' zegt Gary. De ouders hebben de grootste kamer. Alles is wit, zelfs de vloerplanken. De geborduurde beddensprei is zelfs witter dan wit. Als ze seks hebben, dan héél schone seks. 'Vredig, vind je niet?' zegt Gary met een strak lachje. 'En de kamers zijn zo licht. Echt een plek waar je op zondagochtend wakker zou willen worden.'

'Hoe oud is het?' vraagt Jonathan.

'Eind negentiende eeuw. Het is zeldzaam om nog zo'n groot huis uit die tijd te vinden. Dit is een populair dorp. De basisschool is een van de beste van de provincie.'

Ben zit op de witte vloerplanken en probeert een wijsvinger in een spleet te wringen. Jonathan kijkt steeds naar mij om mijn reacties te peilen. 'Er is veel belangstelling voor dit huis,' zegt Gary als hij ons voorgaat naar de kinderkamers. Elke deur heeft een naambordje: Eddies kamer, Sophies kamer, Martha's kamer. Het moeten kinderen zijn die het goed doen op school en gezellig aan die keukentafel komen zitten om hun huiswerk te maken op het vertrouwde gemurmel van Radio 4. 'Ik laat jullie even alleen,' zegt Gary. 'Dan kunnen jullie de atmosfeer opsnuiven.'

Jonathan draagt Ben naar de huiskamer en zet hem op een rond etnisch kleed. 'Zo,' zegt hij verwachtingsvol.

'Zo,' herhaal ik.

'Ik vind dat we een bod moeten doen.'

'Laten we er nog even over nadenken.'

'Kun jij hem doordeweeks bellen? Hij heeft je toch zijn kaartje gegeven?'

Ik zoek in mijn tas. Bens flesje heeft gelekt. Gary's kaartje is nat, maar nog wel leesbaar. Geen Gary, maar Garie. Origineel gespeld. Ik zou nog geen tandenborstel van een Garie willen kopen, laat staan een huis.

We zeggen dat we nog contact zullen opnemen. Garie pakt Bens hand en koert: 'Tot ziens, kleine man.'

Ben barst spontaan in huilen uit. De hemel is van kleur veranderd en er dreigt een noodweer. Met een grommende donderklap valt de eerste regen. Haastig gaan we ervandoor, langs een fauteuil in de hal, die te groot is voor die ruimte en duidelijk voor een andere kamer is bestemd. Hij is plomp, met wijnrood corduroy, zo'n stoel waar je nooit lekker in zult zitten. En hij is nieuw. Dat weet ik, want de plastic hoes zit er nog om.

Eliza belt om te zeggen dat ze de ideale trouwjurk heeft gevonden. 'Je kent hem nog maar pas!' zeg ik verwijtend. 'Hij is veel te jong voor zo'n grote stap.'

'Niet voor mij en Dale, idioot, maar voor jou. Hij is blauw, echt prachtig blauw, ik kan het je niet beschrijven.'

'Viooltjesblauw?' opper ik.

'Nee, meer pastel, met wat grijs. Op de hanger lijkt hij niet zo bijzonder, maar hij is prachtig van model en hij camoufleert je... nou, je weet wel.'

'Hoe duur?' vraag ik.

'Dat is het punt. Je kunt hem gratis krijgen. Het is een zichtmodel van een modehuis. Ik hou hun dame wel aan het lijntje, alsof we hem kwijt zijn. Je draagt hem maar een dag, misschien maar een paar uur. Ze merkt het nooit.'

Trouwen in een jurk die niet van mij is? Dat klopt niet, hoewel ik niet precies weet waarom. Het is maar een jurk. Eén dag maar. Geen punt, zegt Jonathan, hoewel hij zich geruster zou voelen als ik de bloemist zou bellen over de tafeldecoraties.

'En ik heb zelf ook iets,' zegt Eliza, nog geestdriftiger. 'Paarsblauw, scheef geknipt. Het enige probleem is nog de schoenen.'

'DM's?' opper ik. 'Hebben ze die ossenbloedkleur nog?'

Daar gaat ze niet op in. Ze blaft instructies dat ik bij haar moet komen om te passen. 'Ik verheug me echt op die bruiloft,' zwijmelt ze opeens, vanuit haar pastelblauwe wolk.

Ik ga naar Beth om Rosie het interview voor *Lucky* te laten lezen. Het is heel voorzichtig geformuleerd, om haar niet te kwetsen. Het resultaat is daardoor nogal nietszeggend en saai. Chase zal het wel teruggeven voor een bewerking.

Ik hoop dat Rosie een vriendin heeft die ik kan interviewen voor de volgende *Mijn geheim*. Ik ben vergeten hoe snel een week voorbij vliegt. Op het moment dat ik mijn kopij inlever moet ik alweer aan het volgende verhaal beginnen. Zou Garie iets over zijn verleden willen onthullen als we dat vervloekte huis in Watton-by-the-Whatever kopen? Zo wanhopig ben ik al. Ik zou bereid zijn iemand te betalen om dat hele *Mijn geheim* van me over te nemen. Ik word wel dienster of bibliothecaresse, met rustige lunchpauzes en om vijf uur naar huis, zonder een deadline die in mijn nek hijgt.

Gelukkig is Beth nog bij haar moeder. Ze zal niet blij zijn dat ik haar au-pair heb geïnterviewd. Beth beschouwt Rosie als haar persoonlijk eigendom – een van die overbodige apparaatjes uit haar keuken. Ik bel aan. Rosie is zeker boven, in de kinderkamer, met de casetterecorder aan. Ik klop op de deur. Misschien is ze in de tuin. Ten slotte probeer ik de kruk. De deur zwaait langzaam open. 'Rosie?' roep ik.

Er speelt muziek in de huiskamer, een jazznummer zonder veel structuur. Meestal wordt hier geen muziek gedraaid. Beth bezit drie verplichte cd's: Phil Collins, Nina Simone en een verzamel-cd met love-songs en het silhouet van een kussend stel op het hoesje.

'Rosie?' roep ik naar boven. 'Ik ben het, Nina. Ik heb het artikel bij me.'

Een koele luchtstroom waait door de gang. De achterdeur staat open. Ik loop naar de tuin, in de veronderstelling dat ze bladeren staat te harken terwijl Maud in het waterige zonnetje slaapt. Maar de baby ligt in de keuken, schuin in haar box, luid snurkend. Ze heeft een houten rammelaar in haar opengevouwen handje. Ik zie haar brede borst langzaam rijzen en dalen. Haar luier is vol. Ze draagt een hemdje met de suggestie van tomatensausvlekken.

In de open keukenkast, onder Beth' kookboeken, staan Matthews trofeeën voor golf en lange-afstandslopen. Hij is overal goed in, Beth' echtgenoot. Hij neemt zelfs de zorg voor de baby over als zijn vrouw glazen dierfiguurtjes in tissue moet verpakken in een of ander dorp.

Ik controleer of Ben nog ligt te slapen in de gang en kijk dan door het keukenraam. Het glimt niet zo als anders. De tuin lijkt dampig en verwaarloosd. Vroeger, zei Beth, groef Matthew nog wel stukken van het grasveld uit om perkjes aan te leggen en blijvende planten neer te zetten. Maar daar is hij mee gestopt, tenzij Beth aandringt. Hij geeft de schuld aan Maud. Het onkruid groeit met haar mee. Het terras ligt er troosteloos bij. In augustus heeft Matthew nog een onhandige poging gedaan het gras te maaien, maar na één rondje gaf hij het al op.

Beneden, aan het eind, waar het gras nog hoger groeit, is al een heel jaar geen maaimachine geweest. Daar zie ik Rosie, met haar rug naar het huis. Ze beweegt op en neer, met haar jurk om haar middel gehesen. Eerst kan ik Matthew nergens ontdekken, omdat het gras zo hoog is. Maar dan zie ik hem, plat op zijn rug, met zijn handen om haar heupen, op een deken van 164 gehaakte lapjes, een paar meter van de plaats waar Beth haar verlovingsring is kwijtgeraakt.

Tijd voor je relatie

IK SLA DE HOEK OM VAN BETH' STRAAT ALS IK BESEF DAT IK DE BRUINE A4-envelop met Rosies interview niet meer bij me heb. Hij zit niet in de babytas die aan de handvatten van de buggy bungelt. En ik heb hem niet opgerold in de zak van mijn jeans gestoken. Dus heb ik hem ergens laten liggen. In Beth' keuken, misschien, naast de nieuwe sapmachine in fifties-stijl, ideaal voor drankjes en milkshakes, als je het deksel er maar goed op doet, wat Beth de eerste keer niet deed, zodat haar hoogontwikkelde kind met gepureerde aardbeien werd ondergesproeid.

Ik vraag me af of ik Beth' voordeur wel heb dichtgedaan in mijn haast om weg te komen. Misschien zwaait hij nu heen en weer, als een uitnodiging aan inbrekers, terwijl Matthew en Rosie de zaak afronden in de tuin.

Ik kan natuurlijk teruggaan en zeggen: 'Ik kwam je het artikel brengen... ach, hier is het, dom van me!... maar je was er niet. Ik hoorde wel muziek – zeker vergeten af te zetten?' Ik zal niets zeggen over Maud in haar box, want die kan ik gemakkelijk over het hoofd hebben gezien. 'Ik heb overal gekeken,' zal ik zeggen. 'Helemaal niemand. *Ik heb echt niets gezien.*'

Ze zullen nu toch wel klaar zijn? Met Rosie boven op hem, met die strakke, twintigjarige dijen, is zoiets toch snel bekeken. Zelden zal Matthew zo energiek in de tuin hebben gewerkt. Ze zullen de platte plek in het gras aanharken voordat ze met rode konen bij Maud gaan kijken. Hopelijk slaapt ze nog? Gelukkig. Nou, dan weer terug naar de normale bezigheden voor paps en de au-pair. Hij poetst zijn trofeeën, zij maakt een middaghapje klaar voor Maud. Als Beth belt, neemt Rosie de telefoon op. 'Ja hoor, alles gaat geweldig,' antwoordt ze op de toon van dat leuke meisje uit Kent. 'Natuurlijk mist ze je. Wij allemaal.' En ik denk aan Beth, gestrand in een dorp, waar ze glazen konijntjes inpakt en de minuten aftelt tot ze weer naar huis mag.

Ik zal het haar niet vertellen. Daarvoor zijn we niet innig genoeg. Het staat niet in mijn functiebeschrijving. Maar ze zal er wel achterkomen. Ooit maken ze een fout. Snel loop ik terug naar huis en trek de buggy hobbelend over de barsten in de stoep. Met een beetje geluk valt de bruine envelop in een miljoen deeltjes uiteen en verspreidt zich door Beth' keuken als een wolk meel.

Jonathan verschijnt met hoogrode wangen en twee tjokvolle draagtassen die hij als gigantische testikels voor zich uit houdt. 'Wat is dat allemaal?' vraag ik als hij de voorgewassen groente in cellofaan uitpakt. Een polystyreenbak met vierentwintig kippenpoten landt met een dreun op het aanrecht.

'Dit is nog niet alles,' zegt hij, happend naar adem. 'Morgenochtend haal ik de rest wel. Dan kan ik met de marinades beginnen. Tegen twee uur steek ik de barbecue aan. Het weerbericht voor morgen is gunstig, dat heb ik al gecontroleerd.'

Nu weet ik het weer: de familiebijeenkomst. Mijn ouders en Constance moeten kennismaken, nog net op tijd voor onze bruiloft, om de indruk te wekken dat onze families al jaren gezellig met elkaar omgaan. 'Heb je nog over dat huis nagedacht?' vraagt hij, terwijl hij een batterij flessen neerzet die in kleur variëren van beige tot mosgroen.

Ik kan niet nadenken. Ik zie nog steeds Rosies donkere krullen, dansend rond haar schouders. 'We moeten een besluit nemen,' zegt Jonathan. 'Garie belde me. Ik heb hem gezegd dat we het enig vonden. Hij waarschuwde me dat er deze week nog drie andere stellen komen kijken.'

Of we het leuk vinden? Waarom niet? Zo'n goed onderhouden cottage valt bij iedereen wel in de smaak.

'Natuurlijk zegt hij dat,' antwoord ik redelijk. 'Heb je ooit een makelaar ontmoet die de waarheid spreekt? Hij wil ons onder druk zetten, zodat hij zijn courtage kan opstrijken. Misschien mankeert er van alles aan – het dak, de goten, optrekkend vocht...'

'Vond jij dan dat het vochtig rook?' vraagt hij, terwijl hij de lege draagtassen in een draagtashouder propt (een witte plastic container aan de binnenkant van de gangkast, voorzien van gaten, waardoor je de zakken makkelijk eruit kunt trekken; een klassiek ontwerp, volgens Jonathan).

'Laten we wachten tot na de bruiloft,' stel ik voor.

'Dan is het er niet meer.'

In gedachten zie ik een gat waar het huis heeft gestaan, met de kaplaarzenfamilie droevig bij het hek, starend naar de lege plek. 'Ik ben vandaag bij Beth en Matthew geweest,' zeg ik plompverloren.

Hij zucht ongeduldig. 'Ik heb geprobeerd Matthew op zijn werk te bellen. We zullen toch een vrijgezellenavond moeten organiseren of in elk geval een biertje gaan drinken. Maar hij was vertrokken naar de geldautomaat en niet meer teruggekomen. Niemand wist waar hij uithing.'

Ik begrijp werkelijk niet waarom hij Matthew als getuige heeft gevraagd. Dat had Billy moeten zijn. Die toont tenminste nog enige interesse voor de bruiloft. Hij wil een vrijgezellenavond houden op de hondenrenbaan of in een club voor Elvis-imitators. En op de trouwerij zelf wil hij een eigen compositie spelen. Tot mijn ontzetting heeft hij zelfs een accordeon gekocht.

Als de boodschappen zijn uitgepakt veegt Jonathan zijn voorhoofd af met zijn mouw. Waarom trekt hij zijn jasje niet uit nu hij thuis is? Ik til het van zijn schouders. Zijn overhemd voelt vochtig; het lijkt wel gestoomd. Hij kust me aarzelend, alsof hij bang is dat ik zal bijten. Ben schuift over de keukenvloer. Ik voel Jonathans handen op mijn rug, mijn gezicht en in mijn haar. Ben maakt jammerende geluidjes, misschien uit angst dat zijn ouders hem zullen vergeten en naar de slaapkamer verdwijnen. Baby's houden er niet van dat volwassenen openlijk affectie tonen; dat gedoe met die lippen op elkaar. Dan voelen ze zich buitengesloten. Jonathan duwt me naar de gang. Hij kust me nu minder bedeesd, tegen de kast; die met de draagtasautomaat tegen de deur.

'Awaa!' hoor ik een kreet uit de keuken. Ben is nu echt bang. Ze gaan het doen, denkt hij. Een baby maken. Een akelig broertje of zusje

dat onder zíjn speelboog komt te liggen en het beste modellenwerk zal inpikken.

Hij huilt nog harder nu. 'Niets aan de hand,' fluistert Jonathan. 'Laat hem maar even.' Er klinkt een onderdrukt gekreun als onze zoon zich – duidelijk kruipend, niet schuivend op zijn billen – van de keuken naar de gang beweegt. Zijn onderlip steekt als een plank naar voren.

'Ik moet je iets vertellen,' zeg ik, op het moment dat er iets aan mijn enkel rukt. Ben gebruikt allebei zijn handen in een vergeefse poging zich aan mijn been omhoog te trekken. 'Matthew was niet op zijn werk,' begin ik voorzichtig. 'Hij was thuis. In de tuin. Ik wilde...'

'Dat zal tijd worden. Heb je hun grasveld gezien? Eerst geven ze al dat geld uit aan een terras en die grote stenen potten, en dan verwaarlozen ze de zaak weer in een wip.' Als hij dat zegt, *in een wip*, ontsnap ik haastig naar de keuken en de koelkast.

Constances onwaarschijnlijk kleine voeten zijn in okerkleurige veterschoenen gestoken. Ze draagt een donkerbruin, hooggesloten vest met een plooirok waaraan ze voortdurend zit te plukken. Ze wil helpen en probeert zich toegang te verschaffen tot de keuken, maar Jonathan stuurt haar steeds weer naar buiten. 'Rustig nou, mam,' zegt hij. 'Praat met Nina.'

Constance tuurt tegen de scherpe oktoberzon in. Ze voelt zich opgesloten in dit tuintje, met haar aanstaande schoondochter en Ben op haar schoot, die haar aangaapt alsof ze uit een ruimteschip is gestapt. Jonathan brengt twee glazen wijn. Constance schudt haar hoofd en gebaart dat hij haar glas op de tegels moet zetten. Ze is niet in een spraakzame bui. We staren naar de bakstenen muur van onze achtertuin alsof daarop elk moment de nieuwste film kan worden geprojecteerd.

Mijn ouders zijn laat. Of misschien zijn ze het helemaal vergeten. Toen ik belde om hen uit te nodigen leek mijn moeder zelfs haar hersens te pijnigen wie ik was. 'We vonden dat jullie Constance moesten ontmoeten,' zei ik, 'omdat jullie straks naast elkaar zullen zitten op het stadhuis.'

'Constance?' klonk haar verre stem, alsof ze de hoorn op armlengte hield.

'Jonathans moeder,' zei ik, en ik wachtte op: 'Jonathan? Met wie spréék ik eigenlijk?' Maar ze antwoordde nog net op tijd: 'O! Natuurlijk komen we. We vinden het ook heerlijk om... de baby weer te zien.' Misschien was Bens naam haar ook ontschoten.

Ze arriveren als de kip al spetterend op het rooster had moeten liggen om een heerlijke lucht te verspreiden, maar het vuur is niet heet genoeg. Jonathan pookt met een lange vork de houtskool op. Typisch barbecue-gedrag, dat mannen de kans geeft zich aan familiesituaties te onttrekken. Constance wrijft haar schoenen tegen elkaar en huivert. Ze houdt Ben op schoot, maar hij zou ook een theepot kunnen zijn, zo weinig contact is er tussen hen.

Tegen de tijd dat mijn ouders binnenstappen, heeft Jonathan de kooltjes met aanstekerbenzine overgoten in een poging het vuur wat op te stoken. Mam snuift luidruchtig. Ze wil natuurlijk een sigaret. Dat mag, omdat we buiten zitten. Ze vraagt zich af of iemand toch bezwaar zal maken. Waar kan ze gaan zitten om te voorkomen dat haar rook in Constances gezicht waait? Ze zoekt in haar tas, haalt er een slap pakje uit en steekt op. Constance kijkt met waterige ogen naar mijn moeder en dan weer naar de muur.

Pap buigt zich naar Jonathan bij de barbecue. 'In het midden is het nooit doorbakken, hè?' zegt hij. 'Je denkt dat het klaar is, maar dan neem je een hap en is het nog bloederig.'

Bij het woord 'bloederig' kijkt Constance mijn vader nijdig aan. 'Zeg dat nou niet, Jack,' berispt mijn moeder hem. 'Jonathan doet zijn best.' Ze draait zich naar Constance. 'Vindt u het niet geweldig, dat hij kookt? Dat is zijn terrein, zegt Nina. Zij haalt alleen wat bij de speciaalzaak en legt het op een bord,' besluit ze lachend. Constance kijkt nors en schijnt het op te vatten als het bewijs – voorzover nodig – dat ik nooit een modelechtgenote zal worden. 'Wat krijgen we te eten op jullie bruiloft, Nina?' vraagt mijn moeder.

'Het is maar een buffet. Zalm en andere vis, salade en nog wat dingetjes.'

'Wij eten ook heel simpel in Frankrijk, nietwaar, Jack? We hebben daar een huis,' zegt ze tegen Constance.

Nu ziet Constance mijn ouders als leden van de jetset of de lagere adel, met overbodige huizen verspreid over heel Europa. Niet dat mijn moeder een verpletterende indruk maakt – ze draagt een verschoten jurk met een klimopmotief, die eruitziet alsof hij de volgende was niet zal overleven – maar misschien heeft ze bewust voor casual gekozen.

'Verheugt u zich op de bruiloft?' vraagt ze. Haar poging om vriendschap met Constance te sluiten dreigt te stranden.

Constance staart naar mams gekreukte kraag en zegt: 'Wat?'

'De bruiloft. Of u...'

'Ik ben nog nooit op een bruiloft geweest,' gromt Constance.

'Behalve uw eigen,' zegt mijn moeder.

Constances ogen, onopvallend grijs, krijgen opeens een doordringende gloed. 'Ik ben nog nooit op een bruiloft geweest. Jonathans vader en ik waren niet getrouwd. Jonathan,' zegt ze, wat luider nu, 'wil je me thuisbrengen voordat het te laat wordt? Ik heb liever niet dat je in het donker rijdt.'

'Dit is Londen, mam,' zegt hij, terwijl hij een smeulende kippenpoot inspecteert. 'Het wordt hier nooit echt donker.'

'Ach, dat spijt me,' zegt mijn moeder tegen Constance.

Jonathan verdeelt de kip over de borden, vergeet de salade door te geven die nog in een glazen schaal in de keuken staat, en giet wijn in zijn keel alsof hij gorgelt.

Mam kijkt naar haar bord. 'Dit ziet er heerlijk uit,' zegt ze, 'maar ik hou het toch maar bij brood. Ashley is niet gerust op de antibiotica in kip.'

'Het is organisch,' zegt Jonathan.

'Het wordt laat,' mompelt Constance. 'Jonathan?'

Maandag: Opnames bronwater. Wit kruippakje en speelgoed meenemen.

Dinsdag: Mijn Geheim inleveren. Wie moet ik interviewen???

Woensdag: Wijn en taart voor de bruiloft bestellen. Cheque naar The Fox. Kaarten regelen. Transport van stadhuis naar The Fox? Wegenwachtcommercial, begin 3 uur? Naar Eliza om jurk te passen.

Donderdag: Kerstauditie, 2 uur? Navraag bij Lovely.

Vrijdag: Jonathan jarig. Beth oppassen?

'Ze hebben het gered,' zegt Beth, 'maar het gaat altijd anders dan je het zelf zou doen.' Ze is terug van haar moeder, molliger en minder beduimeld rond de boezem. 'Ik miste hem, weet je,' gaat ze verder. 'Misschien is dat wat we nodig hadden: even vakantie van elkaar.' Ze heeft een zwartgeschilderd bordje meegebracht met de naam MAUDIE en twee goudvissen die ze op een fancyfair heeft gewonnen. Die komen op de kinderkamer. Rosie zal de vissenkom schoonhouden omdat vissen volgens Beth onder speelgoed vallen en dus tot Rosies domein behoren.

'Ik neem aan dat jullie dat huis buiten de stad niet kopen?' merkt Beth op, terwijl ze een miniatuurscheepswrak in de vissenkom zet.

'Ik probeer het af te houden, maar het zal vrijdagavond wel weer opkomen. Dan is hij jarig. Wil jij oppassen?'

'Geen probleem,' zegt ze, maar het klinkt een beetje nerveus. Ben is immers een jongen en hij heeft het deksel van haar teddybeer-koekjestrommel al kapotgeslagen.

'Om een uur of zeven?'

'Goed,' zegt ze, en voegt er dan enthousiast aan toe: 'Weet je wat nog het mooiste was toen ik terugkwam? Hij had eindelijk het gras gemaaid.'

De week vliegt voorbij met haastige memo's en de angst om maar één seconde te laat te zijn. De bronwatercommercial wordt opgenomen tegen een kale witte achtergrond met druppels water uit een sprinkler van boven. De regisseur is een zorgelijke man met een grote kin. Hij beweegt zich schokkerig, alsof hij uit steen gehouwen is. Ben zit op de grond op stapels luchtkussenfolie of zoiets. Als het water omlaag komt verwacht ik dat hij zal maken dat hij wegkomt – of in elk geval naar me toe zal kruipen – maar hij ondergaat het lachend en slaat met zijn vingertjes naar de glinsterende druppels. De andere baby, die in reserve wordt gehouden, hoeft niet op te treden. 'Dat geeft niet, het was een leuk uitstapje,' zegt zijn moeder, bitter teleurgesteld.

De volgende morgen werk ik de kranten door, op zoek naar een onderwerp voor *Mijn geheim*, maar ik kan niets vinden. Ik vraag Eliza of zij haar verhaal wil vertellen: *Mijn piepjonge minnaar*. Maar ik hoor haar honend lachen door de telefoon. *Lucky* is niet bepaald haar blad. Ze zou het hooguit voor de kattenbak gebruiken. Ik vraag me af wat Chase van het lap-dancinginterview vindt. Ik had geen tijd meer om Rosie het eerst te laten lezen. Misschien heeft ze het gevonden, ergens in Beth' keuken, maar ik heb er niets over gehoord. Ik ga niet meer naar dat huis. Ik wil wel bellen met Beth, maar steeds als ik haar onder ogen kom, ben ik bang dat ze in oplichtende letters op mijn zorgelijke voorhoofd zal lezen: *Ik heb gezien dat ze het deden! Ze hadden Maud in de box gelegd, in een vuil hemdje met een stinkende luier.*

Jess van *Lucky* belt en vraagt of ik deze keer wat meer details kan verwerken. Ze zullen het lap-dancingverhaal plaatsen zoals het is, omdat de tijd voor een bewerking ontbreekt, maar ze hadden iets meer verwacht. Ze praat met een hoog stemmetje, alsof ze de schoolzuster om maandverband moet vragen. 'Hebben jullie al foto's gemaakt?' vraag ik.

'Ja, gisteren. Heel natuurlijk, zei de fotograaf. Een leuk meisje. Je zou niet verwachten dat ze zulke bedenkelijke dingen deed.'

'Stille wateren,' zeg ik.

'Krijg ik vandaag je verhaal voor deze week?' vraagt Jess.

'Het is bijna klaar,' mompel ik.

Na Bens lunch loop ik met hem door het park tot hij in slaap valt in zijn buggy. Weer thuis typ ik een verzonnen verhaal voor *Mijn geheim* over een vrouw die weet dat haar man een affaire heeft, maar het zo laat omdat hij haar nu niet meer lastigvalt voor seks. Als het af is, op hetzelfde moment dat Ben weer wakker wordt, geloof ik bijna dat het een echt interview is.

Ik mail het naar Jess bij *Lucky*, met de opmerking dat de vrouw niet met haar foto in het blad wil. Ze moeten maar een standaardfoto uit de la nemen. Of Jess kan zich zelf laten fotograferen. Het zal mij een zorg zijn.

De Wegenwachtcommercial wordt opgenomen langs de berm van de M1. Ben hoeft alleen maar fotogeniek te zijn terwijl hij uit een auto wordt getild door een Ierse acteur die ervaring heeft met de rol van zorgzame vader. Hij is een soort Ranald. Waarschijnlijk zou hij binnen een minuut een tent kunnen opzetten. De enige keer dat hij glimlacht, is als hij Ben aan me teruggeeft.

Jonathan komt thuis van zijn werk met de klacht dat zijn team geen eenheid vormt, ondanks het vijverproject van drie dagen. 'Iedereen doet maar wat voor zichzelf,' zegt hij. 'Ik zal ze eens toespreken.' Ik vraag me af hoe. Jonathan is geen type om met zijn vuist op tafel te slaan. 'Hoe ging het met de auto?' vraagt hij. Eén moment ben ik bang dat hij me heeft bespioneerd en Ben in de armen van een nepvader heeft gezien. 'Je zou een minibus boeken,' verduidelijkt hij geërgerd. 'Om iedereen van het stadhuis naar The Fox te rijden.'

'Kunnen we geen taxi's nemen?' opper ik. 'Het zijn maar twaalf mensen. Ze kunnen ook...'

'Laat maar, ik doe het zelf wel,' snauwt hij. Hij speelt een bericht op het antwoordapparaat voor me af van Eliza, die me eraan herinnert dat ik om acht uur bij haar zou komen.

Ze ziet eruit alsof ze de laatste tijd te veel seks heeft genoten voor één enkel mens. Haar flat lijkt een uitdragerij, een rommelmarkt waar de beste spullen al bij de eerste ronde zijn weggehaald.

De jurk hangt voor het raam van Eliza's logeerkamer. De kleur ligt ergens tussen blauw en grijs. Aan de schouder hangt een label met de simpele tekst: ZICHTMODEL. MOET TERUG. Ik pas hem zonder het label te verwijderen. 'Draai je eens om,' beveelt Eliza. Mijn lichaam voelt slap en zakkerig. Ik heb steun nodig, een hele steiger.

'Van achteren zit hij wel goed,' zegt ze.

De set voor de kerstauditie is versierd met suffe groene slingers, waarschijnlijk om de baby's in feeststemming te brengen. Het is reclame voor speelgoed en huishoudelijke artikelen, 'rechtstreeks vanaf de pagina naar uw voordeur'. Hoe zal ik me voelen als Jonathan een set van drie steelpannen met glazen deksels voor me koopt? Die dingen gebeuren. Beth was woedend toen Matthew haar de vorige kerst een pedaalemmer gaf. Ze was toen al flink zwanger en vertelde me het verhaal op zwangerschapsgym. Het was een mooie pedaalemmer, slank en geel, en Matthew had er drie flessen Moët in gedaan. Maar Beth wilde helemaal geen pedaalemmer en omdat ze in verwachting was mocht ze ook geen champagne drinken.

Jonathan en ik hebben nog niet over Kerstmis nagedacht. Morgen is hij jarig, dat vind ik al lastig genoeg. Onder ons bed liggen twee pakjes: een koffertje met scherpe hoeken en een zwaar ogend combinatieslot (hoewel hij nog een mooi koffertje heeft) en een drie-stappen-huidverzorgingsset voor mannen in een etui van donkergrijs corduroy. De verkoopster dacht misschien dat het cadeautjes voor mijn vader waren.

'Zenuwachtig?' vraagt een vrouw met een kind dat niet rustig te krijgen is, zelfs niet met de slingers en de witte sterren die aan het plafond bungelen.

'Nee. We hebben dit al eerder gedaan.'

Ze kijkt van Ben naar mij. 'Jullie zitten bij Little Lovelies, hè? En dit is de beroemde Ben.'

De Beroemde Ben kijkt me aan met een vuist vol sterretjes en een uitdrukking op zijn gezicht van: Moeten we nog auditie doen? Weten ze niet wie ik ben?

Het is niet Beth die op vrijdagavond verschijnt, maar Rosie. 'Je vindt het toch niet erg?' vraagt ze, terwijl ze Ben op haar arm neemt in zijn ritspyjama. 'Beth zei dat ze wat tijd alleen met Matthew wilde. Mooie jurk.'

Afgezien van een paar keer passen heeft de zwarte jurk te lang in tissue gehangen, op een donkere plaats, net als de glazen diertjes van Beth' moeder. Hij ruikt muf en lijkt niet zo zwart als hij zou moeten zijn. De schoenen zitten ellendig. Ik ben dergelijk gewaagd schoeisel niet gewend.

Jonathan draagt een lichtblauw shirt met een onopvallende zwarte broek. Veel verder wil hij niet van zijn kantoorkleding afwijken. Hij staart naar mijn jurk en wil iets zeggen, maar niet waar Rosie bij is. We laten uitvoerige instructies achter: over wat ze moet doen als Ben niet wil gaan slapen. De *Onmisbare gids* adviseert een proefavondje: de oppas laten komen zonder zelf uit te gaan, wat nogal zinloos en pijnlijk lijkt. Wat moeten de ouders dan? In de keuken blijven hangen met een glaasje wijn, alsof het een café is? Jonathan wijst Rosie waar de luiers, de doekjes en de Calpol liggen, hoewel Ben is verschoond en geen koorts heeft. Ik heb al zijn speelgoed klaargelegd, behalve de roestige fiets die hij van mijn moeder heeft gekregen, zodat hij zich niet in de steek gelaten zal voelen.

'De nummers van mijn pieper, mijn mobieltje en dat van Nina, en het telefoonnummer van het restaurant.' Jonathan geeft haar een lijstje, met alles in hoofdletters: BRAZIL TOT NEGEN UUR, DAN DE ODEON. DE FILM EINDIGT OM 11.15. WE ZIJN ROND 11.45 THUIS.

'Daar is onze taxi,' zeg ik, ongeduldig om te vertrekken voordat Ben de bijna naakte voeten van zijn moeder ontdekt en vermoedt dat ik ga vertrekken naar een mysterieuze plek waar alcohol wordt geschonken.

Jonathan stapt in de taxi en slaat wat onzichtbaar stof van zijn dijen. Ik ren terug om Rosie te zeggen dat Ben zijn avondflesje in één keer leegdrinkt en er dan nog een wil. Ze moet het rustig aan doen, met veel pauzes, en hem goed laten boeren. Maar dat hoef ik haar niet uit te leggen. Ze weet veel meer van baby's dan ik.

'Ik vond het interview heel goed,' zegt ze, als ze met Ben op haar arm in de deuropening staat. 'Je hebt het precies opgeschreven zoals ik het heb verteld.'

'Ik heb mijn best gedaan.'

'Ik wilde je even bedanken,' zegt ze.

Jonathan eet niet graag buiten de deur, maar de Brazil is geen echt restaurant – gewoon een tapasbar, zo druk dat je nauwelijks aandacht hebt voor wat er op je bord ligt. We staan bij de deur, waar het minder rokerig is, allebei met een glas wijn. Jonathan glimlacht geforceerd, elke keer dat zich iemand langs hem heen wringt naar de sigarettenautomaat. Een stelletje staat op van een van de tafeltjes op de vloer en laat een chaos achter van vette bordjes, gescheurde servetjes en een asbak vol peuken en flessendoppen.

Het tafeltje wiebelt. Jonathan haalt een visitekaartje uit zijn portefeuille, vouwt het op en steekt het onder een zilverkleurige poot. Maar het tafeltje blijft vervaarlijk wiebelen als we erop leunen. De ober neemt onze bestelling op zonder ons aan te kijken. Een groep van vijf zongebruinde vrouwen aan het tafeltje naast ons applaudisseert als er een grote kan rode drank verschijnt, versierd met gesneden vruchtjes.

We zijn er niet aan gewend om samen te zijn zonder door Ben te worden afgeleid. Ik vraag me af of de gebruinde meisjes denken dat het ons eerste afspraakje is. We moeten het nog leren. Onze zinnen beginnen met 'Nou...' Maar de meisjes letten helemaal niet op ons. Waarom zouden ze ook? Een van hen krijgt een sms-je en laat het de anderen zien, die joelen als puppy's. Jonathan pakt mijn hand onder het tafeltje en knijpt erin.

Ik zal het hem vertellen, zo meteen, als het eten is gebracht. Ik wil geen ober in de buurt, bezig met de borden, als ik Jonathan opbiecht dat zijn zoon binnenkort op de nationale televisie zal verschijnen, rijdend in een winkelwagentje, met de stem van een vijfenveertigjarige man. Je hebt een rustig moment nodig om hem uit te leggen dat je zo hondsmoe bent omdat je spotjes hebt opgenomen voor bronwater, de Wegenwacht en een kerstauditie, om nog maar te zwijgen over de toenemende spanning om weer een aflevering voor *Mijn geheim* te moeten inleveren.

Ik prik wat in een baby-inktvis en een vis in een slijmerige tomatensaus, met graten waar je ze niet verwacht. Ik arrangeer de graten op mijn bordje. De zongebruinde meisjes roepen naar een verbijsterend aantrekkelijke blonde jongen met een map onder elke arm. Hij kust alle meiden en wordt gesmoord in decolletés.

Jonathan, ik heb je iets te zeggen.

Een stukje inktvis, een tentakel of zo, blijft steken in mijn keel. Ik krijg het niet weg. Het heeft zich halverwege vastgeklemd met zijn zuignapjes. Jonathan kijkt me aan en grijpt zijn vork vast. De blonde jongen masseert speels de schouders van het luidruchtigste meisje. Hun kan is al leeg. Drie van hen steken een sigaret op en roken met snelle, oppervlakkige halen.

'Ik weet niet hoe ik moet beginnen,' zeg ik.

Jonathan knippert snel met zijn ogen en legt zijn vork neer. 'Over het huis, bedoel je? Je hebt er geen zin in. Je wilt niet verhuizen.'

De ober duikt bij ons tafeltje op. 'Klaar?' vraagt hij, met een blik op de borden, die we nauwelijks hebben aangeraakt.

'Ja, dank je,' zegt Jonathan.

'Wilt u verder nog iets?' Hij kijkt naar de gebruinde meisjes terwijl hij onze borden op een roestvrijstalen blad stapelt.

'Nee, dank je,' zeg ik. Het luidruchtigste meisje wenkt de ober, zwaaiend met de lege kan.

'Het huis is toch al verkocht. Tenminste, ze hebben een bod geaccepteerd. Ik heb Garie nog gebeld. Hij zal uitkijken naar iets dat wat dichter bij de stad ligt.'

Hoe dicht precies? Je woont in de stad of erbuiten. Ik zit nog liever opgesloten in Koektrommelland dan in die halve buitenwijken vlak bij de North Circular Road. 'Het gaat niet om het huis,' zeg ik, terwijl ik me afvraag of de tentakel weer omhoog zal komen, naar beneden zal zakken of operatief verwijderd zal moeten worden door dat negenjarige doktertje in het ziekenhuis.

'Je wilt niet nog een kind. Dat geeft niet. Het is waarschijnlijk nog te vroeg. We moeten nu eerst aan de bruiloft denken.'

Hij lijkt verpletterd. Zijn hals is roze boven zijn lichtblauwe shirt. Hij heeft een sneetje in zijn wang van het scheren. Hij draait de steel van zijn wijnglas tussen zijn vingers en er zit een spetter vleessaus op zijn manchet.

Iemand komt Brazil binnen, ziet me zitten en davert onze kant op in een reusachtige saffierkleurige jurk, die zonder zichtbare zomen of structuur van haar nek tot op haar enkels hangt. Het Viltvrouwtje buigt zich naar me toe en buldert: 'Nina, sorry dat ik niets van me heb laten horen! Hij had een infectie op de borst. Vochtigheid, ben ik bang. Ik maak nu mijn eigen papier en er staan emmers met pulp door de hele flat.' Ze kijkt verwachtingsvol naar Jonathan.

'Dit is Jonathan, mijn verloofde,' zeg ik schor. Ik weet haar naam niet meer. Begint die met een F of een H, of is dat haar kind?

Ze steekt een arm uit. Jonathan geeft haar een hand. 'Ik ben Charlotte,' zegt ze, voordat ze een verwarde blik op mijn jurk werpt en in de krochten van Brazil verdwijnt.

We betalen en drinken onze wijn op. Jonathan pakt mijn hand als we vertrekken. Ik voel me wat te oud om hand in hand te lopen. We blijven staan voor de etalage van een huishoudelijke zaak die globelampen en kwetsbare tafeltjes verkoopt voor babyvrije huizen. 'Is het de trouwerij?' vraagt hij. 'We hoeven er niet mee door te gaan als je niet wilt.' Rosie flitst door mijn gedachten. Ze ligt nu opgerold op onze leren bank, met de afstandsbediening, en loopt zo nu en dan even naar de slaapkamer om bij Ben te kijken.

'Het voelt zo vreemd,' zeg ik, 'om samen uit te zijn. Het is de eerste keer sinds de geboorte van Ben, of niet?'

Zijn hand glijdt over het blote stukje van mijn rug. Ik trek mijn dunne jasje om me heen. 'Als dat alles is...' zegt hij.

'Ik wil heus met je trouwen,' zeg ik tegen hem.

Omdat iedereen de film al minstens zes maanden geleden heeft gezien, is de bioscoop maar voor eenderde gevuld. We zijn nog nooit samen naar de film geweest. Ik vraag me af of Jonathan iemand is die bij de aftiteling blijft zitten tot het licht aangaat, of meteen opspringt en naar de uitgang loopt. Ik denk het eerste. Bovendien lijkt hij me geen man voor hotdogs, popcorn of frisdrank met een rietje door het deksel.

Er zijn trailers voor films waar ik nog nooit van heb gehoord, met ongelooflijk grote sterren, te oordelen naar de nadruk die er op hun namen wordt gelegd. Ik had hen moeten kennen en alle feitjes over hun privé-leven in mijn geheugen moeten prenten. Ik ben immers journalist. Maar beroemdheden zijn niet mijn terrein. Ik interview gewone mensen die veel vreemdere dingen doen dan acteurs. En als ik niemand kan vinden, verzin ik zelf wel wat.

Dan komt de reclame. Een model zo rank als een gazelle, zo'n meisje met wie Eliza ook werkt. Ze zit op een steiger en drinkt iets dat van perziken is gemaakt. Dat zou ik zelf kunnen zijn, op onze huwelijksreis (maar met dikkere benen), als Jonathan niet naar een boerderij in Schotland had gewild. Ik houd hem mijn popcorn voor, maar hij bedankt.

En er is een commercial voor badproducten. Een groep kleine kinderen speelt in een opblaasbadje. Je ziet close-ups van grote ogen met vochtige wimpers, een gorgelend tandeloos mondje, dan een complete baby, half boven het water op een drijvend eendje. Hij plenst wat met zijn vuistje, brengt een hand naar zijn mond en zuigt op zijn vinger. Het beeld bevriest.

Little Squirts. Omdat wij net zoveel om uw baby geven als u.

De film begint. Kevin Spacey in een Amerikaanse voorstad. Er gaat iets verschrikkelijks gebeuren, dat is wel duidelijk. Een heel sexy, heel jong meisje rolt wat heen en weer in potpourri. Een vreemde puber maakt problemen. Op de een of andere manier smaakt mijn popcorn zoet en zout tegelijk. Het bolletje in mijn mond smelt tot een harde kern die niet helemaal oplost. Voor de tweede keer vanavond kan ik niet slikken. Het stukje popcorn blijft in mijn mond achter, hard als edelsteen.

Ik kan de plot niet meer volgen. Kevin Spacey wil iets met dat potpourrimeisje, maar ik zie alleen een baby op een drijvend eendje in een bad. Frambozenbadschuim. Shampoo en douchegel met kiwi en papaya. Zelfs conditioner. De vrouw van Kevin Spacey valt voor een makelaar, zijn concurrent. Hij is flitsender dan Garie en draagt duurdere pakken. We vertrekken, tussen fluisterende mensen. Geen wonder dat de film zoveel Oscars heeft gewonnen.

Buiten miezert het. Mijn jurk lijkt gekrompen; de bandjes snijden in mijn schouders. In de bioscoop heb ik mijn schoenen uitgedaan, maar nu moet ik ze weer vastgespen. Ook zij lijken krapper geworden. Jonathan houdt een zwarte taxi aan. Ik schuif naast hem op de bank, me bewust van mijn knieën en een sfeer van afkeuring.

'Wat vond je ervan?' vraag ik hoopvol.

Hij staart uit het raampje. Op straat lijkt iedereen in een opperbeste stemming. Voor de meeste mensen begint de avond pas.

'Wat denk je dat ik ervan vond?' zegt hij.

Boze buien

ROSIE HEEFT ZICH OP HAAR BUIK OP HET WOLLIGE CRÈMEKLEURIGE kleed uitgestrekt, alsof ze ligt te zonnebaden. Ze heeft *InHouse* gelezen; het ligt open op een pagina over eigentijdse bloemschikkunst (nooit bloemen combineren; houd het bij één soort, zoals hyacinten, in een simpele, rechthoekige vaas).

Jonathan loopt meteen naar de slaapkamer. De normale reactie van een vader: even bij de baby kijken. Niet omdat hij woedend is op zijn toekomstige bruid, niet omdat er iets *gebeurd* is.

Rosie kijkt hem na. 'Leuke film?' vraagt ze, terwijl ze overeind komt. Ze draagt jeans en een strak zwart truitje. Haar parfum ruikt naar honing.

'Geweldig,' zeg ik, niet echt overtuigend.

'Wat was het ook alweer?'

Het enige dat ik me kan herinneren is dat meisje in de potpourri. De titel is me ontschoten. Ik zie alleen een reclame voor me, met een baby. Een lachende baby die op zijn vingertje zuigt en die nu heerlijk ligt te slapen, nadat hij keurig op tijd zijn avondflesje heeft gehad.

'O, een raar verhaal,' zeg ik, in de hoop dat ze meteen zal vertrekken. Rosie staat op, maar het kost haar eeuwen om haar versleten denimjack aan te trekken. Haar armen glijden als in slow motion in de mouwen. Ze streelt haar gestroomlijnde hals, alsof ze zich ervan wil overtuigen dat hij niet slap en rimpelig is, zoals de mijne.

'Bedankt voor vanavond,' zeg ik, terwijl ik in mijn tasje naar geld zoek. Ik haal er een handvol rommel uit: bonnetjes van de delicatessen, aanwijzingen voor de bronwatersessie en het telefoonnummer van een fotograaf die Lovely heeft aanbevolen voor de foto's van Bens portfolio. Die moet ik binnen veertien dagen laten maken zodat ze nog kunnen worden opgenomen in het voorjaars/zomernummer van de modellengids.

Ik heb 27 pence. Jonathan heeft geld in zijn zak, maar hij is niet meer teruggekomen uit de slaapkamer. Misschien is hij bezig zich uit te kleden. Zou zijn verjaardag zo eindigen, dat ik straks de slaapkamer binnensluip om het goed te maken, terwijl hij al in slaap is gevallen? En zijn cadeautjes dan? Rosie glimlacht tegen me en zegt: 'Dat is niet nodig. Ik vond het leuk. Trakteer me maar eens op een kop koffie.'

Jonathan laat het bad vollopen, met de kranen op volle kracht. Ik kan doen alsof het Ben niet was. Alle baby's lijken toch op elkaar, zeker bloot? Zou Jonathan zich verontschuldigen en mompelen: 'Ik dacht... heel even maar... hoe kon ik zo dom zijn?' Nee. Natuurlijk weet hij het. Als je voor vijftig procent verantwoordelijk bent voor de genetische erfenis van een kind, twijfel je echt niet wie je aanstaart vanaf een acht meter hoog bioscoopscherm.

Hij droogt zich af in de badkamer. Ik hoor het zachte geluid van een badhanddoek die op de grond valt. Normaal zou Jonathan hem netjes ophangen aan de verchroomde rails van het verwarmde handdoekenrek. Dan klinken er voetstappen in de slaapkamer. Een klik als hij de lamp op het nachtkastje uitdoet. Ik laat mijn zwarte jurk op de vloer van de woonkamer vallen en schop mijn gewaagde schoenen uit. Ze laten striemen op mijn voeten na, alsof ik ze nog aan heb, maar dan in gerimpeld roze. Als ik zeker weet dat Jonathan slaapt, laat ik me naast hem in bed glijden.

Hij is al naar zijn werk voordat Ben wakker wordt. Het is vroeg, nog geen zeven uur. En hij kan niet naar zijn werk zijn, want het is zaterdag. Dan gaan we naar de markt om groente te kopen en Bens eten klaar te maken voor de volgende week. Ik help door kruiden te hakken en de keukenmachine schoon te maken. Daar word ik steeds beter in. Verdomme, als hij al zó reageert op een onnozele reclame voor een bubbelbad, wat moet ik dan met die man? Wie maken er verder nog hun eigen babyvoeding? Beth. Nou ja, Rosie dus. Niemand anders heeft de tijd of het geduld. Wat zal er gebeuren als Ben ooit in contact komt met eten uit een potje? Dan slaan de stoppen door, net als bij een kind dat nooit iets zoeters heeft gegeten dan een kaal biscuitje en onverwachts een paar grote happen neemt van de verjaardagstaart voordat de kaarsjes zijn aangestoken.

Ik kom in de verleiding om die theorie te testen. Terwijl Jonathan ergens stoom afblaast, zal ik wat potjes babyvoeding en drankjes kopen, met veel suiker en toevoegingen. Dan zullen we eens zien wat hij zegt.

Ben trekt zich half huilend omhoog aan de spijlen van zijn wieg. Ik til hem bij me in bed. Hij wriemelt zich naar de plek waar Jonathan normaal ligt en trekt een teleurgestelde pruillip. Om zijn aandacht af te leiden van Jonathans afwezigheid – hoe weten baby's dat het zaterdag is en dat pappa dus thuis hoort te zijn? – til ik hem uit bed om hem te verschonen en te wassen, vrolijk zingend om hem te laten merken hoe normaal en *fantastisch* alles is.

Even later zit hij in zijn hoge stoel, een nieuwe aanschaf. Jonathan zei dat dit misschien onze laatste baby-aankoop zou zijn en dat de flat spoedig in oude toestand zou worden hersteld. 'Zodra hij oud genoeg is om op een gewone stoel te zitten, bergen we al die spullen op. Tot de volgende keer,' voegde hij eraan toe. Ik zei maar niet dat mijn moeder op een rommelmarkt een babywalker had aangeschaft: een reusachtige plastic donut op wielen. Jonathan is ervan overtuigd dat zulke contrapties de ontwikkeling van de ledematen van een kind ernstig kunnen schaden.

Halverwege de ochtend stel ik vast dat Jonathan zijn mobieltje heeft uitgeschakeld en dat hij niet is gaan praten met zijn getuige, Matthew. 'Hebben jullie ruzie gehad?' vraagt Beth. Op de achtergrond hoor ik het gerammel van vaatwerk.

'Nee, niets bijzonders. Hij zal me wel hebben verteld waar hij naartoe ging, maar misschien is het me ontgaan.'

'Zenuwen voor de bruiloft,' zegt ze sussend. 'Hij is gewoon een eindje wandelen, waarschijnlijk om zijn speech te bedenken.'

Maar Jonathan gaat nooit wandelen, tenminste niet voor zijn plezier. En we hebben al bepaald dat we geen speeches willen. Jonathan zal zich beperken tot een bedankje aan onze gasten en het ijzige stel dat The Fox beheert. En hij wil nog een paar woorden zeggen over

Ben. Billy dreigt nog steeds iets op zijn accordeon te spelen. Eliza is dolblij dat ze iets heeft gevonden om op haar hoofd te dragen. Ze belde om te vragen of ik geen bezwaar had tegen een tiara, omdat ze mij misschien in de schaduw zou stellen met al dat geflonker. Wat mij betreft komt ze met een kroonluchter op haar hoofd.

Jonathans cadeautjes liggen nog onder het bed. Ik overweeg om te gaan zwemmen met Ben, maar ik heb geen zin in het gedoe met de kleedhokjes. Ik zou hem tussen zijn speelgoed kunnen parkeren om iets in elkaar te draaien voor *Mijn geheim*, maar in plaats daarvan bel ik Eliza. Als ik haar antwoordapparaat krijg, herinner ik me dat ze pas 's avonds terugkomt uit Nice. Eliza reist zoveel dat ze meestal vergeet om het te melden, maar hier was ze heel enthousiast over, want Dale ging ook mee. Ze had Greg geboekt voor een sessie en *toevallig* nam hij Dale mee als zijn assistent. 'Anders had ik Greg ook wel gebeld, hoor,' hield ze vol.

Lovely belt en verontschuldigt zich dat ze me op zaterdag stoort. 'Ik heb iets geweldigs voor woensdag. Kun je dan? Zachary Marshall was geboekt, maar hij heeft zijn handje aan de deur van de wasmachine gebrand, de arme schat. Een wasje op negentig graden. Zijn moeder probeerde de jusvlekken uit een ochtendjas te krijgen.'

Ik probeer meelevend te klinken, alsof ik Zachary ken en het sneu vindt van zijn blaren. Ben slaat met een rubberen lepel op het plankje van zijn kinderstoel – een nieuwe manier om zijn ongenoegen te uiten over moeder-aan-de-telefoon. 'Zijn hand is helemaal opgezwollen en zit in het verband,' vervolgt Lovely. 'Ik heb ze de clips van Little Squirts en de supermarkt laten zien en ze willen Ben graag als vervanger.'

Ik richt een volle lepel op Bens mond, maar hij knijpt zijn lippen samen. Zijn moeder zit nog steeds te bellen en dat deugt niet. 'Niet dat Ben tweede keus is, begrijp me goed,' zegt Lovely snel. 'Ik had je alleen niet voor deze klus aangemeld omdat ik hem niet te vaak wilde gebruiken. Maar als je beschikbaar bent...'

'Ik ben beschikbaar,' zeg ik, terwijl ik de tijd en plaats in het kleine gelijnde opschrijfboekje noteer dat ik achter de babymelk in het kastje bewaar. 'Wat is het eigenlijk?' vraag ik nog op het laatste moment.

'De leader voor een nieuw ontbijtprogramma. Zijn gezichtje wordt over een gekookt ei geprojecteerd.'

'Ik hoop dat ze hem niet met een theelepel op zijn hoofdje slaan,' zeg ik.

Haar lach kraakt over de telefoon. 'Maak je geen zorgen. Het zal heus wel smaakvol worden.'

Tegen lunchtijd is de flat gekrompen tot een kleine zwarte doos waarin ik geen adem krijg. Hoe lang zou Jonathan kwaad blijven? Ik heb hier geen ervaring mee. Ik probeer zijn mobieltje nog eens en bel dan Constance. Maar in gedachten zie ik haar kritische gezicht, met de twijfel of ik wel een goede echtgenote voor haar zoon zal zijn. Ze zou zich verheugen over een ruzie. Snel hang ik op. Ben kijkt me nijdig aan. 'Leuk, hè?' zeg ik tegen hem. 'Zullen we met je bouwsteentjes spelen? Of lekker dollen op het kleed?'

Zijn blik glijdt naar de voordeur.

Ik weet al wat. Ik zal de ideale echtgenote spelen en de flat gezellig maken voor Jonathans thuiskomst. Ook zal ik uitgebreid voor hem koken. Jonathans kookboeken staan keurig op een plankje, in volgorde van grootte. Ik kies *Eenvoudige maaltijden voor vrienden*. Mijn idee van een maaltijd was ooit een kommetje cornflakes of misschien toast met jam voor het slapen gaan, maar nu verdiep ik me in het boek, waarvan elk hoofdstuk één woord als titel heeft: 'Chinees', 'Aardappels', 'Groente'. Helaas zijn er zelfs voor de simpelste gerechten nog ingrediënten nodig die ik van een ander continent moet laten aanrukken of per postorder bestellen.

Dan herinner ik me iets dat ik wel eens met Eliza heb gegeten op vakantie op Korfoe: kip in een rumsaus, met gesneden vruchten. Was het rum? Ja, ik geloof het wel. En sinaasappels. Rum hebben we wel, een fles Havana Club die ik samen met mijn beduimelde pocketboeken naar Jonathans flat heb verhuisd en die op de een of andere manier aan zijn opruimwoede is ontsnapt. In de vriezer ligt nog kip die over is van de barbecue. Jonathan had de eetlust van onze gasten overschat. Ik laat de kip ontdooien, terwijl Ben vanuit zijn stoel toekijkt, geïntrigeerd door het zoemen van de magnetron.

Misschien moet ik de kip in stukken snijden, zoals Jonathan dat doet. Dan kunnen de geuren zich verspreiden. Ik pak het broodmes en begin een poot af te zagen. Het vlees stribbelt tegen, bijeengehouden door vettige pezen. Ik zet meer kracht en grijp de poot beet, maar het mes glijdt weg en veroorzaakt een flinke jaap tussen mijn duim en wijsvinger.

Ik veeg het bloed van de kip en probeer hem met mijn vuisten uit elkaar te trekken, maar daardoor begint mijn gewonde hand nog heviger te bloeden. Er ligt wel verband in de verbandtrommel, maar niets om het mee te bevestigen. Ben, die tot nu toe mijn kookkunsten belangstellend heeft gevolgd, brult omdat hij uit zijn kinderstoel wil worden bevrijd.

Ik til hem eruit, terwijl het bloed langs mijn onderarm druppelt en vlekken maakt op zijn hemdje. Hij huilt met een verwrongen gezicht, zo hard dat een voorbijganger een meelevende blik naar ons raam werpt en haastig doorloopt. Eindelijk zwakt zijn gebrul wat af tot een gehik. Een schaar! Zo doet een echte kok dat. Met Ben op mijn arm vind ik een schaar in de verbandtrommel. Jonathan gebruikt hem voor Bens haar. Ik maakte me al zorgen dat hij Ben een te sullig kapsel zou knippen voor dat supermarktspotje.

Ik maak het verband maar vast met zelfklevende plaatjes van stekelvarkens, uit een stickerboek dat Ben van Beth heeft gekregen. Hij leek me nog te jong voor stickers, maar volgens Beth waren ze geschikt voor het ontwikkelen van een goede motoriek. Maud kan zelf al een sticker van de achterkant lospeuteren. Ik knip de kip in ongelijke stukken en besprenkel ze met rum. Dan zet ik Ben weer in zijn kinderstoel, zodat hij kan zien hoe handig ik een banaan en een sinaasappel in plakjes en partjes snijd. Als ik de ovendeur open en de schaal naar binnen schuif, zwaait hij uitgelaten met zijn handjes. Ja, zijn moeder kan koken! Zo hoort dat. Als ze niet zoveel telefoneerde zou het leven een stuk aangenamer zijn.

Mijn hand doet pijn en bloed sijpelt door het verband. Om het halfuur controleer ik de kipschotel, maar ik geloof niet dat er veel gebeurt. Ik bel Jonathan nog eens. Als Ben ziet dat ik weer een telefoonmisdrijf bega, doet hij een greep naar de zoom van mijn jeans. Ik krijg Jonathans voicemail. Met Bens gebrul op de achtergrond is het onmogelijk een bericht in te spreken.

Na een tijdje lijkt de kip voldoende verhit, hoewel hij nog steeds een slappe en ongare indruk maakt. De rum en het fruit zouden toch wat dikker moeten zijn, en aantrekkelijker van kleur? De plakjes banaan drijven bovenop. Ik zoek kaarsen in het gootsteenkastje en groene glazen kandelaars om ze in te zetten. Maar ik steek ze nog niet aan. Ze mogen niet opbranden voordat Jonathan thuiskomt.

Ik dek de tafel voor twee en controleer of de wijnglazen wel schoon zijn. Ben accepteert pruilend zijn thee. Zelfs in bad bespeur ik niets van zijn gebruikelijke enthousiasme. Hij legt zijn handjes plat op het water om te zien of ze blijven drijven.

Ik draai de oven laag. Zullen de bacteriën aangroeien als het vlees niet heet genoeg is? Ik wil Jonathan niet vergiftigen na alles wat er al is gebeurd. Ten slotte zet ik de oven uit. Als hij thuiskomt kan ik het eten wel opwarmen op de kookplaat.

Ben ligt over mijn knieën op het grote bed en drinkt van zijn avondflesje. Als het eindelijk donker is, vouw ik me om hem heen en val in slaap door het ritme van zijn ademhaling.

Ik ben gewend aan de rommel in Eliza's flat, maar ik heb me nooit de gevaren gerealiseerd. Het is Bens eerste bezoek en ik heb mijn kwetsbare zoon in een heel riskante omgeving gebracht. In gedachten trek ik rode stippellijnen rond de gevaren: een kartelmes dat op een broodplank op de sofa ligt, als bewijs van een haastig klaargemaakt ontbijt; een zwaar statief dat tegen de koelkast leunt; een waterketel die op een krukje staat en bijna kookt. Eliza kan er alleen bij komen door over een open koffer te stappen, vol met bikini's en badpakken. Ze begroet mij en mijn verbonden hand met een omhelzing die naar kokosnoot ruikt.

Ze zet thee. De kinderen beneden oefenen hun longen in het halletje. Ben onderzoekt het snoer van een verchroomde staande lamp. Overal loeren onbeschermde stopcontacten die miljarden volts door het fragiele lijfje van mijn zoon kunnen jagen. Eliza draagt iets flodderigs van zwarte zijde, mogelijk een robe, en de restanten van lichtbruine lipstick, minstens twaalf uur geleden opgebracht. 'Wat denk je zelf?' vraagt ze, terwijl ze een slok neemt van de sterke zwarte thee.

'Zijn moeder, misschien. Hoewel... nee. Hij zou haar echt niets vertellen.'

Ze blaast in haar mok. 'Er moet toch íémand zijn naar wie hij toe gaat? Heeft hij geen vrienden?'

Ik haal mijn schouders op. 'Matthew en Beth, maar die heb ik al gebeld. En Billy, zijn oude schoolvriend.'

'Daar zal hij wel zijn, bij iemand die hem echt kent.'

Ik kan me Billy's reactie wel voorstellen. 'Man, waar maak je je druk over? Denk eens aan het geld dat die baby incasseert. Om je rot te lachen. Waar is je gevoel voor humor?' En daarna zal hij proberen Jonathan op te vrolijken met zijn laatste drankzuchtige avonturen, zoals die keer dat hij in slaap viel met een sigaret en pas wakker werd toen er een woedende brandweerman zijn deur intrapte.

Nee, hij is niet bij Billy.

Eliza doet een halfslachtige poging een paar jurken te fatsoeneren die over een stoel hangen. De elektrische haard gloeit met een ziekelijk oranje kleur. Ben kruipt achter de bank, komt terug met een borstel vol met haar en likt eraan.

'Hij duikt wel weer op,' zegt Eliza. 'Zomaar verdwijnen, dat is een overdreven reactie. Een manier om aandacht te vragen.'

'Ik had het hem meteen moeten vertellen.'

Ze trekt de robe om zich heen. 'Daar is hij natuurlijk kwaad om: het bedrog. Niet om het modellenwerk zelf.'

'Kan ik hier blijven?' vraag ik opeens.

Ze staart naar Ben, die een liefhebbende blik op de haard werpt. Bij een seksuele escapade, lang geleden, lag een minnaar van Eliza te kreunen op de vloer, alsof hij in extase was. Eliza voelde zich heel gevleid, tot ze ontdekte dat hij met zijn teen klem zat tussen de staven van de haard. 'Niet voor lang, hoor,' zeg ik erbij. 'Hij komt wel weer terug. Hij moet even afkoelen.'

Eliza's kat sluipt de huiskamer binnen, op weg naar een schoteltje in de gang. Ik ben geen kattenliefhebster; ik kan niet tegen dat dansje dat ze op je schoot uitvoeren met uitgestoken nagels. Dat zou je van een mens ook niet pikken, laat staan van een beest met een adem die naar vis stinkt. Enthousiast kruipt Ben achter de poes aan, met onverwacht grote snelheid.

De deur van Eliza's slaapkamer gaat open en Dale stapt naar buiten in een grijsgestreepte broek en een overdaad aan lichtgebruind mannenvlees. 'Hé,' zegt hij. 'Ik dacht al dat we bezoek hadden.' Hij tilt Ben hoog de lucht in en staart naar zijn achterste, dat niet fris ruikt.

De kat verstijft. 'Ik zal me aankleden,' zegt Eliza. 'Neem zelf maar thee.' Ze verdwijnt naar de slaapkamer met Dale. Zijn broek kleeft strak om zijn billen.

Ik geef Ben te eten op het dak, waar ik geen stopcontacten of borrelende ketels hoef te vrezen, alleen een doodsmak naar de stoep. Hij krijgt geprakte banaan. Heel handig, banaan, keurig verpakt en zo makkelijk te prakken. Ik vraag me af of baby's wel zo dol zijn op al die kruiden in hun maaltijden. Wat krijgen ze in de baarmoeder? Een druppelend infuus van ondefinieerbare troep, via een buisje van huid. Dan worden ze geboren en is het papaya hier en mango daar. Overdreven.

Het bevalt me wel op het dak, in de open lucht, overal vandaan. Tientallen jaren geleden heeft iemand geprobeerd de zaak wat aan te kleden met terracottapotten, waarin nu alleen nog dorre stompjes staan, en houten bakken met aarde en vogelpoep.

Er is geen leuning. De kat springt door het luik en sluipt naar ons toe, met een begerig oog op Bens flesje. Ze cirkelt om me heen en komt steeds dichterbij. Ik duik in de tas met eten die ik uit Eliza's keuken heb meegenomen. 'Je neemt maar wat je wilt,' zei ze gul. Ik heb een vettige appel gevonden en een paasbroodje, waarschijnlijk nog van Pasen. Ik breek er een hard stuk af en gooi de rest over de rand van het dak. Het komt met een hoorbare klap op straat terecht.

Dan pak ik mijn mobieltje en toets Jonathans nummer op kantoor in. 'Hij werkt niet in het weekend,' zegt iemand van middelbare leeftijd. 'Met wie spreek ik?'

'Met zijn vrouw,' piep ik.

Op zoek naar meer eten daal ik de wankele trap weer af, met Ben stevig tegen mijn borst geklemd. En dan hoor ik het: een onderdrukt gegiechel uit Eliza's kamer. Zo nu en dan een bons, en een pijnlijk krakend bed. Het kraken krijgt een steeds snellere cadans, totdat er iemand kreunt, zoals wanneer je eindelijk het deksel van een pot augurken hebt losgedraaid.

Een fluisterstem. 'Zou ze het hebben gehoord?'

'Nee, ze is naar het dak om de baby te voeden.'

'Blijft ze lang?'

'Misschien. Maar dat geeft niet, want ze is mijn vriendin.'

Als ik blijf, moet ik eerst naar huis om het bedje te halen, want we hebben nooit een reiswieg gekocht. Anders moet ik Ben bij me nemen op het luchtbed in Eliza's logeerkamer. De *Onmisbare gids* waarschuwt dat het slaappatroon van een kind gemakkelijk wordt verstoord: '*Wees het eerste jaar niet te avontuurlijk op vakantie. Biedt je tijdelijke onderkomen wel alle faciliteiten die je nodig hebt? Kamperen in een onbekende omgeving kan onnodige stress veroorzaken.*'

Ik kan hier niet blijven, al houden we allemaal de schijn op dat dit een gewone zondagochtend is en ik even kwam aanwippen. Ik wip niet even aan. Mijn agenda staat vol met tijden en plaatsen voor audities en sessies, plus deadlines en dingen die ik vooral niet mag vergeten. Binnen het jonge-moeders-circuit wordt niet zomaar aangewipt. Ik heb een afkeer gekregen van aanwippen. De enige keer dat het Viltvrouwtje voor onze deur stond en het licht blokkeerde met haar dikke schouders, heb ik koffie gezet met koud water, zodat ze snel weer zou vertrekken.

Dale vraagt welke krant ik lees en komt even later terug met een armvol bladen, maar niet de krant waar ik om vroeg. Hij draagt vuile jeans en een hippietopje met een kwastjesmotief bij de hals. Hij verdeelt de kranten (hijzelf het voorste katern, Eliza de kleurenbijlage, ik het reiskatern, de financiële pagina's en alles waar niemand in geïnteresseerd is). Ben grijpt de sportkrant. Ik lees een artikel over huwelijksreizen: 'Almond Beach Resort, Bermuda, heeft een eigen strand en een uitgestrekte, aangelegde tuin voor een vakantie in heerlijke afzondering. Ideaal om te ontspannen na de hectische voorbereidingen van de bruiloft. Alleen voor echtparen.'

Dale leest het buitenlandse nieuws, fronsend als een volwassene. Eliza verdiept zich in een stuk over sweaters, genaaid uit gebreide lapjes. Niemand denkt blijkbaar aan een ontbijt, hoewel Eliza wat kaaszoutjes eet. Ze draagt nog steeds de zwartzijden robe. Dale ruikt als het ongewassen dekbed van een puber. De thee die ik heb gezet heeft een bruin laagje schuim. Ben nestelt zich op mijn schoot en valt in slaap door de droge warmte van de elektrische haard.

Hij wordt zelfs niet wakker van de bel. Eliza doet open. Haar robe is opgekropen langs de ceintuur, zodat haar vlekkerige dijen te zien zijn. Jonathan lijkt magerder geworden. Dale kijkt over de rand van zijn krant en knikt welwillend, alsof er weer een vriend binnenkomt. Al dat aanwippen... In een poging haar robe op orde te brengen, slaat Eliza hem onhandig open en toont een hoog opgesneden donkerrood broekje. Ze kijkt alsof ze door de grond wil zakken.

We staan op het dak omdat we nergens anders naartoe kunnen. 'Wat is er met je hand gebeurd?' vraagt Jonathan.

Het verband is vuil en bloeddoordrenkt. De stekelvarkenstickers laten los. 'Ik heb me gesneden met een broodmes,' leg ik uit. Heel even kijkt hij ontzet, alsof hij bijna van het dak valt. 'Per ongeluk,' zeg ik. En dan waag ik het erop: 'Kunnen we dit niet vergeten? Over twee weken is de bruiloft en we hebben nog zoveel te doen. Had je ooit gedacht dat het zo ingewikkeld zou zijn?'

Hij lijkt in verwarring, alsof een vreemde hem ervan heeft beschuldigd dat hij zijn vuilnis in andermans container heeft gedumpt en nu dreigt de politie te bellen. 'De foto's, bijvoorbeeld,' ga ik stug verder. 'We willen niet zo'n stijf gedoe en ook geen soft-focus plaatjes van het jonge stel in een champagneglas. We moeten iemand de leiding geven. Wat dacht je van Dale? Mag hij ook komen? Hij staat niet op de lijst, want ze gaan pas met elkaar, maar...'

Hij loopt bij me vandaan, zo ver als mogelijk is op een dak. Ik volg hem en vang een glimp op van andere daken, kleine verwaarloosde tuintjes en ver beneden een paar jochies die voetballen tegen een bord met GEEN BALSPELEN HIER.

'De foto's,' herhaal ik.

Jonathan draait zich naar me om. 'Nina,' zegt hij vermoeid en zonder veel emotie, 'ik kan niet met je trouwen. Ik weet niet eens wie je bent.'

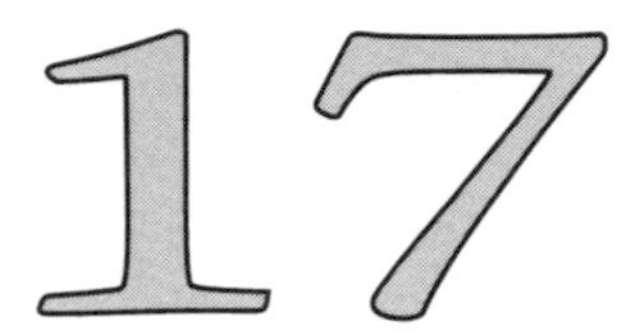

Op reis met je baby

'IS BEN ZIEK? IS ER IETS GEBEURD? BESEF JE WEL HOE ONPROFESSIO-neel we daardoor overkomen als bureau? Je bent verplicht om te komen opdagen voor een sessie. Dit is voor de nationale televisie. Veel publiciteit voor jou, en voor ons. Ik weet het niet, Nina.'

Ik vraag haar wat ze niet weet.

'Ik weet niet of we Ben nog langer kunnen vertegenwoordigen.'

Aan de rand van de rubberen speelmat van de veerboot laat een vrouw met een knotje op haar hoofd me foto's van haar kinderen zien. Het zijn gekreukte pasfoto's. En het is nergens voor nodig, want de kinderen zelf zijn er ook. Ze springen van een plastic boog naar een rubberen cilinder, die ze proberen om te rollen, dwars over de jongste van het stel, die het uitgilt.

'Hou daarmee op, Nathan,' snauwt de vader vanachter een pocketboek met ezelsoren en prikkeldraad op het omslag.

'Op vakantie met je kleine jongen?' vraagt de vrouw.

'Een paar dagen maar. Mijn man kon geen vrij nemen.'

Ze plukt met donkerrode vingernagels aan haar knotje. 'Hij zal zijn pappa wel missen. Wat een knap jongetje.'

Ben speelt vrolijk in de ballenbak. Jonathan houdt daar niet van. Hij vindt dat felle kleuren een kind te veel prikkelen en maakt zich zorgen over schimmelende boterhammen en vuile luiers in ballenbakken. Hij zei een keer dat die dingen alleen bedoeld zijn voor ouders die niets constructievers met hun kinderen kunnen verzinnen.

'Misschien komt hij later nog,' zeg ik.

'Dat is leuk.' Ze neemt Ben onderzoekend op. 'Hij lijkt niet erg op jou, is het wel? Heeft hij meer van zijn vader?'

Ik knik.

'Nou, daar heb je geluk mee.' Ze lacht kakelend en breekt vier blokjes van een KitKat om onder haar kinderen te verdelen. 'Wij gaan naar Disneyland Parijs. De kinderen zeuren er al jaren om.'

'Ze zijn niet echt. Het zijn maar stripfiguren,' zegt een mager meisje in een verschoten vest, bungelend aan de plastic boog.

'Welles,' zegt haar broertje. 'Je ziet ze lopen in de tv-spots.'

'Hoe kan Mickey dan in Amerika zijn én in Disneyland Parijs? Op twee plaatsen tegelijk?'

'Net als de kerstman,' zegt een jonger meisje met engelachtige krullen.

'Het tijdverschil,' zegt de jongen, met zijn hand in zijn kruis alsof hij naar de wc moet. 'In Florida is het vijf uur later dan hier, stomkop.'

Het oudere meisje laat zich met spartelende armen van de boog vallen. Ze heeft dun haar en korstjes op haar ellebogen. 'Het zijn dwergen,' verklaart ze, als ze weer omhoog springt. 'Kleine mensen in een pak.'

'Ja, hoor,' raast haar broertje. 'Lazer toch op.'

'Stop daarmee, Nathan,' zegt de vader en hij steekt zijn neus nog dieper in zijn boek.

We lunchen samen aan een lange tafel, bezaaid met sauszakjes, vuil bestek en een vergeten gids, *Wandelingen in oostelijk Frankrijk*, van de vorige gebruikers. De vrouw krijgt blijkbaar medelijden met me – hoewel ze drie keer zoveel kinderen heeft als ik – en zegt dat ze mijn bestelling wel zal halen. Ze komt terug met een lange worst, opgerold als een glinsterende worm. Ben, die al gewend is aan een beperkt menu, behelpt zich met geprakte banaan. De vrouw stelt zich voor als Linda en biedt me het laatste blokje van haar KitKat aan.

Het is een rustige overtocht. Linda's gezin ruziet over de vraag hoe lang de rijen zullen zijn bij Disneyland Parijs. De oudste dochter vraagt of ze Ben mag vasthouden en drukt luidruchtige kusjes op zijn voorhoofd, die roze afdrukken nalaten. 'Dat klopt niet!' snauwt ze tegen haar broer, die in opperste concentratie over een kleurboek zit gebogen, met zijn tong uit zijn mond. 'Pluto heeft hangoren,' zeurt ze. 'Ze staan niet omhoog.'

'Hij loopt hard,' werpt de jongen tegen.

Linda legt uit dat de oren waarschijnlijk op en neer dansen en niet permanent overeind staan. Ik verbaas me over haar geduld, totdat mijn maag om aandacht vraagt en ik speeksel in mijn mond voel lopen. Er is geen enkele reden om misselijk te worden. De zee is een grote gladde vijver. Misschien is het de lucht van de diesel en de keukens, of die hap van Eliza's oudbakken paasbroodje dat zich uit mijn maag probeert te wringen. Maar het volgende moment spring ik overeind, druk Ben in de armen van een kind van elf en ren de versleten metalen trappen op naar de reling van de boot, waar de opgerolde worst, het blokje KitKat en een hele buik vol schuldgevoel in het Kanaal worden geloosd.

'Neem de auto maar,' had Jonathan aangedrongen, 'als je naar dat vreselijke huis van je ouders wilt.' Hij probeerde me niet tegen te houden. Het enige dat hij eraan toevoegde was: 'Je hebt geen idee hoe je er moet komen. Je wilt toch niet hierop vertrouwen?' Hij had het kaartje van mijn vader in zijn hand, met viltstift op een papieren servetje getekend. De inkt was doorgelopen waar hij te hard gedrukt had.

Een open koffer lag op het bed. Jonathan speelde met Ben in de huiskamer, zingend alsof hij blij en vrolijk was. Zijn stem klonk zo gespannen als elastiek. Hij wierp een blik in de slaapkamer en zag mijn koffer. 'Je komt toch wel op tijd terug?' vroeg hij.

'Op tijd waarvoor?' vroeg ik luchtig, terwijl ik sokken in de hoeken van de koffer propte, zonder hem aan te kijken.

'De bruiloft.'

'Die was toch afgelast? Je zei zelf...'

'Ik was gewoon kwaad. Het was ook even schrikken! Ik heb de leugens geteld, al die keren dat je met hem de stad in ging, terwijl je...'

'Wij gaan niet trouwen,' zei ik, en ik sloeg mijn koffer dicht.

Hij volgde me naar de huiskamer. Ik vroeg me af of ik speelgoed moest meenemen en hoe ik Ben kon zoethouden. Misschien zou de reis op zich al voldoende zijn. Verandering van omgeving. Was dat niet de voornaamste functie van vakantie?

Jonathan ging op de suède kubus zitten en keek me aan. 'Ik heb je nodig hier,' zei hij.

Ik tilde de koffer op, maar hij nam hem van me over en bracht hem naar de auto. Ik had pappa's kaartje in mijn tas en vroeg me af of het enige gelijkenis zou vertonen met het wegennet in het oosten van Frankrijk. Jonathan lachte breed en dapper. 'Ach, zo'n onnozel reclamefilmpje,' zei hij, met een poging tot humor. Hij zocht in zijn zak en gaf me een klein marineblauw doosje. Er zat een horloge in.

'Waar is dat voor?' vroeg ik. Het leek wel een mannenhorloge: een zilveren wijzerplaat, zonder cijfers. Een deftig horloge.

'Om de tijd aan te geven,' zei hij. 'Ik had het je willen geven op die avond toen we uitgingen, als een aardigheidje voordat we trouwden.'

Een aardigheidje waarvoor? Om me te bedanken dat ik met hem ging trouwen? Ik deed het maar om, omdat ik niet wist wat ik er anders mee moest doen.

En ik wilde hem iets vragen. Hoeveel leugens hij had geteld.

'Veel plezier,' zei hij, en hij draaide zich weer om naar de flat.

Linda pakt het zachte speelgoed, de kleurboeken en de plastic opwindkrokodillen met hun happende bekken, waarmee de tafel ligt bezaaid maar die als door een wonder toch in haar zwartwitgestreepte tas blijken te passen. De vader klopt op de zakken van zijn jeans, zoekend naar de paspoorten.

'Hier,' zegt Linda, met haar hand op het voorvak van de tas.

Ik controleer het ritsvak van mijn eigen tas. De foto in mijn paspoort is vier jaar geleden gemaakt, voordat ik er door het moederschap nog krakkemikkiger kwam uit te zien dan mijn eigen ouders. Ik grijns met een frisse, verwachtingsvolle lach in de lens, bijna als een kleuter. Ben staat erop met een babylach, zijn mondje nog als een zwart gat, terwijl ik hem vasthoud in het fotohokje. Ik heb zijn paspoort ruim op tijd aangevraagd voor onze huwelijksreis. Voordat Schotland ter sprake kwam.

'Leuke vakantie nog,' zegt Linda, klaar om haar kroost naar de ingewanden van de veerboot te loodsen, waar de auto's staan. Ze wacht een moment en kijkt me onderzoekend aan. 'Gaat het wel? Je ziet een beetje groen.'

'Zeeziekte,' zeg ik. 'Dat heb ik altijd.'

'Arm kind. Je had beter de Eurostar kunnen nemen.'

Ik kan haar onmogelijk de waarheid vertellen: dat ik de belachelijke behoefte had om op het dek van een schip te staan en mijn oude wereld tot niets te zien verschrompelen.

'Mam,' zegt Linda's engelachtige dochter, 'ik heb jeuk aan mijn kont.'

Linda lacht en neemt haar mee. 'Grappig,' zegt ze als ze zich nog even omdraait, 'maar ik weet zeker dat ik Ben ergens van ken. Weet je zeker dat we elkaar nooit eerder hebben gezien?'

Ik heb zo'n moeite met rechts rijden dat ik aarzelend de rotondes neem, alsof het mijn eerste rijles is. Meestal hoef ik niet te rijden. Mijn wereld is klein genoeg om alles lopend te kunnen doen. Ik neem nooit de auto naar audities, omdat het te lastig is een parkeerplek te zoeken. Voor sessies worden we gehaald en gebracht door auto's met gele leren bekleding en geruisloze motoren, zo onberispelijk dat ik bang ben de zuivere lucht van de airco te vervuilen met mijn adem.

Ik kijk naar Ben in mijn spiegeltje. Hij kijkt vrolijk en verwachtingsvol. Blijkbaar verheugt hij zich op deze onverwachte vakantie. Het is alsof hij weet dat we in Frankrijk zijn – een nieuw begin.

Jonathans auto is al een paar jaar oud, maar ruikt nog net zo fris en schoon als die dure taxi's. Hij wast hem elke zondagochtend en zuigt het interieur met een ministofzuiger. Ben krijgt in de auto alleen maar melk, nooit hapjes.

Na drie uur rijden wordt de honger hem te machtig. Hij begint te huilen, steeds harder als ik niet reageer. Hij slaat met zijn hoofdje naar links en rechts en probeert in de riempjes van zijn zitje te bijten. Ik speel de cassette met liedjes die ik van Beth heb gekregen. Ze belde me op mijn mobieltje bij Eliza en stond erop om te komen, hoewel me dat een slecht idee leek. Je weet wanneer verschillende elementen in je leven zich niet laten mengen zonder te schiften.

Beth en Eliza namen elkaar bliksemsnel op, stelden vast dat ze tot een andere soort behoorden en deden geen enkele poging tot communicatie. Beth omhelsde me met geforceerde dramatiek en drukte me een pakje in roze tissuepapier in mijn hand. Behalve het bandje zat er ook een hansop in voor Ben. 'Met een fleece voering, voor de warmte,' zei Beth. 'Zul je goed op hem passen?' Toen drukte ze me nog eens tegen zich aan en zei: 'Zo hoeft het toch niet te gaan?'

Het bandje vrolijkt Ben wel even op, maar niet langer dan een minuut. Dan begint hij weer te blèren, en geen enkel zoet liedje kan hem er nog van overtuigen dat het leven de moeite waard is. Ik stop bij een benzinestation en zet hem het flesje aan zijn mond, dat hij aan boord al half heeft leeggedronken en dat nu aardig begint te gisten. Zou het kaas worden of alcohol? In elk geval heeft het een kalmerende uitwerking. Had de dame met al die jassen over elkaar me niet aangeraden om wat brandewijn door zijn avondflesje te mengen?

Bens dekentje, dat tot een dikke worst op zijn schoot is opgerold, houdt de fles op precies de juiste hoogte. Ik rijd weer verder, terwijl ik me voorstel dat Jonathan op de ruit tikt en roept: 'Is dit hoe je hem voedt? Is dit wat er in je *Onmisbare gids* staat?'

> *Laat je baby nooit alleen met zijn flesje. Gooi opgewarmde melk na een uurtje weg. Steriliseer al je babyflesjes en spenen tot aan zijn eerste verjaardag. Neem je kind nooit mee naar een vochtig, vervallen krot,* BIJ ZIJN VADER VANDAAN, *tenzij je hem ademhalingsproblemen wilt bezorgen, in welk geval je niet het recht hebt om de eenzijdige verantwoordelijkheid voor zo'n kwetsbaar menselijk wezentje op je te nemen.*

Ik weet bij Châtillon te komen, maar vanaf dat punt laat pappa's kaartje me in de steek. Het dorp, Vanvey, staat wel aangegeven, net als het huis, met een vlekkerige cirkel eromheen, maar zonder een verbindingsweg naar Châtillon. Het regent nu en het is donker. Ik stop langs de weg en bestudeer het servetje.

Ben zit slaperig te mompelen achterin. Het flesje is uit zijn mond gevallen en ligt leeg op het dekentje. Ik vraag me af waarom mijn vader deze belangrijke weg niet heeft getekend. Toen hij me het servetje stuurde, samen met de sleutel – een roestig ijzeren ding – zaten er geen instructies bij, of zelfs maar zijn beste wensen. Ik heb geen idee hoe het dorp is verbonden met de rest van het oostelijk deel van Frankrijk. Het enige dat ik bezit is dat gebrekkige kaartje en een indrukwekkende loper van meer dan tien centimeter lang.

Ben mompelt weer wat in zijn droom, terug in een knus bedje met een vriezer vol gezond eten. Ik kauw op een kaasbroodje dat ik aan boord van de veerboot heb gekocht. Misschien wordt dit ons leven: moeder en zoon, samen in een auto. Mensen wonen soms in auto's, zelfs met kinderen. Ingesnoerd in zijn zitje zal hij misschien geremd raken in zijn motorische ontwikkeling, maar voorlopig moet het maar zo, totdat ik iets beters heb bedacht.

Een auto rijdt voorbij, een vaag silhouet in de regen. Hij stopt een paar meter voor ons. Het linkerportier gaat open. Ik klem mijn kiezen op elkaar en blijf doodstil zitten, als een kind dat verstoppertje speelt zonder zich te verstoppen.

Iemand buigt zich naar het raampje toe, met haar hoofd een beetje schuin. Ik draai het een fractie omlaag. Ogen turen naar binnen. De glittertjes op de oogleden zijn zelfs in het donker nog te zien. Ik open het raampje nu helemaal. 'Bent u verdwaald?' vraagt de vrouw, huiverend in een zwarte avondjurk met een geborduurd vest eroverheen.

Ik knik en steek haar pappa's servetje toe. 'Ik zoek Vanvey. Dit huis, aan de rand van het dorp,' zeg ik in het Engels. Dit is niet het moment voor mijn school-Frans. Wat weet ik daar nog van, nu ik het nodig heb? *Je voudrais une tasse de café*. De vrouw tuurt op het kaartje en strijkt met haar tong over haar tanden. Haar parfum zweeft zwaar de auto binnen. 'U weet het ook niet,' stel ik vast.

'Jawel,' zegt ze. 'Volg mij maar. Wij moeten ook die kant uit.'

'Kent u dit huis? Het is oud en het heeft geen nummer. Ik denk dat het nogal... bouwvallig is.'

'Ik ken het huis,' zegt ze, met een meelevende blik op Ben. 'Het is er heel slecht aan toe. Kan ik u niet de weg wijzen naar een leuk hotel?'

In het donker lijkt Vanvey niet meer dan een groepje stevige stenen huizen en een winkel met de luiken dicht; geen idee wat er verkocht wordt. Algauw zijn we het dorp weer uit. We nemen een gevaarlijke bocht en de vrouw toetert. Dat vat ik op als een teken om een slingerpad naar rechts te nemen, dat uitkomt op een plaatsje met keitjes, naast een laag gebouw. Het is zo donker dat ik niet kan zien of ik aan de voorkant, de achterkant of bij een ingestorte schuur ben gearriveerd. Ik laat de slapende Ben in de auto en sluip langs de muren, op zoek naar een deur.

Pappa's sleutel past knarsend in het slot. De deur zwaait moeizaam open en een lucht van natte theedoeken slaat me tegemoet. Het lichtknopje is nog van het ouderwetse type: draaien tot je een klik hoort. Ik doe het snel, om het risico van een schok zo klein mogelijk te houden. Dan loop ik voorzichtig de eerste ruimte door, misschien de keuken. Een kale trap slingert zich omhoog naar vochtige kamers onder de hanenbalken. Boven lijkt het licht niet te werken, maar bij het schijnsel van de maan door de met stopverf dichtgesmeerde ramen zie ik de omtrekken van een onopgemaakt bed en een grimmige kleerkast met een openhangende deur. Ik haal Ben uit de auto en zoek op de tast mijn weg naar boven. Zonder mezelf of Ben uit te kleden trek ik hem tegen me aan onder een beddensprei die naar vochtig mos ruikt.

Ik droom dat ik een rode jurk draag, zo strak dat de naden dreigen te scheuren. 'Trouwen in rood, dat wordt je dood,' waarschuwt Constance en ze lacht haar tanden bloot, groot en geel als pinda's. Ik loop achter haar aan door bloemperken met verwelkte planten op exact dezelfde afstanden van elkaar. Via een brede zandstenen trap komen we bij een haveloze donkerrode deur. We nemen de eerste gang rechts, naar een citroengeel geschilderde kamer die naar een zondagsschool ruikt.

De vrouwelijke ambtenaar kijkt op, niet naar mijn gezicht maar naar mijn te strakke jurk. Ze weet dat ik mijn buik pijnlijk inhoud en niet zo mager ben als ik lijk. Ze onderdrukt een grijns, alsof ze iets weet over een practical joke. Dan pas zie ik dat de gasten zijn gearriveerd: mijn moeder, met haar haar half voor haar vochtige ogen en haar hand tegen haar mond gedrukt om niet te giechelen (of te huilen). Beth houdt Maud stevig vast en probeert haar te laten drinken van een uitpuilende borst, die uit haar losgeknoopte denimjurk hangt. Maud is gekleed in dik zwart fluweel, net als Raven, die naast haar zit en haar pruilmondje paars kleurt met een ijslollie met zwartebessensmaak. Achter hen zit Matthew, die zijn vingers in elkaar strengelt in een kinderspelletje: dit is de kerk, dat is de toren. Naast hem, in jeans, een wit hemdje en geen beha, zit Rosie met haar handen preuts in haar schoot gevouwen.

Lovely komt te laat binnen en sist dat ik de deadline niet heb gehaald voor het voorjaars/zomernummer van de modellengids. Ze wringt zich naar het einde van de voorste bank, bedoeld voor de belangrijkste gasten. Mijn ouders en Constance schuiven op om plaats voor haar te maken. Nog later komen Ranald en zijn vriendin, in zwembroek en bikini, druipend op de gebeitste parketvloer van het stadhuis. 'Zijn we zover?' vraagt de ambtenares, met een blik op de verchroomde wekker die haar leren bureaublad domineert. Laten we opschieten, dan is het zo snel mogelijk achter de rug, zie je haar denken. Er wachten nog vijftien andere stellen op de gang.

Ze staat op om te beginnen, als Eliza haastig binnenkomt, met een mond als een rode streep, in een blote trouwjurk met ruches. 'Sorry,' mompelt ze als ze voor het bureau staat, naast Jonathan. Hij pakt haar hand en kust haar zoals hij mij nog nooit heeft gekust.

Ik zit op de hoek van de rij, dicht bij de muur. Mijn kont hangt half over de bank heen. Constance klemt haar magere, droge hand om de mijne en boort haar nagels in mijn handpalm. De wekker van de ambtenares begint oorverdovend te rinkelen.

Je kent dat wel, die reactie vlak voordat je helemaal wakker bent, in een vreemd bed. Bliksemsnel ga je alle mogelijkheden na: de logeerkamer van je beste vriendin, met die schimmelende mandarijnen? Een hotel dat totaal niet aan de folder beantwoordt? Of een onverstandig slippertje: hoe kón je? Wie is hij? Waar zijn mijn kleren?

De matras is klonterig als pap. Ben en ik zijn naar het midden gezakt. Zijn klamme hoofdje rust tegen mijn borst. Er prikt iets hards in mijn schouderblad: een springveer die aan de smerige matras wil ontsnappen. Ben spartelt en draait, gevaarlijk dicht bij de rand. Hij mag nog niet wakker worden en om zijn flesje zeuren. Eerst moet ik de melk verwarmen (Hoe? Is er een ketel? Werkt het fornuis wel?), dan ontbijt klaarmaken (Toch niet weer banaan?) en zijn vader zoeken (Waar is hij? Wat is er met ons gezinnetje gebeurd?).

Jonathan zou nooit in zo'n toestand verzeild raken. Hij zou de koelbox hebben ingepakt met boter, yoghurt, kaas en echte melk (niet de kant-en-klare voeding in pakken die ik haastig uit Dover heb meegenomen). Hij zou nu al beneden staan om de gootsteen schoon te maken en te repareren wat kapot was. Ik zou al de geur van echte koffie opsnuiven. Uren geleden zou hij de boiler aan de praat hebben gekregen. Tegen de tijd dat ik beneden kwam zou de bouwval van mijn ouders zijn veranderd in een glanzend en goed georganiseerd huis, net als onze flat.

Huiverend trek ik de chenille sprei tot aan onze neus. Ben ligt nog steeds te slapen met een tevreden uitdrukking op zijn gezichtje. Hij weet niets van de huishoudelijke rampen die hem hier wachten. Mijn eigen gezicht staat vermoedelijk gespannen en is in elk geval ongewassen. De zorgenrimpels dreigen zich permanent in mijn huid te etsen als ik me afvraag wat ik moet doen nu ik eindelijk zélf de leiding heb.

Drie berichten op de voicemail.

'Nina, met Jess van *Lucky*. Is er een probleem met je kopij? Een misverstand? Ik heb geprobeerd je thuis te bellen en je gemaild. We moeten deze week maar een puzzel op de pagina zetten. Bel me. We zijn een beetje wanhopig.'

'Nina? Met Rosemary van The Fox. Je zei dat je zou bellen om het aantal gasten te bevestigen. Ik neem aan dat jullie alleen wijn en bier willen, geen sterke drank. Klopt dat?'

'Met mij. Ik wilde alleen maar horen of je goed bent aangekomen.'

Ik vraag me af hoe lang Jonathan zal wachten voordat hij The Fox belt om het uit te leggen. Hoe zeg je een bruiloft af? Zou hij persoonlijk iedereen bellen of Matthew als zijn getuige vragen om dat voor hem te doen?

'Ik vond het al een beetje snel,' zei mijn moeder. 'Je kunt beter wachten tot je je figuur weer terug hebt.' Ik vertelde haar dat er helemaal geen trouwerij zou komen, wanneer dan ook. 'Maar toch krijg je je cadeau,' zei ze. 'Een enige lamp. Hij doet het niet, er zal wel een nieuw snoer aan moeten, maar hij is echt heel mooi. Je kunt er ook dingen aan ophangen.'

Eliza zei: 'Het is beter dan straks weer te scheiden.' Misschien dacht ze wel: goddank is het een geleende jurk.

Ben wordt wakker, hongerig en prikkelbaar. Zijn hemdje is vochtig ter hoogte van zijn luier. Een grijs licht kruipt door het gebarsten raam naar binnen. Het verschoten behang, roze met groengele bloemmotieven, krult om bij de naden. Op een grenen ladekast bij het raam staat een blauw-wit gespikkelde kan met bloemen die zijn verdroogd. De kamer ruikt naar gist, alsof er iets fermenteert, misschien diep in de matras.

Op het grijze rieten nachtkastje zie ik een fles met nog twee vingers rode wijn erin. Een paarse onderbroek hangt onder de wastafel. Als kind viel het me niet op hoe weinig huishoudelijk mijn ouders waren. Twee keer per jaar werd er gestofzuigd, een traumatische ervaring voor de Hoover, die meteen verstopt raakte en door mijn moeder met een rechtgebogen kleerhanger moest worden doorgeprikt. Dat vond ik de normale gang van zaken, totdat Imogen Priestly op bezoek kwam, in de deuropening van mijn kamer bleef staan en vroeg: 'Waarom is alles hier zo smerig?' Zenuwachtig ging ze op het puntje van mijn bed zitten en vroeg mijn moeder om haar vader te bellen, zodat hij haar vroeger kon komen halen.

Ik draag Ben naar de keuken en vul met één hand zijn flesje. De ruwe keukenmuren maken een schimmelige indruk. De keukenkastjes lijken zelfgemaakt en kloppen niet helemaal. Op de gekraste koelkast staat een kastje met een gaasdeur, waarschijnlijk voor kaas. Bij mijn voeten ligt een muizenval met een verschrompelde zwarte muis erin, zo groot als mijn duim.

Ben nestelt zich op mijn schoot, drinkend van zijn flesje, alsof Jonathan elk moment uit een van de wrakke keukenkastjes kan stappen om te zeggen: 'Zo! Daar zijn we. Zal ik koffie zetten?'

Maar dat gebeurt natuurlijk niet. En ik heb geen koffie meegenomen. Ik weet niet eens waar de wc is.

18

Verkennende bewegingen

DE *ONMISBARE GIDS* WAARSCHUWT JE NIET VOOR DE ONGELOOFLIJKE sprong in ontwikkeling bij een kind als een acht maanden oude baby opeens volledig aan zijn moeder wordt overgeleverd. Niemand vertelt je dat kinderen in feite verstandiger zijn dan hun ouders door nooit domme relaties aan te gaan of vrijwillig een schoon, warm bed met een luxe dekbed in te ruilen voor een klamme matras die naar zwammen ruikt.

Hoewel hij nog van mij afhankelijk is voor voeding en verschoning, gaat Ben met zulke zevenmijlslaarzen vooruit dat ik hem binnenkort verwacht aan te treffen met de folder over Châtillon, op de schoorsteenmantel achtergelaten, die een bezoekje aanraadt aan het Musée Archéologique met zijn adembenemende vondsten, waaronder een bronzen vaas van Griekse origine.

Instinctief weet hij wat we moeten doen. Ik buig me naar de haard in de huiskamer en denk terug aan Ranald op ons kampeerweekend, toen hij instructies blafte over de vervaardiging van vuurmakers uit krantenpapier. ('Wat probeer je te vouwen, een donut?') Als Ben zijn moeder vloekend bij de haard bezig ziet, kruipt hij snel naar de voordeur en slaat erop met zijn vuistje, omdat hij naar buiten wil.

Hij heeft gelijk. De haard kan wachten. We zullen wel bevriezen en ooit worden teruggevonden als mammoeten in het ijs, maar zonder vuurmakers zal er weinig terechtkomen van een knapperend haardvuur. Wat we veel dringender nodig hebben, lees ik op zijn ingevallen gezichtje, is een supermarkt. We kunnen niet eeuwig leven van bananen, oudbakken broodjes van de veerboot en pakken melk.

Als we naar Châtillon rijden, praat ik met hem als de volwassene die hij opeens geworden is. 'Moeten we geen echte kaart kopen,' vraag ik hem, 'in plaats van opa's servetje?' Ben schijnt dat een goed idee te vinden, en met wie moet ik het anders bespreken? Bij een duidelijk gebrek aan een partner of een babyhulpgroep, is Ben alles wat ik heb.

In de supermarkt kijkt hij peinzend rond vanuit het winkelwagentje, inmiddels gewend aan dat middel van vervoer. Begeleid door het lome gezoem van de koelvakken slenter ik door de gangpaden, op zoek naar schoonmaakmiddelen. Als ik ze heb gevonden, aarzel ik of ik iets citroenfris – wat een langer verblijf suggereert – of een doodgewoon afwasmiddel met een sponsje zal nemen.

De keus is te moeilijk, dus vertrekken we met verse melk, kaas, een groot pak koekjes in cellofaan, en babyvoeding (zalm en groente, afwisselende roze en lichtgele lagen in een potje dat ook suiker en zout bevat). Weer thuis proppen we alles naar binnen, om een beetje warm te worden. Ben hangt zwaar op mijn schoot, met een luier die het gewicht van een paar liter plas moet torsen. Maar zijn met zalm besmeurde gezichtje straalt.

Ik neem aan dat we anoniem het dorp kunnen verkennen, voorzover er sprake is van een dorp. De bewoners lijken vertrokken – misschien naar de Cariben, of naar een bioscoop die ik nog niet heb ontdekt. Zo nu en dan vang ik een glimp op van een wapperende jas of een gezicht achter een raam, of hoor ik een autoportier dichtslaan. Alleen bij de bakker (de winkel met de luiken) ontmoeten we iemand van dichtbij: een vrouw met krullend haar en stevige lijnen tussen mond en neus, die me aanstaart alsof ik van plan ben gaten te prikken in haar broden.

We vatten de gewoonte op om eens in de twee dagen naar Châtillon te rijden. Zo brengen we enige structuur in ons leven, ontwijken de norse bakkersvrouw en beperken de kans om mensen te leren kennen. Ik ben niet in de stemming voor een nieuwe beste vriendin of zelfs maar een correspondentievriend. De dagen glijden traag voorbij. Ben valt 's middags in slaap na de gestreepte potjes die hij als lunch krijgt voorgezet en mijn stem verdort tot een schor gefluister, omdat ik hem nog zo zelden gebruik.

'Nina, we maken ons grote zorgen... niets gehoord... denken aan je...' Daarna een volwassen mannenstem, waarschijnlijk Matthew, op de achtergrond, en Beth die snauwt: 'Ik zit te bellen, man! Ik spreek een boodschap in aan Nina.'

Jonathans stem klinkt gedempt, alsof hij vanuit een vuilnisemmer belt: 'Ik wilde alleen weten hoe het met je gaat. Bel me als je iets nodig hebt. Goed, dat was het.' Ik weet dat hij op zijn werk is, dus bel ik de flat en probeer niet te somber te klinken. Hij moet niet het gevoel krijgen dat het één grote ellende is, maar ook niet dat ik in feeststemming ben. 'Het gaat wel goed,' zeg ik. 'Ben probeert zich nu op te drukken. Hij kan al bijna staan, en...' Er blijft iets plakkerigs in mijn keel steken en ik moet ophangen. Ben opent één oog, alsof hij kijkt waar dat verstikte geluid vandaan komt, en valt dan weer veilig in slaap, eventjes verlost van zijn moeder.

Het huis wordt zo vertrouwd dat ik leer hoe ik de kamers moet gebruiken op verschillende tijden van de dag. In de middag, als Ben langzaam wakker wordt, neem ik hem op mijn schoot in het kleinste slaapkamertje. Het is daar schemerig, met een schuin en laag plafond, maar wat minder koud dan in de rest van het huis. 'De meeste bezoekers komen in het voorjaar en de zomer,' lees ik in *Wandelingen in oostelijk Frankrijk*, dat ik van de veerboot heb meegepikt. 'De winter kan schilderachtig zijn, maar is soms bitter koud.' Dus kruipen we tegen elkaar aan in het kleine kamertje, terwijl we regelmatig de donkere ruimte achter de keuken inspecteren waar de boiler staat. De vloer ligt bezaaid met afgebrande lucifers. Ik bel mijn vader, in de hoop dat hij licht kan werpen op de warmwatersituatie. 'We hebben het probleem nooit kunnen ontdekken,' zegt hij opgewekt. Ik probeer zijn instructies nog eens te volgen en de rode knop te vinden die dertig seconden moet worden ingedrukt tot de waakvlam blijft branden, maar er is geen rode knop en dus ook geen waakvlam of warm water.

's Avonds wikkel ik Ben in mijn jas en knoop die dicht. Dan schuiven we zo dicht mogelijk naar de haard toe zonder daadwerkelijk in de vlammen te gaan liggen. Hij flakkert voorzichtig, met de hulp van zeven vuurmakers en een stapel papieren donuts. Twee wrakke houten stoelen, op hun zij gelegd, houden Ben bij het vuur vandaan. Ik kook keteltjes water om Bens melk te verwarmen en onze kleren te wassen, die ik over de stoelen bij de haard te drogen hang. Er zweeft nu een soort brandlucht om ons heen. Het is niet helemaal de stijl van *InHouse*, hoewel Eliza misschien zou vinden dat het huis een zekere charme heeft met een sfeer van armoe-chic.

Bens hoofdhuid ruikt naar meel. Er zit vuil onder zijn nageltjes dat ik niet meer weg krijg. Ik vraag me af wat Lovely zou zeggen als we nu auditie zouden doen. *Een professionele moeder besteedt grote aandacht aan het uiterlijk van haar kind en aan haar eigen verschijning.*

In elk geval is er hier niemand die ons kent, stel ik mezelf gerust.

Maar natuurlijk merken ze ons op. Het begint met een knikje en een snelle glimlach van herkenning, hoewel iedereen te diep in sjaals en mutsen is weggedoken om een praatje te maken. Ik moest een skipakje kopen voor Ben. Zijn rode gezichtje tuurt ontstemd onder de gevoerde capuchon vandaan.

De vrouw valt op omdat ze geen sombere winterkleren draagt, maar een botergeel pakje met een print van turquoise zeepaardjes. Ze staat druk te praten en brengt haar hand zo nu en dan naar haar extreem gekapte kastanjebruine krullen. Haar metgezel draagt een harige bruine trui, een soort paardendeken. De oudere vrouw zwaait. Van dichtbij herken ik haar gezicht: zij is het die ons de weg heeft gewezen naar het huis, maar vandaag zonder glitters op haar oogleden. 'Heb je het huis gevonden?' vraagt ze vriendelijk.

'Ja, dank u.'

Ze kijkt omlaag naar Ben en kietelt hem even op zijn wangetje, dat nog bereikbaar is onder de capuchon. 'Het is toch geen geschikt huis voor een baby?' vraagt ze in het Engels.

Ik weet niet of ik dat moet beamen en eraan moet toevoegen dat het een bouwval is met slechte leidingen en een boiler die niet werkt. In plaats daarvan antwoord ik: 'Het gaat wel. We hebben het erg naar ons zin.'

Ze praat weer verder met de andere vrouw en ik lach onnozel. De vrouw met de zeepaardjes klopt me op mijn arm en zegt: 'Je blijft er toch niet lang, in dat huis?' *Dat* huis. Op afkeurende toon. Ik hoor het Constance al zeggen: 'Ik had je kunnen voorspellen dat het niets zou worden met *die* Nina.'

'Ik weet niet hoe lang we blijven,' zeg ik. 'Onze plannen staan nog niet vast...' Of is dat te vaag?

'Nee,' zegt ze beslist, terwijl ze me weer op de arm klopt met haar leren handschoen. 'Nee, kind. Wij hebben een hotel. Heel rustig in deze tijd van het jaar. De eerste gasten komen pas weer in het voorjaar.' Ik vraag me af of ik iets meelevends moet zeggen over de slechte klandizie. 'Dus je bent welkom,' gaat ze verder. 'Jij en je baby. Jullie kunnen bij ons logeren. Het is warm en comfortabel. En het kost je geen cent.' Ze lacht even en knikt dan, alsof de zaak daarmee is geregeld. 'Hier,' zegt ze. 'Bel me maar, dan zullen we een kamer gereedmaken.' Ze geeft me een crèmekleurig kaartje met de naam 'Hôtel Beauville', een lijntekening van een robuust gebouw en daaronder de naam van de eigenaresse, Sylvie Laman.

Ze tikt zich op haar borst. 'Sylvie,' zegt ze. 'En dit is mijn dochter, Nadine.'

Sylvie begrijpt niet dat we hier alles hebben wat we kunnen wensen. De waakvlam doet het nog steeds niet, maar in het diepste van de kleerkast heb ik een groen satijnen dekbed gevonden, en een vlekkerige grijze deken met badges van de padvinderij erop geborduurd. Ondanks het extra beddengoed slaap ik nog steeds in jeans, T-shirt, sweater en sokken, terwijl Ben zijn met fleece gevoerde hansop draagt, dat Beth ons met een vooruitziende blik heeft meegegeven.

De post brengt een pakje, geadresseerd aan Ben. Het is een kabeltruitje voor de leeftijd van twaalf tot achttien maanden, met een geruite wollen broekje. Ik schud de kleren uit, in de verwachting dat er wel een briefje uit zal vallen, maar ik vind niets. Ik had toch een paar regeltjes verwacht; dat Jonathan ons vreselijk mist, bijvoorbeeld, dat hij totaal in de vernieling zit en zelfs vergeet om op dinsdagavond de container buiten te zetten. Maar nee. Ik weet alleen dat het van Jonathan komt omdat ik zijn naar voren hellende handschrift op het bruine pakpapier herken.

Natuurlijk wil hij ons terug; in elk geval Ben. Hij wacht af, omdat hij weet dat we het niet lang zullen volhouden. Hij heeft foto's van het huis gezien. 'Interessant,' zei hij, toen mijn moeder hem de kiekjes in zijn hand drukte. 'Het heeft mogelijkheden. Maar het is wel een heel eh... project.'

Dus wacht hij nu, terwijl hij babyvoeding klaarmaakt, met een wat grovere structuur, om Ben aan klontjes te laten wennen. Hij zal ons niet vragen om met Kerstmis thuis te zijn. Jonathan heeft nooit iets van me gevraagd. Hij zal de kerstdagen doorbrengen met Constance, en geen van beiden zullen ze een woord zeggen over de gapende leegte waar Nina en Ben hadden moeten zijn.

Ik doe mijn kerstinkopen in Châtillon. Het warenhuis is de logische keus, maar het wemelt er van klanten met volle draagtassen die alle tijd hebben om te lachen, te praten en elkaar te kussen op zo'n typisch Franse manier, ook al hebben ze nog zoveel boodschappen te doen.

Die mensen maken me zo moedeloos. Met Eliza heb ik dat soms ook. Als ik thuis in Londen de oude broodkruimels uit de broodrooster heb geschud en haar opbel voor een praatje – haar verslag van de huilbui van een model omdat de visagiste haar favoriete oogcrème met inktvisolie niet bij zich had – hoor ik van een assistente dat Eliza is vertrokken voor een Indiase hoofdmassage en pas weer tijd heeft om terug te bellen aan het einde van de Nationale Modeweek.

Het warenhuis wordt me te veel, dus duik ik de drogist in. Daar is het rustig genoeg om binnen te komen met een buggy zonder iemand tegen de schenen te stoten. Het is er verblindend schoon en de meeste producten zijn in witte doosjes verpakt. Voor Eliza kies ik een sprankelende nagellakset in een doorzichtige plastic doos. Zij zal het wel begrijpen; ze weet dat ik het moeilijk heb. Voor mijn moeder kies ik een paars leren tasje met allerlei spulletjes voor een manicure. Mijn vader krijgt een zwartwitgestreepte toilettas met een afwasbare voering. Ik overweeg er ook een te kopen voor Jonathan. Wat geef je een man die je net verlaten hebt? Iets kleins, om hem te laten weten dat je nog aan hem denkt? Of een duur cadeau, zoals een digitale camera, om je schuldgevoel af te kopen?

Nee, een cadeautje van mij zou maar verwarrend werken en misschien verkeerd vallen. *Na alles wat ze me heeft geflikt wil ze het zeker goedmaken met een lullig tasje. Zoals ze me ook al op mijn verjaardag heeft gegeven.* In plaats daarvan kies ik stapelbare plastic bootjes voor Ben, in de optimistische verwachting dat de boiler tegen Kerstmis spontaan zal aanslaan om genoeg warm water te leveren voor het ene na het andere bad.

Na een tukje in de auto is Ben weer levendig genoeg om zijn pasverworven talenten te demonstreren. In de slaapkamer verheft hij zich uit kruiphouding en hijst zich omhoog aan de deken met badges van de padvinderij. Kijk dan, zegt hij met zijn scheve lachje.

Hij staat rechtop! Met een paar onzekere stapjes beweegt hij zich opzij, totdat hij door zijn knietjes zakt en met een klap achterover valt op zijn luier. Hij schaterlacht. Was dat leuk? Zal ik het nog eens doen?

Vanvey
4 december,

Lieve Jonathan,
Nou, we zijn goed aangekomen en we hebben ons geïnstalleerd. Het huis is niet zo erg als het leek op mamma's foto's. Het dak lekt op achttien plaatsen, maar alleen als het regent, dat begrijp je. En het is niet zo'n probleem nu ik alle plekken weet en genoeg emmers en pannen heb verzameld om het water op te vangen.

Geweldig nieuws. Ben loopt! Nou ja, niet echt, maar hij kan rechtop staan en een paar stapjes doen. Een beetje wankel nog, maar je moest hem eens zien! Het is een wonder.

Ik verfrommel de brief, gooi hem in het kwakkelende haardvuur en begin overnieuw:

Ik weet niet hoe ik moet beginnen, zelfs niet waarom ik hier eigenlijk naartoe ben gegaan. Het huis is een ramp, nog veel erger dan pap en mam ooit hebben toegegeven. Ben heeft constant een loopneus. We kunnen ons niet goed wassen; er is geen warm water, behalve wat ik in een keteltje kook. Ik overweeg om terug te komen en Eliza te vragen of ik een tijdje bij haar kan intrekken. Misschien ga ik zelfs terug naar mijn ouders. Het huis is nu nog leefbaar, maar hoe zal dat gaan in januari of februari? Pap zegt dat het vaak sneeuwt. Als de leidingen bevriezen hebben we zelfs geen water meer. Ik spreek helemaal niemand, behalve Ben, en ik geloof dat ik langzaam gek word. Zelfs Ben kijkt naar me alsof ik niet helemaal spoor.

Ik stop en kijk naar de datum. Onze trouwdag: 'Jonathan en Nina nodigen je uit voor hun bruiloft op 4 december om 11 uur 's ochtends in het stadhuis van Hackney en de aansluitende receptie in The Fox, Bishop Road, Londen N4.'

Het is onze trouwdag, en de weersverwachting luidt lekkage. In de kleine slaapkamer druipt het water uit een lampfitting in een gebarsten emaille mok. *Drup, drup, drup.*

Sylvie verschijnt in een goud quiltjack met motieven van frambozenkleurige varens. Ze lacht ontspannen, alsof ik haar wel verwachtte. Grote gouden oorringen gaan schuil onder haar kastanjebruine haar. 'Ik kwam toevallig voorbij,' zegt ze. 'Hoor eens, ik heb wat spullen meegebracht die wij toch niet gebruiken.' Ik doe een stap terug om haar binnen te laten in de keuken. Uit haar macramé boodschappentas komen tomaten, een oranje cake met amandelen en een papieren zak met sperziebonen. 'Ik heb aan je gedacht,' zegt ze, terwijl ze het jasje om zich heen trekt. 'Heb je het wel warm genoeg? Ik kan een kacheltje halen uit het hotel. Heb je voldoende haardhout? Mijn zoon komt wel wat brengen.'

'We hebben niets nodig,' zeg ik, half terugdeinzend. 'Dank je, maar we redden ons wel.'

Ze werpt een blik door de keuken. Het aanrecht ligt bezaaid met koekkruimels. Ben staat bij een afbladderend keukenkastje en houdt zich aan de doffe handgreep vast. Zijn geruite broekje zit onder de kip en broccoli. Verwacht ze soms een kop koffie? Ik overweeg mijn oude tactiek – koffiezetten met koud water – om haar weg te krijgen. Ik wil niet dat ze hier komt neuzen.

'Blijf je met de kerst?' vraagt ze.

'Ik denk het.'

'Dus je bent met Kerstmis alleen in dit huis?'

Als ik mijn jas aan had, zou ik kunnen doen alsof ik op het punt stond de deur uit te gaan. *Het spijt me, Sylvie, maar we hebben een afspraak met vrienden in een heerlijk warm restaurant. We kennen mensen hier. We horen hier thuis.*

'Helemaal alleen, met een baby?' zegt ze op vragende toon.

Ik veeg met een muf ruikend doekje over Bens vuile broek. 'Mijn man zou komen,' zeg ik, 'voor de kerst. Maar hij moet werken. Hij kan niet weg. We blijven hier maar een tijdje, totdat... Bedankt voor het eten. Het ziet er heerlijk uit.'

Ze raakt mijn arm aan en zegt: 'Wil je niet komen lunchen? Nu zaterdag? Dat zouden we leuk vinden.' En ze trippelt weg op haar tikkende hakken, in een wolk van lavendel, als de la van een linnenkast.

Het Hôtel Beauville ligt aan het eind van een krom grindpad – een steenklomp in een goedkope gele kleur. Aan weerszijden van het pad staan stenen dierfiguren. Een vogelhuisje met een houten mannetje dat aan een hendel draait, steekt uit een verwaarloosd bloemperk omhoog. Ben spartelt in zijn buggy en probeert te ontsnappen. Ik ben me ervan bewust dat ik geen cadeautje bij me heb. Ben en ik hebben gezocht in de supermarkt van Châtillon, waar ik leuk verpakte olijven, koekjes en kazen zag. Maar stel dat het doodgewone, alledaagse Franse merken zijn, dan kun je daar toch niet mee aankomen?

Sylvie kijkt door de witte vitrage en doet de deur al open voordat we er zijn. Met snelle vingers bevrijdt ze Ben uit zijn riempjes en tilt hem op haar arm. Met een hand in mijn rug neemt ze me mee door een gang die naar schoonmaakmiddelen met bosgeur ruikt.

'Deze kant op,' zegt ze, en we stappen een popperige huiskamer binnen. De boekenkast staat niet vol met boeken, maar met speelgoeddieren: teddyberen met vestjes aan en brilletjes op, muizen in prachtige avondkleding. Voor de ramen hangen witte satijnen gordijnen met ruches. Ze hebben een goedkope glans, als brandbaar ondergoed. Een paar vochtige houten roeiriemen zijn nonchalant tegen het bloemetjesbehang gezet.

Nadine koert tegen Ben. Ze draagt nog steeds die paardendeken als sweater. Ben giechelt en kijkt van het ene stralende gezicht naar het andere. Ik besef hoe vlak mijn gezicht is geworden, als een stoeptegel. 'Christophe!' roept Sylvie. Ik hoor een mannenstem iets mompelen op een bovenverdieping en even later komt er iemand met drie treden tegelijk de trap af: een jongen met lange benen. Eigenlijk is alles lang aan hem. Hij lijkt te lang voor zijn breedte, alsof hij is uitgerekt. Zelfs zijn neus is lang. Zijn kin vertoont een beginnerspoging tot een baardje. Alsjeblieft, geen kus, denk ik. Niet die dubbele Franse kus!

Ik krijg een dubbele Franse kus, voordat hij zijn aandacht richt op Ben, die uit zijn winterkleertjes wordt gepeld. Het is net als bij de opname voor een reclamespotje: alles wordt me uit handen genomen. Sylvie zegt dat ik moet gaan zitten, Nadine schept me een dampend bord op: sperziebonen, aardappelpuree en vlees in saus. Op zijn oude, hoge kinderstoel – die duidelijk niet aan de veiligheidseisen voldoet – wordt Ben gevoerd door Sylvie. Hij spert enthousiast zijn mondje open, elke keer als de lepel een duikvlucht naar hem toe maakt. Rode wijn klotst in mijn glas, dat nooit minder dan tweederde vol is. Het toetje is een witte taart van romig schuim, met bessen.

Ondanks de drukke gesprekken hoor ik het geluid van mijn eigen malende kaken en mijn overdreven grote tong boven alles uit. Sylvie praat over haar plannen om het hotel uit te breiden met een serre aan de achterkant. Nadine lijkt iets grappigs van me te verwachten. Christophe kijkt hoe ik eet. Sylvie likt aan een papieren servetje en veegt Bens gezichtje schoon. Ik zit zo vol dat ik nauwelijks nog kan ademhalen, laat staan me bewegen. Het huis van mijn ouders lijkt een werelddeel bij me vandaan. Kan ik nog normaal lopen na zoveel eten? Het is mijn eerste warme maaltijd sinds de tapas met Jonathan, toen mijn spijsvertering nog redelijk werkte.

Buiten komt de regen met bakken naar beneden. 'Je moet hier blijven,' zegt Sylvie, 'totdat het opklaart.' Ze pakt een zwaar groen album uit een boekenkast. Foto's, vermoed ik.

'Ik heb heerlijk gegeten,' zeg ik, 'maar we gaan nu echt naar huis. Ben moet slapen.'

'Dat kan hier ook,' kwettert ze, en ze klopt op een bloemetjesbank. Iets knijpt mijn keel dicht, misschien de angst om te worden gesmoord in satijnen gordijnen en schuimtaart. 'Waarom zo'n haast?' vraagt ze. 'Je bent toch op vakantie?'

'Het spijt me, maar we moeten echt weg.'

Terwijl Nadine Ben in zijn skipakje hijst, schept Sylvie de rest van de taart in een groen glazen schaaltje dat ze in een zak doet en in het mandje onder de buggy legt. 'Christophe brengt je wel naar huis,' zegt ze.

'Dat hoeft niet, hoor. Het is maar een klein eindje lopen.'

'Maar het regent. Heb je een paraplu?'

'Natuurlijk niet.'

'Wil je dan kletsnat regenen en met een ziek kind zitten als het Kerstmis is?'

'Ik heb een regenkap voor de buggy,' protesteer ik. Dat is wel zo, maar ik ben zo handig geweest dat ding thuis te laten. Ik voel me schuldig omdat ik er zo haastig vandoor ga na haar eten en haar gastvrijheid, maar dat doe ik de laatste tijd wel vaker. 'Echt, hij hoeft me niet te brengen.'

'Hij doet het graag,' zegt ze. 'Nietwaar, Christophe?'

19

Antisociaal gedrag

BUITEN RUIKT HET NAAR NATTE AARDE. IK BEN BLIJ MET DE FRISSE lucht. Het hotel was te warm en ik had er moeite met ademen, misschien door al die knuffeldieren. Christophe houdt de paraplu boven mij en de buggy alsof we vips zijn op de rode loper bij een filmpremière, kwetsbare figuren die niet nat mogen worden. Onze voeten knerpen over het natte grind. De zool van mijn rechterschoen klappert onder het lopen. We nemen de weg terug naar het dorp. Er is geen stoep, alleen een doorweekte grasberm, en we zijn met ons drieën te breed om naast elkaar te kunnen lopen.

Christophe raakt mijn schouder aan, waardoor ik schrik. 'Hier,' zegt hij. 'Neem jij de paraplu maar, dan zal ik duwen.' Hij trekt zijn jasje uit en vouwt het als een waterdichte cape om Ben heen. Dan pakt hij de buggy en loopt voor me uit. Zijn trui is kletsnat. Hij kijkt even om, lachend om het absurde tafereel, en opeens krijg ik een niet onplezierige sensatie, een soort roekeloos gevoel.

We komen bij het dorp, waar een stoep is, zodat we weer naast elkaar kunnen lopen. Nu kan hij me dingen vragen. Nieuwsgierigheid is duidelijk een familietrekje. 'Dus je past op het huis van je ouders?' zegt hij.

'Zo'n beetje.'

'Helemaal alleen, vlak voor Kerstmis?'

Ik ontwijk een antwoord door zelf vragen te stellen. Wat doet hij eigenlijk, zijn moeder helpen met het hotel? En waarom spreekt hij zo goed Engels?

'Ik heb in Londen gewoond,' zegt Christophe. 'Daar had ik allerlei baantjes.'

Hij is nog in een fase van zijn leven waarin het heel normaal is om 'allerlei baantjes' te hebben. Niet zoals Jonathan. Niet volwassen. We komen langs de bakkerij. De bakkersvrouw schudt met een stok het water van de markies. Ze knikt tegen Christophe en werpt mij een vernietigende blik toe, alsof de plas water op de markies mijn schuld is.

'Waarom ben je teruggekomen?' vraag ik.

'Voor mijn moeder. Het hotel is van mijn vader en moeder. Ze dreven het samen. Maar hij is vertrokken. We hadden geen idee waar hij zat, tot we een fax kregen dat hij nu samenwoont met een kapster.'

Dat is zoveel informatie tegelijk dat ik niet weet hoe ik moet reageren. 'Zijn kapster? Knipte ze zijn haar en...' Ik zwijg. Ik ruik een verhaal voor *Lucky*.

'Nee, de kapster van mijn moeder,' zegt Christophe.

'Maar dat is ze nu niet meer, neem ik aan.'

Hij lacht, draait met de buggy het weggetje naar het huis in en zegt: 'Ja hoor, mijn moeder komt er nog steeds. Ze is heel kritisch wie haar haar mag doen.'

Ik open de deur met de grote sleutel, die ik onder een gele steen bij de deur verberg. Het is een spelletje van me. Hé, inbrekers! Kom maar binnen. Zie je? Er valt hier niets te stelen, behalve oudbakken eierkoeken.

Christophe komt mee naar binnen en schudt zijn haar als een natte hond. Met één snelle beweging trekt hij zijn doorweekte trui over zijn hoofd en – misschien per ongeluk – ook zijn T-shirt. Ik wou dat ik wist wat ik met hem aan moest. Linda van de veerboot zou hem een kop thee in zijn handen hebben gedrukt, en iets om hem bezig te houden uit haar zwartwitgestreepte tas met kleurboeken (hoewel hij daar toch echt te oud voor is). 'Heb je een handdoek voor me?' vraagt hij.

Ik ruik aan de handdoek uit de badkamer, die een lucht verspreidt alsof hij in een tas met natte zwembroeken heeft gezeten. Als ik terugkom, is Ben uit zijn buggy gehaald, van zijn skipakje ontdaan en in zijn zitje gezet, waar hij al bijna in slaap valt.

Christophe droogt zich af. Ik veeg de koekkruimels van het aanrecht en was Bens flesjes zo goed mogelijk af met koud water. 'Wil je een trui?' vraag ik hem over mijn schouder.

'Graag,' zegt hij en hij slentert de kamer uit om het huis te bekijken. Als ik hem terugvind, zie ik een smalle strook van zijn glanzende blote rug, met een duidelijk afgetekende ruggengraat. Hij is bezig de haard aan te steken, gekleed in mijn turquoise Gap-sweater, die niet verder reikt dan zijn navel. Grijnzend houdt hij zijn zwarte handen omhoog.

'Geen warm water,' geef ik met tegenzin toe. Christophe en zijn familie moeten vooral niet denken dat alles hier niet prima voor elkaar is. Ik wil hem eigenlijk vragen waarom zijn moeder zich om me bekommert en wat hij zelf hier doet. Blijkbaar maak ik een hulpbehoevende indruk. Terwijl ik me heel goed kan redden. Kijk maar! Ik woon hier alleen met mijn zoon, en ik zorg voor hem, zoals het hoort. Ik ben een van die vrouwen die je in het park ziet met hun baby's, een echte moeder die precies weet wat ze doet, met een keurig verzorgd kind en een tas vol eten. Ik hoor bij de club.

Ik wil net de ketel opzetten als het gebeurt. Dezelfde golf van misselijkheid als op de veerboot, maar nog heviger nu. Het zweet breekt me uit en in gedachten zie ik Sylvies saus door mijn maag klotsen met de wijn en de schuimtaart. Dat doet je lichaam als je je beroerd voelt; beelden oproepen van vet en machtig eten: rauwe eieren, sardientjes, alleen om je te treiteren.

Mijn maag lacht zich rot omdat hij me zo'n streek levert terwijl ik een jonge man – *twee* jonge mannen – bij me thuis heb. Hoeveel heb ik gedronken? Wijn is een slecht idee overdag. Trillend wankel ik naar de huiskamer, waar Christophe in het vuur port met een pook die ik nooit heb kunnen vinden. Ik behelp me met een geschroeide houten pollepel.

Ik laat me op de versleten bank zakken, me bewust van de vettige bekleding, en probeer langzaam en diep te ademen. Als die misselijkheid maar overgaat! Alsof hij aanvoelt dat zijn moeder het moeilijk heeft, wordt Ben wakker, hoewel hij anders twee uur doorslaapt. Hij is meteen onrustig en schopt wild tegen zijn zitje. Maar ik kan niet naar hem toe. Ik hang als verlamd op de bank, hijgend in mijn handen.

'Is er iets?' vraagt Christophe. 'Je ziet zo...'

Zijn stem klinkt heel ver weg. Hij bedoelt het goed, maar hij kan me niet helpen. Bens gedrein komt van nog verder. Als ik Sylvies maaltijd maar ongedaan kon maken, er afstand van kon doen. Het volgende moment komt alles omhoog en spettert de kots over mijn wandelschoenen. Christophe duikt naast me op. 'Arme Nina.'

Eén moment ben ik bang dat het nooit meer op zal houden, dat ik totaal leeg zal lopen en zal inzakken als een slappe ballon. Met zijn ene arm houdt hij me vast, met de andere trekt hij mijn haar opzij. Een waardige situatie, precies de indruk die ik wil maken als ik nieuwe mensen ontmoet. Ben heeft eindelijk genoeg van zijn gejammer en kijkt gefascineerd toe hoe zijn moeder bezig lijkt met achterstevoren eten.

Christophe maakt alles schoon. Hij ruimt daadwerkelijk de kots op van een vrouw die hij pas een halve middag kent. Hij vindt zelfs het schoonmaakmiddel achter de wc. Om Ben bij het besmette gebied vandaan te houden, werpt hij een omheining op van drie houten stoelen, liggend op hun kant.

Ik schaam me zo dat ik wel kan huilen.

'Gaat het weer een beetje?' vraagt Christophe.

Ik schud mijn hoofd en zeg: 'Een week geleden zou ik trouwen.' Hij staat nog steeds naast me, in die geslaagde combinatie van een vochtige spijkerbroek en een turqoise meisjestrui. 'Maar de bruiloft ging niet door,' zeg ik. 'We hadden... een soort ruzie. Nergens over, zoals zo vaak. Maar ik heb het aangegrepen als excuus. Ik heb hem in de val gelokt. Het was allemaal een grote vergissing, veel te snel. We hadden elkaar leren kennen via een contactadvertentie. Dan adverteer je jezelf omdat je niet... Heb je dat hier ook, contactadvertenties?'

Hij schudt fronsend zijn hoofd.

'En toen kregen we Ben. Ook veel te snel. Ik was er niet aan toe. Niemand was eraan toe.'

'Je kunt beter niet trouwen als je er zo over denkt,' zegt hij.

'Dat weet ik.'

'Maar je voelt je schuldig omdat je hem gekwetst hebt. Je vriend, bedoel ik.'

'Jonathan,' zeg ik. De naam komt er ongelukkig uit. Ik heb hem niet meer hardop uitgesproken sinds ik bij hem ben weggegaan. Ik heb zelfs het woord 'pappa' niet meer gebruikt. Ik vraag me af of Ben is vergeten dat hij er een heeft. Hoe ver gaat de herinnering van een baby terug, een maand? Of maar een paar seconden, als bij een goudvis?

'En je bent hier naartoe gekomen omdat...'

'Omdat ik niet van hem houd,' zeg ik. Waarom lieg ik niet?

Hij blijft tot 's avonds en beweegt zich door het huis alsof hij er hoort. Ik geef Ben zijn avondflesje, drink de koffie die Christophe zet en hoor gerammel uit het vochtige hok waar de boiler woont. Er wordt iets zwaars verschoven, van metaal. Dan klinkt er een schrapend geluid en een gedempte kreet, alsof hij zich pijn heeft gedaan. Ik hoop dat hij weet wat hij doet. Christophe mag ongewoon bedreven zijn in het opruimen van kots, ik vermoed dat hij niet de zware examens heeft afgelegd die nodig zijn voor het onderhoud van gasinstallaties.

Opeens gebeurt er iets. Ik hoor een soort gesis, als van lucht door een buis, en dan de zachte plof van een ontsteking.

Even later staat hij voor me. 'Je hebt heet water,' zegt hij.

Als ik niet twee keer zo oud zou zijn als hij en niet vaag naar kots zou ruiken, had ik hem kunnen omhelzen.

Er komen kerstcadeautjes. Van Jonathan voor Ben: een houten spel met gaten van verschillende grootte, waarin hij passende blokjes moet steken om zijn behendigheid te oefenen. Van Beth krijgen we een kaart met een sneeuwman, gemaakt van kleine snippertjes wit tissuepapier, op karton gelijmd, misschien met wat hulp van Rosie, en blauwe konijnenslofjes. De tekst op de kaart luidt: 'We missen je. Plezierig kerstfeest. Liefs, Beth, Matthew en Maud.' Geen Rosie. Misschien staat ze te laag in de hiërarchie om een vermelding te verdienen.

Van Constance voor Ben: een geel vestje met enigszins mislukte parelknoopjes. Niets van Jonathan voor mij. Niets van mijn ouders voor wie dan ook. Ik pak Bens cadeautjes weer in en leg ze hoog in de boekenkast.

Dan bel ik mijn ouders om hen aan het bestaan van hun dochter en kleinzoon te herinneren en te pochen hoe goed het met me gaat. 'Bevalt het huis je wel?' vraagt mijn moeder.

Wat beter nu ik eindelijk heet water heb, wil ik tegen haar zeggen. Waarom hebben jullie me niet gewaarschuwd? Waarom hebben jullie me op pad gestuurd met een sleutel, een onleesbare kaart en een baby?

Maar het is haar schuld niet. Niemand heeft me hiertoe gedwongen. 'Het is perfect,' zeg ik.

'Ja, hè? Je vader en ik missen het nu al. Meestal komen we er 's winters niet, omdat het zo koud is. En vochtig. Maar nu jij er zit, dachten we: waarom niet? Dus met oud en nieuw kun je ons verwachten. Misschien kun je alles aan kant maken en eten in huis halen?'

'Dat zal ik doen,' zeg ik. Sylvies aanbod van een warme, benauwde hotelkamer zonder ouders lijkt opeens zo gek nog niet.

Er komen cadeautjes van Eliza: voor Ben een zwart, zacht truitje met ronde hals, voor mij een aromatherapieset voor in bad (precies op het juiste moment, nu ik heet water heb). Ze heeft er ook een sterk afgeprijsde verzamel-cd met soulmuziek bij gedaan, met de prijssticker er nog op. Bij gebrek aan apparatuur zal ik hem alleen in de auto kunnen draaien. Ik pak de cadeaus weer in, zodat ik nog iets spannends te openen heb met Kerstmis. Er zit ook een envelop in Eliza's jiffybag. Ik verwacht een kaart, maar het blijkt een haastig geschreven brief te zijn:

Lieve Nina,
Gaat het goed met je? Zit je nog in die bouwval van je ouders? Ik had veel eerder iets moeten laten horen. Sorry. Het is een hele toestand hier. Maar Jonathan belde om te vragen of ik iets had gehoord. Wat je plannen zijn, bijvoorbeeld.

Het was een moeilijk gesprek. Hij dacht waarschijnlijk dat ik dingen achterhield, alsof ik meer wist dan ik weet. Wat kon ik zeggen? Hij moet vreselijk ongerust zijn. Is dit een vertraagde postnatale depressie? Waarom kom je niet terug om het op te lossen? Je zou pillen kunnen slikken. Sarita van mijn werk is aan de seratonine en dat werkt perfect. Ze heeft 's nachts wel last van zweten en ze ziet er wat opgefokt uit, maar ze is een stuk vrolijker. Nina, ik moet je bekennen dat ik me gedeeltelijk verantwoordelijk voel voor deze vervelende situatie, omdat ik je op het idee van het modellenwerk heb gebracht. Bel me, alsjeblieft.'
Eliza xxxx
PS: Het spijt me dat ik je niet beter heb gesteund toen je bij me kwam. Ik was te veel met Dale bezig. Nou, dat is nu voorbij. Hij zegt dat hij iemand wil precies zoals ik: grappig, sexy en intelligent. Maar dan jonger. Mijn eigen domme fout om iets met een jongere man te beginnen. Op mijn leeftijd.

Een dakpan klettert van het dak, waardoor Bens voet uitschiet en tegen de keukentafel schopt. Hij zit op mijn schoot en ontbijt met restjes frambozencake. Er is iemand op het dak geklommen, míjn dak, om het lood te stelen.

Haastig loop ik naar buiten met Ben, die nog een stuk cake achter zijn wangen heeft gepropt, en kijk naar boven. 'Hallo,' zegt Christophe. 'Ik zag dat je bezig was en ik wilde je niet storen. Maar je kunt beter je auto een eindje opzij zetten.'

'Wat doe je?' roep ik omhoog.

'Wat denk je? Ik repareer het dak.'

'Dat is niet nodig,' snauw ik. Ben staart ook naar boven en likt wat frambozenpulp van zijn duim.

'Maar het lekt,' zegt Christophe.

'Alleen als het regent,' roep ik terug.

Alsof dat gedoe met het dak nog niet genoeg is, komt hij uren later binnen en legt een vuile oranje rugzak op de keukentafel, vol met winterkleren: mijn Gap-sweater, die nu naar lavendel ruikt, plus drie dikke truien en een vest in verschillende grijstinten, met een onbekende mannenlucht.

'Wat is dit?' vraag ik hem.

'Dit is voor jou. Als je hier de hele winter blijft, zul je warmere kleren nodig hebben.'

'Ik héb warme kleren,' zeg ik geïrriteerd. Wat mankeert deze familie, dat ze me zo graag van voedsel en kleding willen voorzien?

'Dat is een jumper,' zegt hij, alsof ik zelf de namen van mijn kleren niet meer weet. 'Trek vandaag iets warmers aan. Ik neem je mee in de boot.'

Ben trekt zich op aan de handgrepen van de keukenkastjes. Christophe neemt Bens handjes in de zijne. Ben blijft onzeker staan. Christophe doet een stap terug; Ben volgt hem met aarzelende pasjes. Jongens van Christophes leeftijd horen niet te weten hoe ze met baby's moeten omgaan. Hij zal zijn belangstelling verliezen en Ben laten vallen. Hoofdje van baby tegen stenen keukenvloer. Snelle rit naar Châtillon. Verpleegster vraagt: 'Wat hebt u met hem gedaan? Waar is de vader van het kind?'

'Voorzichtig,' zeg ik. 'Hij kan nog niet lopen.'

Hij schijnt het niet te horen en vraagt: 'Ben je klaar? Ik heb eten bij me...'

'Nee,' zeg ik tegen hem. 'Het is december. We vriezen halfdood.'

Ben zakt door zijn knietjes, maar kijkt nog steeds omhoog om Christophes goedkeuring te zoeken. Een van de latere hoofdstukken van de *Onmisbare gids* zweeft me voor de geest: '*Wees niet bang om uw kind nieuwe ervaringen te laten meemaken. Verkenning is een wezenlijke manier voor hem om de wereld te leren kennen en begrijpen.*'

'Waar is die boot?' vraag ik.

Hij ligt dicht bij het Hôtel Beauville, waar de rivier een lus naar achteren maakt. De oevers zijn begroeid met kletsnat riet, waar de regen traag vanaf drupt in het water. In het botenhuis hangt een lucht van nat hout. Ik parkeer de buggy op de smalle steiger, met de kap eroverheen voor het geval het weer gaat regenen.

Christophe trekt Ben een zwemvestje aan en maakt het vast met klittenband en riempjes. Dan stapt hij in een boot. Het is een gewone roeiboot, glimmend en toffeebruin. Een notendopje dat al begint te slingeren als je ernaar kijkt.

Hij stapt in, buigt zich naar Ben en ondersteunt hem met een arm. Dan klemt hij zijn wollen handschoen om mijn hand en helpt me aan boord alsof ik een bejaarde ben. Boten zijn niets voor mij. Denk maar aan de episode op de veerboot, waar ik zelfs op een windstille dag nog zeeziek werd. Bij een kleine boot is de geringste beweging – je voeten verzetten, zelfs met je ogen knipperen – al voldoende voor hevige deining. Christophe geeft Ben aan mij. Ik houd mijn zoon vast en merk dat ik mijn kaken op elkaar klem.

Ben zit rechtop en kijkt geïnteresseerd om zich heen. Wanneer zijn baby's eigenlijk bang? Niet vaak, blijkbaar. Hij volgt Christophes bewegingen als hij de boot losgooit en de riemen in de dollen legt. Even later varen we weg. Ben kijkt naar elke slag van de riemen. Misschien denkt hij wel dat zijn vader is vervangen door een jongere man met een baardje, die van varen houdt.

We volgen de wijde bochten van de rivier. Christophe zegt geen woord. En Ben heeft gelijk: er is helemaal niets om bang voor te zijn als we het dorp achter ons laten en rustig verder glijden. Ik zie het deftige horloge om mijn pols en trek de mouw van mijn sweater eroverheen.

We houden halt bij een stevige houten paal, waar Christophe de boot afmeert. Hij stapt op de kant en neemt Ben van me over. We hebben aangelegd bij een klein veldje, omzoomd door grillige heggen. Er staat een oude stenen hut, zo bouwvallig dat één windstoot voldoende lijkt om alles te laten instorten. Ben kruipt over de grond en ik zie zijn billen in het skipakje boven het gras uit wiebelen. Christophe haalt een armvol droog hout uit de hut. Een lucifer vlamt op. Als het vuurtje oplaait, kruipen we eromheen. Ben opent gehoorzaam zijn mond als Christophe hem voert met lekkere hapjes. Hij spert zijn ogen wijdopen in het schijnsel van het vuur. *'Neem elke gelegenheid te baat om de zintuigen van je kind te stimuleren. Laat hem ontdekken hoe water voelt als het door zijn vingers stroomt en laat hem naar de vlammen kijken, dansend in het vuur.'*

Dus mijn *Onmisbare gids* gaat ermee akkoord? Dat de luier van mijn zoontje zo diep onder zijn skipakje zit verborgen dat hij al uren niet meer is verschoond? Dat de koekjes – zoete theebiscuitjes – die dit geleende mannelijke rolmodel hem voert het glazuur van zijn pasgevormde tandjes aantasten? Hoe doe ik het, volgens jullie regels voor de jonge moeder?

'Na een tijdje merk je het niet meer,' zegt Christophe.

'Wat?' vraag ik.

'De bewegingen van de boot. De volgende keer denk je er niet eens meer aan.'

'Ik dacht er nu al niet aan. Ik vond het zelfs wel prettig.'

'En je bent niet misselijk geworden,' merkt hij op.

Ben ligt slaperig in mijn armen. We moeten naar huis, hoewel ik daar geen zin in heb. 'Ik moet terug,' zeg ik.

'Naar Engeland?' vraagt hij.

Daar denk ik over na. Terug waarvoor? Om het goed te maken met Jonathan? De verstandigste oplossing? We zijn een jong gezin (wat een groot woord voor twee slecht bij elkaar passende volwassenen en een baby die nog te jong is om zijn mening te geven over zijn leefomgeving). Maar Jonathan heeft maar twee keer gebeld en een korte boodschap ingesproken. Hij heeft niet eens gezien hoe zijn zoon zich op zijn rubberen beentjes verhief. Rechtop, wat maakt dat een verschil! Ben is niet langer een horizontaal wezen, dat met zijn handjes naar zijn speelboog slaat. En ik krimp niet meer ineen als hij hongerig begint te huilen. Ik red het wel.

Het is bijna donker als we terugroeien naar het botenhuis. Ben ligt slapend over mijn schoot en wordt zelfs niet wakker als hij in zijn buggy wordt getild en naar huis gereden. Ik leg hem in bed. Er zit gras in zijn haar en hij ruikt naar een houtvuurtje. Als ik beneden kom, is Christophe bezig de omheining van stoelen weg te halen. De zure stank van kots is verdwenen en de kamer lijkt bijna weer normaal.

'Je hoeft niet terug,' zegt hij. 'Ben je niet gelukkig hier? Heeft Ben het niet naar zijn zin?'

'Zo simpel is het niet,' zeg ik.

'Dat zou het wel kunnen zijn,' zegt Christophe. 'Ik kan je helpen. Je zou dit je thuis kunnen maken.'

Eén milliseconde lijkt dat een heel logische gedachte.

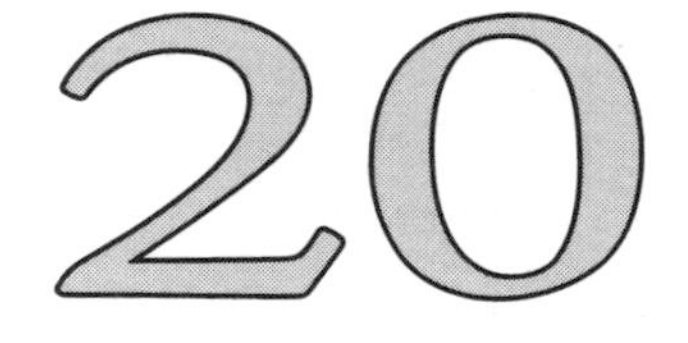

Speeltjes

ER ZIJN EEN HELEBOEL REDENEN WAAROM IK NIET MET CHRISTOPHE naar bed moet gaan. Om te beginnen de brutaliteit waarmee hij veronderstelt dat hij mag blijven slapen nadat hij onze gezondheid in de waagschaal heeft gesteld met dat boottochtje op de rivier. Alsof ik iets met hem zou willen! Hij is nog jonger dan Dale (en we weten hoe dat afgelopen is). Denkt hij soms dat ik wanhopig ben? Of dat ik hem nodig heb om het dak te repareren of op Ben te passen, en dat dit een soort betaling in natura is?

We hebben helemaal niets gemeen, niets om over te praten. Hij heeft niets gedaan en is nergens geweest. Nou ja, in Londen, maar wat heeft hij daar uitgespookt? Allerlei baantjes, een beetje ronddobberen. De tijd waarin ik zelf nog ronddobberde ligt zo ver achter me dat ik niet eens meer zou weten hóé ik moest ronddobberen, zelfs als ik de kans kreeg.

En er zijn nog meer redenen om fysieke intimiteit te vermijden met deze arrogante en onvolwassen (maar ontegenzeggelijk aantrekkelijke) jonge hond:

Ik ben een moeder.
Hij woont bij zijn moeder.
Hij is een baby.
Ik heb Jonathan (min of meer).
Ik kan me Haircut 100 nog herinneren.
Hij heeft last van zijn hormonen.

Hij rúíkt zelfs jong.
Hij weegt waarschijnlijk minder dan een van mijn dijen.
En het ergste van alles: stel dat hij over Franse popmuziek wil praten?

Er wordt ongeduldig op de deur geklopt. Het is zo donker dat ik mijn eigen hand niet kan zien. Ik glip uit bed, trek het satijnen dekbed mee en wikkel het om mijn schouders als ik op de tast de trap afdaal. Mijn vingers glijden langs randjes en platte vlakken.

Weer dat gebons op de deur. Ik doe het licht aan en open de voordeur op een kier, maar de postbode doet alsof hij het niet hoort. Ik zie hem van opzij; zijn adem vormt witte wolkjes. De regen van de vorige avond heeft de grond in een modderpoel veranderd. Ten slotte open ik de deur maar helemaal, al voel ik me belachelijk in mijn cape. Hij geeft me het pakje. Om het aan te nemen moet ik een hand uit mijn dekbed steken, maar dan kan ik het niet meer gesloten houden.

Ik knik naar de grond. Hij legt het pakje neer en klakt afkeurend met zijn tong. *Geschifte toeriste. Niet eens aangekleed.*

In het pakje zit een kerstcadeau in smaakvol papier zonder kerstmannetjes, maar met zilveren sterren tegen een lila achtergrond en een bijpassend kaartje met de tekst: 'Nina, ik zag dit en moest aan jou denken. Liefs, Beth.'

Het is een boek met de titel *Begin met praten, begin met liefhebben.* Op het omslag is een stel afgebeeld in stippeltjes, als een schilderij van Liechtenstein. Hij heeft de vierkante kaak van een stripfiguur; zij heeft mooie krullende wimpers. Ze staan rug aan rug, met hun armen over elkaar geslagen. Hij was weer te laat, waardoor het eten verpieterde. Of misschien heeft hij zijn zoontje in een commercial in de bioscoop gezien.

Op de binnenkant van de achterflap staat een foto van de schrijfster. Ze draagt een crèmekleurige mohairen sweater en heeft een patroniserend lachje. Hoofdstuk één begint met een aantal vragen:

Verhef je je stem om gehoord te worden?
Schreeuwt je partner tegen je om je aandacht te krijgen?
Maken jullie ruzie in het openbaar?
Kibbelen jullie steeds weer over dezelfde oude punten?

Nee, nee, nee, nee.

'Gefeliciteerd!' schrijft de Mohairdame enthousiast. 'Jullie communiceren zonder te vervallen in schreeuwen of ruziemaken. Toch kunnen we er allemaal baat bij hebben om beter te leren praten en luisteren. Met de oefeningen in dit boek zullen jullie nog dichter naar elkaar toe groeien als stel.'

Christophe doemt voor me op, wrijvend over zijn bovenarmen, waar hij kippenvel heeft. Hij draagt de deken met de padvindstersemblemen als een sarong om zijn middel geslagen. Daarboven zie ik zijn ribben.

Ik doe de voordeur dicht en gooi *Begin met praten, begin met liefhebben* in de rieten prullenmand.

'Kom weer naar bed,' zegt hij.

Ben en ik zullen de kerstdagen doorbrengen in het Hôtel Beauville, waar Sylvies familie een kerstdiner heeft. We zijn niet officieel uitgenodigd, maar iedereen gaat ervan uit dat we zullen komen. Sylvie is druk bezig voor de grote dag en speldt linten aan de toch al zo drukke gordijnen. Er staat een kerstboom in zilver en wit, vol met glazen ballen. De wrakke kinderstoel is versierd met witglinsterende dennenappels, bevestigd met goudkleurige koorden, zo dik als de ceintuur van een ochtendjas. Sylvie is ademloos in de weer met haar voorbereidingen en delegeert allerlei klusjes aan Nadine en Christophe. Ik mag niet helpen. 'Jij bent onze gast,' zegt ze nog eens. 'Jij hoeft hier niets te doen, echt niet.'

Dus zit ik maar op de bank, waar ik vrolijke drankjes en zachte koekjes krijg aangereikt die het midden houden tussen biscuit en cake. Ben hijst zich overeind op sofa's en stoelen en bijt in knuffeldieren. Ik vraag me af of hij het Hôtel Beauville niet leuker vindt dan het huis van mijn ouders. Daar is immers geen speelgoed, afgezien van de cadeautjes die tot Kerstmis liggen te wachten. Ik heb hem al in geen weken een plaatjesboek laten zien. Maar hoeveel prikkels heeft een kind nodig? Ben kan een hele ochtend zoetbrengen door met een houten lepel op een gedeukte steelpan te slaan. Vroeger maakte niemand zich druk over de juiste stimulans voor kinderen. Van mijn derde tot mijn elfde heb ik aan een zwaaiend hek gehangen. En toch ben ik nog goed terechtgekomen.

Ik heb nu twee huizen, wat een luxe: eentje vol met mensen en rammelend vaatwerk, een ander waar ik slaap. Bijna elke dag komt Christophe wel langs en brengt eten, wijn of zijn lichaam mee. Op een morgen kwam hij met een speelgoedtruck, gemaakt van een roodgeel blik waar zonnebloemolie in had gezeten. Het heeft een zekere rustieke charme, maar het is veel te onveilig, met scherpe randen waaraan een baby zijn hele arm kan openhalen. Zie je wel? Hij weet niets van kinderen. Toch heb ik hem hartelijk bedankt en de truck op de bovenste plank van de kast gezet, bij de kerstcadeaus.

We drinken net genoeg wijn om wat wazig te worden. Ik vraag me af of Christophe mij gebruikt om te oefenen met seks, zodat hij goed beslagen ten ijs zal komen als hij een echte vriendin vindt. Wat moet hij anders met me? Ik ben oud en afgeleefd, verminkt door de bevalling. Ik heb me zelf nog steeds niet onderzocht daar beneden, bang voor wat ik zal ontdekken.

Ben slaapt in het grote bed, aan alle kanten omgeven door kussens. Wij slapen in het kleine kamertje en houden elkaar warm onder het groene satijnen dekbed en de gevlekte grijze deken. Het voelt niet alsof hij oefent. Ik weet eigenlijk niet hoe het voelt, want ik kan niet helder denken. Als ik wakker word, half onder de padvindstersdeken, staart de badge van *Volleerde huismoeder* me recht in het gezicht.

Mijn moeder belt om zich te verontschuldigen dat ze Bens cadeau niet op tijd voor de kerst heeft verstuurd. ('We hebben iets gevonden op de rommelmarkt. Je zou denken dat het splinternieuw was, maar er mankeerde iets aan de claxon.') Daarna geeft ze me haar dieetlijstje voor oud en nieuw: 'Geen zuivel en gluten, denk eraan. Rood vlees mag ik niet hebben en Ashley is ook geen voorstander van kip, dus ik kan het beter bij vis houden. Vers, natuurlijk.' Volgens Ashley heeft zijn behandeling van mijn moeder een kritieke fase bereikt. Ze staan op het punt de blokkade in haar hersens op te ruimen.

'Vis kan een probleem zijn,' zeg ik tegen haar. 'We zitten een heel eind van de kust, mam.'

Ze snuift door de telefoon en antwoordt: 'Je vader en ik hebben nooit moeite om verse spullen te vinden.'

'Mam,' zeg ik zuchtend, 'weet je wel zeker dat jullie komen? Stel dat het sneeuwt? Dan zou je hier dagen of weken vast kunnen zitten.'

'Wat ben je toch pessimistisch,' zegt ze verwijtend. 'Wat geeft het of we daar stranden? Het is er heerlijk, dat heb je zelf gezegd. Ik dacht dat je het leuk zou vinden. Je zit de hele dag thuis met de baby. Wat doe je al die tijd?'

Christophe is 's ochtends vroeger wakker dan ik. Een warme hand op mijn buik, mijn borst of mijn dij. We zijn muisstil, zachtjes bewegende lichamen onder het schuine plafond.

Ben slaapt na de lunch. Die dutjes zijn belangrijk voor een baby. *'Als hij negen maanden is, slaapt je kind overdag nog wel een uurtje of twee, of langer. Maak gebruik van die tijd. Het is ook voor jou een kans om te slapen, zodat je je weer uitgerust voelt als je baby wakker wordt.'*

We leren nieuwe trucs. Na een stevige lunch met veel koolhydraten, plus een volle fles warme melk, gaat Ben wel tot vier uur plat. Dan sluipen wij naar het kleine kamertje, waar ik mijn deftige horloge afdoe en in de la opberg, zonder me er iets van aan te trekken dat ik mijn ziel aan de duivel heb verkocht.

Het is kerstavond. Sylvies tafel bezwijkt zowat onder een batterij kaarsen met parelglans, dampende schalen en in het midden een prachtig boeket van droogbloemen, in een sponsachtige zilveren bol gestoken. Ze draagt een zwarte zijden jurk, met opgestikte dunne koperblaadjes. Nadine houdt het bij haar gebruikelijke vormeloze trui. De vrouwen zijn opgewonden door het kerstmaal, de drukke gesprekken en de voortdurende excursies naar de keuken. Christophe zit rustig te eten, alsof het een doordeweekse maaltijd is.

Dan worden de borden afgeruimd en is het tijd voor de cadeautjes. Sylvie krijgt een soort tosti-apparaat, bestemd voor reuzen. 'Om vlees klaar te maken aan tafel,' legt Nadine uit. Ik knik, alsof ik zo'n ding thuis ook heb staan. Sylvie geeft me een klein pakje: parfum van een onbekend merk in een geribbeld glazen flesje met een vergulde dop. Ik kus haar en schaaf mijn gezicht aan haar krullen, stijf in de lak. Ik heb zelf een vulkaanvormige cake meegebracht, met erupties van nootjes en gekonfijt fruit. Haar dankbaarheid is buiten proportie.

Ik heb nog steeds niets geschikts kunnen vinden voor Christophe. Omdat we ons zo vaak terugtrekken in dat kleine kamertje, blijft er weinig tijd over om naar Châtillon te gaan. Ik ben zelfs nog niet naar het Musée Archéologique geweest.

Ik ben vol van de maaltijd, maar heb toch nog honger. Dat gebeurt me regelmatig. Al mijn jeans lijken gekrompen. Sylvie snijdt een stuk vulkaancake voor me af en klapt dan snel en luchtig in haar handen. Ze heft haar glas. 'Nina,' zegt ze. 'Welkom in de familie.'

Ik schijn een nieuwe moeder te hebben gevonden. En een... wat dan ook.

Jonathan belt niet. Misschien zit hij bij Constance en werkt braaf haar gehaktschotels naar binnen. Op 26 december bel ik Beth, onder het voorwendsel dat ik haar een prettige kerst wil wensen. 'Nina!' roept ze met gemaakte vrolijkheid. 'Heb je het boek gekregen? Ik hoop dat je je niet beledigd voelde, maar ik dacht, omdat je daar helemaal in de rimboe zat...'

'Je hebt gelijk, er is geen boekwinkel,' zeg ik.

'Hoe lang wil je hier nog mee doorgaan? Ik dacht gisteren nog aan je, opgesloten in dat ellendige hutje. Helemaal alleen, met niemand...'

'Ik heb Ben,' val ik haar in de rede. Er klinkt een ritselend geluid, alsof ze iets in folie verpakt. 'Heb je Jonathan nog gezien?' vraag ik opgewekt.

'Eh, even denken... een week geleden, geloof ik. Ja toch, Matthew? Toen heeft hij bij ons gegeten. Sindsdien hebben we het druk gehad. Mijn ouders zijn er nu. Ze wilden eigenlijk dat we met de kerstdagen bij hén zouden komen, dus kijken ze vreselijk sip. Maar wie wil nou op het platteland zitten? Stel dat het gaat sneeuwen. Dan kunnen we geen kant meer op.'

'Hoe leek Jonathan?'

'Hoe hij *leek?*' piept ze. 'O, goed hoor, als je bedenkt hoe moeilijk hij het heeft.'

'Maar ik heb nog niets...' Niets gehoord. Maar wat had ik dan verwacht?

'O, Jana, let even op Maud met die appelsap,' roept Beth.

'Jana?'

'Onze nieuwe au-pair. Een Tsjechisch meisje. Ze had een akelige ervaring met haar vorige familie en ze vindt het hier een paleis.'

'Wat is er met Rosie gebeurd?'

Ik hoor een klap, als van een ovendeur die dichtslaat. 'Dat werd niets. Zo gaat het soms met au-pairs. Je moet er een heel stel afwerken voordat je de juiste hebt gevonden.'

'Hoe is Jana?'

'Heel ijverig. Dag en nacht in de weer. Geen echte schoonheid, maar dat vindt Maudie geen probleem.'

Ik rijd met Ben en Christophe naar Châtillon om alles aan te schaffen van het lijstje dat mijn moeder heeft gedicteerd. Zolang mijn ouders er zijn, zal de koelkast uitpuilen met verse producten en zal er op de keukentafel een grote schaal met glimmende appels en ander vers fruit klaarstaan. Ik zal elke dag lippenstift opdoen en Ben zijn geruite broek en zijn zwarte truitje met ronde kraag aantrekken, helemaal in minimalistische retrostijl. Dat moet toch wel indruk maken?

Christophe maakt zich vrolijk over het lijstje met al die vraagtekens, doorhalingen en aanvullingen. 'Zijn je ouders... lastig?' vraagt hij.

Ik kijk hem van opzij aan. Hij zou mijn zoon kunnen zijn, die een lift heeft gevraagd om zijn vriendinnetje op te pikken, een meisje met zachte rondingen, een witte A-cup en geen vetkwabben onder haar oksels. 'Je blijft proberen om het je ouders naar de zin te maken,' zeg ik.

Zelfs als hij lacht blijft zijn gezicht nog rimpelloos. Het leven heeft nog geen sporen nagelaten. Een babyface. Hij pakt een cd van het dashboard. Het is mijn cadeautje van Eliza, de soulverzamelaar. Hij steekt hem in de speler en drukt op play.

'Now that you've gone
All that's left is a band of gold
All that's left of the dreams I hold
Is a band of gold...'

Ik spring een track vooruit. The Temptations: *Ball of Confusion*. Christophe legt een hand op mijn dijbeen. Ik klem het stuur in mijn handen en tuur door de regen die tegen de voorruit klettert. Het volgende nummer. The Jackson Five: *I Want You Back.*

Ik zet de cd-speler af. 'Hé, Nina, wat scheelt eraan?' vraagt Christophe en hij haalt zijn hand van mijn been.

Ik zet hem af. 'Hé, ik vond het best goed,' protesteert Christophe.

'Ik heb geen zin in muziek,' zeg ik.

Het is 30 december en het sneeuwt, precies op tijd voor de aankomst van mijn ouders. De deur zwaait moeizaam open en trekt een boog door het witte tapijt. Ben wankelt naar buiten, met zijn ene hand in de mijne en zijn andere in die van Christophe. Ik zie de vage omtrekken van een auto onder een dekbed van sneeuw. 'Maken ze de weg vanaf Châtillon wel vrij?' vraag ik.

'Uiteindelijk wel. Vanavond, misschien. Maar als het nog harder gaat sneeuwen...'

'Dan redden ze het niet.'

'We moeten zelf maar sneeuwruimen,' zegt hij. 'Als ze tot hier weten door te dringen, moeten ze toch met hun auto bij het huis kunnen komen.'

De rest van de ochtend zijn we bezig een pad van de weg naar het huis vrij te maken, onder toezicht van Ben, die plat op zijn kont zit en sneeuwvlokken van zijn dikke marineblauwe wanten likt. Verse sneeuw kleeft aan zijn haar als kleine veertjes.

Binnen kruipen we bij de haard, in dekens gewikkeld: drie gezichten, zoals ik me het tafereel had voorgesteld na mijn bevalling langs de weg. Hoewel een van die gezichten zou moeten toebehoren aan Bens vader. Het deugt niet wat ik doe. Als ze het wist, zou de Mohairdame verbolgen binnenstappen om me met haar zelfhulpboek om de oren te slaan.

Na de lunch maken we het huis oudervriendelijk. Ik haal alles weg wat naar Christophe verwijst: zijn harige sokken op een stoel, zijn mentholtandpasta in de badkamer, de condooms op het plankje bij het kleine bed.

Ben valt in slaap met de speen in zijn mond. Ik draag hem naar boven voor zijn middagdutje en stop hem in bed. Als ik naar buiten kijk, kan ik het pad dat we hebben vrijgemaakt al niet meer zien.

Christophe kleedt zich uit en ik stap uit mijn jeans, mijn sweater en mijn ondergoed. Hij trekt de beddensprei over ons heen. Zijn voeten voelen ijzig, maar zijn lippen zijn warm en zijn vingers nog warmer. Heel veel later horen we Ben huilen. 'Ik haal hem wel,' zegt Christophe. Maar als hij in beweging komt, is het alleen om mij nog steviger tegen zich aan te drukken.

'Theetijd, zeiden ze,' zeg ik tegen hem. 'Ze hadden er al lang moeten zijn. Er is iets gebeurd.'

Hij heeft het buitenlicht gerepareerd en staat nu sneeuw te scheppen in het gele schijnsel. Op de een of andere manier zijn insecten de afgesloten plastic bol binnengedrongen en daar gestorven.

'Ze zullen ergens zijn gestopt,' zegt Christophe. 'Het sneeuwt nog steeds. Ze komen morgen wel.'

Ik had liever dat hij ophield met sneeuwruimen; dat heeft geen zin. Het zweet staat op zijn voorhoofd, ondanks de kou. 'Je moet weg,' zeg ik. 'Voor het geval ze toch nog komen opdagen.'

'Hoezo? Is het een probleem dat ik hier ben?'

Hij begrijpt het niet, en waarom zou hij ook? Hij heeft nog nooit te maken gehad met de ouders van een ander. Dat komt later pas, de schoonfamilie: een moeder die je eigen moeder niet is, maar onderdeel van het pakket.

'Wie moet ik dan zeggen dat je bent?' vraag ik.

'Wat dacht je van een vriend?'

Om halftwaalf heb ik nog steeds geen koplampen gezien op weg naar het huis.

Ik leg mijn mobieltje op de gebarsten houten plank naast het eenpersoonsbed en sla mijn armen om zijn rug.

Een tijdje later wordt er gebeld. 'Waar zitten jullie?' vraag ik snel.

Ik hoor iemand ademen. Ten slotte zegt een stem: 'Nina, met mij.' Wie is het? Een mannenstem, iemand die ik moet kennen. 'Ze is dood,' zegt de stem.

Ik schiet overeind. Christophe beweegt zijn benen als hij merkt dat ik niet meer met hem verstrengeld lig. 'Ze denken dat het gisteren is gebeurd,' vervolgt de stem, moeizaam en gespannen.

'Wie?' vraag ik. *Wie is er dood? Wie belt me?*

'Ze hebben haar in haar stoel gevonden, met de tv nog aan. Die godsdienstige types, de jehova's. Ze had de deur open gelaten, zoals ze altijd doet. Je weet wat ik tegen haar zei...'

Christophes arm komt onder de deken vandaan en tast naar de plek waar ik zo-even nog lag.

'Ik kom wel naar huis.'

'Dat hoeft niet,' zegt Jonathan. 'Ik vond alleen dat je het moest weten.'

Christophe gaat rechtop zitten en pakt mijn hand. Ik weer hem af. 'Hoe voel je je?' vraag ik. Ik ben de Mohairdame geworden.

'Ik wilde het je alleen laten weten,' herhaalt hij.

'Jonathan, ik kom naar huis voor de begrafenis. Ik moet...'

'Dat is niet nodig,' zegt hij. 'Er komt toch niemand anders dan ikzelf, Beth en Matthew natuurlijk, en Billy, hoewel ik zal proberen hem er vandaan te houden, omdat ik niet wil dat hij...'

'Ik hoor erbij te zijn,' werp ik tegen. Mijn stem trilt. Christophe staat op en zoekt in een stapel kleren.

'Waarom?' vraagt Jonathan. 'Waarom zou jij erbij moeten zijn?'

'Nou, ik ben toch je...'

'Mijn wat?'

Christophe keert zijn jeans om, die binnenstebuiten zat. Hij trekt hem aan en ritst hem dicht. 'Is er iemand bij je?' vraagt Jonathan.

'Natuurlijk,' zeg ik. 'Ben is hier.'

Vaste routine voor de baby

CHRISTOPHE ZEGT DAT IK NIET KAN GAAN. NIET IN DE SNEEUW. IK moet aan mijn baby denken. Het is donker.

'Ik heb koplampen,' zeg ik.

'Kom terug naar bed,' zegt hij. 'We praten er morgen wel over.' Hij ijsbeert door de keuken en lijkt wat minder fris dan anders, alsof hij is ingewreven met een dun laagje okergeel. Waarom gaat hij niet zitten? Ik moet mijn spullen verzamelen, de belangrijkste dingen voor een korte reis. Veel hebben we niet nodig: kleren, flesjes, melk, luiers, doekjes, potjes babyvoeding. Het is zo simpel om een tas in te pakken voor de baby – mijn tweede natuur. Ik heb er het lijstje uit de *Onmisbare gids* niet meer bij nodig. Maar ik word wel afgeleid door Christophe, die op zijn blote voeten heen en weer loopt door de keuken. Ik had onze paspoorten in de tas met de rits gedaan, maar ze lijken verdwenen in een onvindbaar vak. Christophe heeft ze in zijn hand, zie ik nu. Hij slaat het mijne open bij mijn foto. Wat is er gebeurd, zie je hem denken. 'Ik voel me oud,' zeg ik opeens.

'Je bent gewoon jezelf,' zegt hij, terwijl hij de paspoorten in een voorvak steekt, waar ze gemakkelijk te vinden zijn.

Ik loop de trap op om Ben uit het grote bed te halen. Hij schrikt van de plotselinge kou als ik hem de buitenlucht in draag om hem in de auto te zetten. Christophe kijkt toe vanuit de deuropening. Ik draag een van zijn truien, die in mijn nek kriebelt, tot aan mijn knieën reikt en rafelt bij de ellebogen. Ik voel me als een vogelnest dat langzaam uit elkaar valt.

De motor gromt geïrriteerd, alsof hij uit zijn winterslaap is gewekt. 'En je ouders?' vraagt Christophe huiverend. 'Wat moet ik tegen ze zeggen?'

'Gewoon dat je een vriend bent.'

Christophe draait zich om naar het huis. Op het laatste moment roept hij nog iets, dat klinkt als: 'Ik dacht dat het uit was met hem.'

Alsof die dingen zo simpel zijn.

Hij vergist zich. Een nachtelijke rit is ideaal voor een moeder met een klein kind. De *Onmisbare gids* kan het aanraden, zo'n avontuurlijke lange rit, zonder onderweg te stoppen voor een flesje of een schone luier. Een bandje met kinderliedjes in de cassettespeler. Ben slaapt met de padvindstersdeken om hem heen geslagen. Als hij wakker schrikt van de lampen van een benzinestation sust het gezoem van de motor hem weer in slaap en zakt hij weg in warme vergetelheid. Ik stop voor koffie en laat Ben in de auto. Een beetje paniekerig kijk ik uit het raam terwijl het meisje me helpt. Ze heeft een rond, glazig gezicht, als een knikker, en ze kan geen deksel vinden voor het bekertje.

Ik drink mijn koffie in de auto en rijd dan snel weer verder, roekeloos. Ik speel een spelletje om het lot te tarten. Laat de auto maar in een slip raken. Ik daag je uit. Dat deed ik vroeger ook in de metro: op het randje van het perron gaan staan, met mijn tenen over de rand. Daar komt de trein. Ik daag je uit.

Een dunne sneeuwlaag ligt over de grauwe velden. Bens lippen openen en sluiten zich rond een denkbeeldige speen. Hij droomt van melk. Soms ben ik jaloers op hem. Hij hoeft mensen niet te kwetsen of moeilijke beslissingen te nemen. Hij krijgt eten, warme kleren en een eigen chauffeur. Ik zou graag met hem ruilen.

We nemen de eerste veerboot. De lounge ademt de sfeer van een feestje nadat bijna iedereen is vertrokken. Een vrouw met zwart haar als een valhelm tekent abstracte worstjes op een woordzoekpuzzel. De achterkant van haar balpen is tot pulp geknaagd. Een kale man ligt te slapen; zijn kin zakt op zijn borst en schiet dan weer omhoog. Het meisje bij de kassa draagt glimmende *deely-boppers*. Ze slaat een hamsalade aan – de simpelste menukeus – en geeuwt luidruchtig haar grijze vullingen bloot.

Ik voer Ben geprakte sinaasappel uit een potje. Hij werkt het met zijn tong weer naar buiten. Ook een warme *fromage frais* gaat er niet in. Ik overweeg gewoon brood te proberen, maar zie dat het voorverpakte broodjes zijn, zwaar geconserveerd. '*Inbreuk op de regelmaat kan het eetpatroon van je baby verstoren. Houd je aan de vaste etenstijden. Als je verstandig bent, neem je het lievelingseten van je kind mee op reis, in een geïsoleerde tas.*'

Ik verschoon hem op de klaptafel in de ouderkamer. Uit de luieremmer komt een stank als van bedorven vlees. Ben spartelt zo tegen dat ik gedwongen ben hem mijn deftige horloge te geven om op te kwijlen, terwijl ik hem in de houdgreep neem om zijn schone luier vast te maken. Hij ligt machteloos te steunen en probeert zich tegen de natte vloer te werpen.

Aan de wand hangt een foto van een gezin op een veerboot. De ouders hebben een tandpastaglimlach en lijken kerngezond. Ze houden een peuter en een baby op de arm, terwijl ze over de zee turen en ergens naar wijzen. Ik vraag me af of ze voor Little Lovelies werken. Behalve afzonderlijke baby's en kinderen levert Lovely ook hele gezinnen. Natuurlijk moet ieder gezinslid blaken van gezondheid en vitaliteit. De vrouw mag geen hangtieten hebben, de man geen wallen onder zijn ogen. Ik bestudeer mijn gezicht; het is asgrauw, met spectaculaire poriën. Het ene oog is kleiner dan het andere. Maar stel dat ik er anders uitzag, wat fijner gebouwd, en dat ik een perzikkleurige sweater met een ronde hals droeg, losjes vastgeknoopt om mijn schouders. En stel dat Jonathan zo'n model leek uit een postordercatalogus, een soort Ranald, met een forse kaak en het talent om nonchalant op een foto te staan met één hand in zijn zak... Hoe zou hij dan reageren op het voorstel om ons als compleet gezin in te schrijven bij Little Lovelies?

Als ik in de lounge terugkom, kijkt de vrouw met de valhelmcoup me verwachtingsvol aan. 'Hou je van puzzels?' vraagt ze. 'Ik heb er nog een in mijn tas.'

'Nee, bedankt. Ik heb er het geduld niet voor.'

'Je kunt ook deze wel krijgen, als je woordzoekers leuker vindt dan kruiswoordpuzzels.'

'Nee, hou maar.'

Ze grijnst als een wolf, met een sinister gat waar een van haar hoektanden hoort te zitten. 'Ik ga mijn goede voornemens opschrijven,' zegt ze, terwijl ze een zwart notitieboekje met een imitatieleren omslag uit de zak van haar jack haalt. 'Dat doe ik elk jaar. Meer water drinken. Verstandiger met geld omgaan. De trap nemen in plaats van de lift. Naar diepere dingen zoeken.'

Ze staart me aan met een blik als een tandartsboor. 'Ik ben heel spiritueel,' verklaart ze. 'Jij ook, dat zie ik. Jij gelooft in karma. Alles komt weer terug. Heb je zelf al goede voornemens voor het nieuwe jaar?'

'De bekende,' zeg ik. 'Beter mijn best doen.'

Ben begroet zijn vaderland door een straal halfverteerd sinaasappelsap uit te spugen. Het stinkt zuur en maakt een vlek op Christophes trui. Bens hele schema ligt in de war. Hij wil nu melk, maar daar heeft hij pas recht op na de lunch. Toch geef ik toe, in de hoop dat hij niet zal spugen in de auto, die toch al vol ligt met plastic koffiebekertjes en cellofaantjes met kruimels en margarinevlekken. De auto stinkt als een vuilnisbelt. Ik vraag me af wat Jonathan ervan zal zeggen en of hij me een schoonmaakbeurt in rekening zal brengen.

Zijn moeder is dood. Wat interesseert die auto hem dan?

Ik druk nog eens op de bel, wat langer nu. Eindelijk het doffe gerinkel van een sleutel. Eliza's huid spant strak over haar jukbeenderen. 'Kan ik hier slapen?' vraag ik.

Haar armen om me heen, spichtig als buigend riet. 'Gelukkig nieuwjaar,' mompelt ze in mijn hals.

Half slapend laat ik de middag verstrijken. Eliza is zo lief om me het echte bed te gunnen in plaats van het luchtbed. Ze brengt me een mok zwarte thee. Zo nu en dan opent ze de deur op een kier en ben ik me vaag van haar aanwezigheid bewust. Maar ik hou mijn ogen dicht en ruik de crème, het spul dat ze voor haar hals gebruikt.

Ze doet haar best met Ben, zeker voor iemand die baby's behandelt alsof ze uiterst breekbaar zijn. 'Niet aankomen,' hoor ik haar zeggen. 'Voorzichtig, Ben, laat die kurkentrekker liggen.' Een bons, alsof er een stapel tijdschriften uit een kast valt. Eliza kreunt en de deur piept als ze weer een kijkje bij me neemt.

Ik heb geen idee van de tijd, omdat er een lege plek is op mijn pols waar het deftige horloge zou moeten zitten. Als ik het op de veerboot ben kwijtgeraakt, zou iemand het dan vinden? Draagt het *deelybopper*-meisje het nu, zodat ze het elke keer ziet als ze een bestelling aanslaat? Jonathans cadeau, nog vóór ons trouwen, was niet goedkoop, dat heb ik wel aan het doosje gezien.

Als ik eindelijk uit Eliza's slaapkamer kom, lijken er geen rampen te zijn gebeurd. Ben lijdt niet aan ondervoeding en draagt een schoon kruippakje, hoewel Eliza zichtbaar moeite heeft gehad met de sluitingen. Ik heb geen zin om meteen een samenvatting te geven van de afgelopen maanden, dus vraag ik haar: 'Hoe zit dat nou echt, met Dale?'

Ze haalt haar schouders op. 'Hij verwachtte dat ik voor hem zou zorgen, eten koken en zo. Hij gaf me zijn vuile borden. "Ben ik soms je moeder?" vroeg ik. Dan keek hij heel raar.'

Ze gooit een paar teenslippers in een open doos. De woonkamer ziet eruit alsof ze pas verhuisd is of op het punt staat te vertrekken. In de hoeken staan kartonnen dozen, half gevuld met gedeukte lampenkappen en onduidelijke kledingstukken. Een ervan bevat haar afgedankte verzamelingen bladmotiefborden en asymmetrische hoeden. 'Wat is dat allemaal?' vraag ik.

'Voor het goede doel. Ik wil ruimte maken. Ik heb genoeg van al die rommel. Neem maar wat je hebben wilt.'

Heeft ze zo nieuwjaar gevierd? Door dingen in dozen te pakken? Haar haar zit slordig opgestoken, haar hals lijkt langer en dunner dan ik me herinner. Ze ziet er doodmoe uit en zit op het puntje van de bank alsof hij met glasscherven is bekleed. 'Ben je gisteravond wezen stappen?' vraag ik. 'Gaf iemand een feestje?'

Ze knippert met haar ogen tegen me. 'Dat is een interessante trui.'

Ik kijk omlaag. Een van de mouwen is besproeid met uitgekotste sinaasappel. 'Hij is niet van mij. Hij is van een...'

'Ik heb Jonathan gezien,' zegt ze. Het is niet duidelijk wat ze met *gezien* bedoelt. Op straat, bij haar thuis, of uit de verte? 'Hij belde me,' gaat ze verder. 'Heel raar, de eerste keer. Hij was altijd zo...'

'Hij wist niet wat hij van je moest denken.'

'Daarna belde hij regelmatig om naar jou en Ben te vragen, maar ik kon hem niet veel vertellen.'

Ik vraag me af wat ik Ben als lunch moet geven. Misschien heeft Eliza nog wat paasbroodjes. 'Hij had een vriendin nodig,' zegt ze.

'Ja, natuurlijk.'

'En hij heeft me gevraagd op de begrafenis te komen.'

'Geweldig!' reageer ik raar.

'Het spijt me, Nina, maar hij wil jou er niet bij hebben.'

'Ja, ik weet het. Dat heeft hij wel duidelijk gemaakt.' Er ligt een stapeltje ongeopende post, waarschijnlijk kerstkaarten, op de gekraste koffietafel. Ik leg ze netjes neer, met de randen gelijk.

'Waarom ben je dan gekomen?' vraagt Eliza.

'Ik dacht dat hij me nodig had,' zeg ik.

Constance komt op een grote begraafplaats te liggen, met grijze grindpaden tussen rijen graven. Ik herken Beth, die met een hand haar marineblauwe strohoed vasthoudt zodat hij niet kan afwaaien. Ze heeft haar konijntjesrugtas verruild voor een ouwelijke zwarte handtas. Matthew draagt een zakelijk pak en staart naar het grind. Billy's zwarte pak contrasteert met zijn knalgele overhemd. Hij rookt een sigaret en kijkt om zich heen als een toerist.

Vanwaar ik sta, in een stenen hokje dat bezaaid ligt met natte *fish-and-chips*-zakken, zie ik Eliza in een strakke zwarte rok en een jasje dat is afgezet met bont of misschien wel veren. Ze heeft blote benen en loopt op schoenen met gevaarlijk hoge hakken, waarop ze elk moment omver kan worden geblazen. Jonathan heeft zijn handen gevouwen alsof hij bidt, maar waarschijnlijk om ze warm te houden. Als de kist begint te zakken, slaat Eliza haar armen om hem heen, zoals elke goede vriendin zou doen.

Jonathans flat lijkt op een hotelsuite. Het enige dat ontbreekt is het briefje op de deur met de aanwijzingen voor wat te doen bij brand. Hij is verdiept in zijn nagelriemen.

Ik ben erheen gegaan zonder eerst te bellen. Jonathan nam Ben meteen in zijn armen, maar keek mij niet aan. 'Nou,' zegt hij ten slotte, 'wat doen we nu verder?' Ik vraag me af wat de opties zijn. 'Als je geen onderdak hebt,' vervolgt hij, 'kun je hier wel blijven tot alles is geregeld. Dan slaap ik bij Billy.'

'Dat hoeft niet,' protesteer ik. 'Ik logeer wel bij Eliza.'

Hij werpt me een giftige blik toe. Ben staat bij de bank en glijdt met zijn voetjes over de gladde vloer. Ik ben me op een akelige manier bewust van mijn eigen ademhaling. In minder dan een uur heb ik met mijn aanwezigheid de kussens totaal verfrommeld en de flat vergeven met de stank van hondenpoep. Ik zie eruit alsof ik uit een kolenmijn kom.

Jonathan pakt Bens handje en moedigt hem aan te gaan lopen, maar Ben heeft nog de hand van een volwassene of de steun van de bank nodig. Verontwaardigd begint hij te huilen en steekt zijn armpjes naar me uit. Door die onverwachte uitbarsting valt hij achterover en slaat met zijn hoofdje tegen de vloer.

Jonathan tilt hem op en veegt met een vlakke hand zijn tranen weg, maar Ben kalmeert pas als ik hem weer in mijn armen neem.

Eliza is op koopjesjacht, zodat ik thuis de gevaarlijkste voorwerpen kan opruimen om een redelijk baby-vriendelijke omgeving te creëren. Christophe belt om te zeggen dat mijn ouders veilig zijn aangekomen, ondanks een ongelukje toen mijn moeder dacht dat ze van de verkeerde kant een eenrichtingsstraat in reden en zo hard begon te gillen dat mijn vader van schrik een houten schuur met kippen ramde.

Ik ben blij dat Eliza er niet is. Ik heb geen zin om de situatie met Christophe uit te leggen. 'Hoe reageerde ze toen ze hoorde dat wij naar Londen waren vertrokken?' vraag ik.

'Ze zei dat je er altijd vandoor ging. En ze klaagde dat je haar favoriete deken had meegenomen. Is ze vergeetachtig? Ze kan mijn naam niet onthouden. Ze noemt me de klusjesman. "De klusjesman doet het wel," zegt ze steeds. Ze vroeg me om de schoorsteen te vegen. Ik moet een lange borstel nemen en...'

'Luister maar niet naar haar,' zeg ik.

'En ze heeft iets nodig uit Châtillon, een grote pil voor op haar voorhoofd...'

'Voor haar verstopte hersens.'

'Verstopt?' vraagt hij.

'Ja, geblokkeerd.'

Ik haal Eliza's klamme washandjes en een nagelborsteltje met grijze troep uit het bad. Het duurt een eeuwigheid voordat het bad vol is, waardoor ik de tijd heb om in haar badkamerkastje te snuffelen. Het puilt uit met uitgeknepen tubes en potjes zonder deksel. Hoewel ze gratis een eindeloze stroom lotions en andere middeltjes krijgt, houdt ze zich braaf bij de Dode-Zee-crème. Ik zie de glimmende manicureset uit Châtillon, nog in de verpakking, en wat losse tampons, zoals ik zelf ook gebruik.

Gebruikte.

Ik rits mijn toilettas open en vind de parfum van Sylvie, amberkleurig, in een flesje van geslepen glas. Het badwater is niet heet genoeg. Dat is het nooit, bij Eliza. De boiler is maar goed voor een laagje van tien centimeter heet water in het bad, maar dan steken je dijen er zo zielig bovenuit.

Ik staar naar de tampons. Toen mijn moeder me voorlichtte over de menstruatie stond ze met haar rug naar me toe en zei: 'Onder in mijn kleerkast kun je het verband vinden.' Verband? Ik was toch niet ziek? 'Hoe lang duurt die menstruatie?' vroeg ik.

'Tot je veertigste of je vijftigste. Dan krijg je de menopauze en verschrompelt alles.' Ik stelde me tientallen jaren van ononderbroken bloedingen voor.

Ik hoor Eliza binnenkomen. Een stapel tassen wordt met een klap op de vloer gezet.

'Gaat alles goed daar?' roept ze als ze haar hoofd om de deur steekt. Ze ziet het open badkamerkastje. 'Pak maar wat je nodig hebt,' zegt ze. Even later komt ze terug met een kop thee die naar zink smaakt. Ze kijkt naar me, naar mijn moederbuik die eruitziet alsof de lucht eruit is gelopen. 'Problemen?' vraagt ze.

De tampons leunen wankel tegen een fles conditioner die het haar voedt van binnenuit. Ik vraag me af hoe dat kan, hoe het spul midden in je haar terechtkomt. 'Je hebt het wel geraden, zeker?' hoor ik haar zeggen.

Misschien houdt mijn lichaam me voor de gek. Alles komt weer terug, zei de vrouw op de veerboot. Ik heb mijn normale routine verstoord. Het was gewoon een kleine schrik, zoals wanneer je een winkel uit stapt met je bruine papieren zak met luxe notenbrood en je opeens herinnert dat je baby nog bij de salami geparkeerd staat.

Eliza strijkt haar haar uit haar gezicht. Ze ontwijkt mijn blik. 'Hij had iemand nodig,' zegt ze.

Het water is al veel te koud, hoewel er nog een warm wolkje overblijft onder de druppelende warme kraan. Ik kom uit het bad en wikkel me in een handdoek die naar schimmel ruikt.

'Het is maar één keer gebeurd,' zegt ze.

Christophe belt met het geweldige nieuws dat hij een bron van gratis haardhout heeft gevonden. Zijn vader heeft het uitgemaakt met de kapster, die uit woede het hele hek dat hij had gemaakt met een bijl aan stukken heeft gehakt. Het hout ligt inmiddels keurig gezaagd in de woonkamer van het huis van mijn ouders om te drogen. Mijn moeder hangt haar wasgoed eroverheen. Ze heeft Christophe sneeuw laten ruimen en hem naar Châtillon gestuurd voor het lijnzaad dat ze van Ashley in haar menu moet opnemen. 'Er is genoeg brandhout tot aan het voorjaar,' zegt hij. 'Wanneer kom je terug?'

Beth bakt kleine taartjes, allemaal met een verschillend roze glazuur. Jana heeft de cakevulling gemaakt en is bezig het gemorste beslag van de vloer te boenen. Ze kreunt van inspanning. Dat is de goede aanpak van au-pairs, zegt Beth. Je moet niet bang zijn om ze zware en vuile karweitjes te laten opknappen. Jana lapt de ramen, maakt de voegen tussen de tegels schoon en heeft zelfs de vlotter van de stortbak gerepareerd. Beth beperkt zich tot de leuke dingen, zoals het kleurig glaceren van gebak.

'Ik neem aan dat je maar tijdelijk bij Eliza zit,' zegt ze. 'Dit kan zo toch niet? Jullie zijn Bens ouders. Jullie horen samen. God weet wat voor signalen je naar je kind uitzendt.'

Ben zit op Mauds hoge kinderstoel vastgesnoerd en steekt zijn vingers in een eierdopje met glazuur. Volgens mij is hij zich niet bewust van negatieve signalen. Zijn tandjes kleuren zich roze. Maud mag niet meedoen; veel te veel suiker, slecht voor haar gebit. Beth heeft Jana al een paar fundamentele regels gesteld: geen snoep waarvan je de E-nummers bijna kunt rúíken.

Beth' duim en wijsvinger zijn roodgevlekt, alsof ze cranberrysigaretten rookt. 'Als jullie hier doorheen komen, zullen jullie veel sterker zijn als echtpaar,' zegt ze. 'Zie het maar als een ervaring om van te leren, zoals Matthew en ik hebben gedaan. Wij hadden ook onze problemen.'

Jana kijkt haar met grote ogen aan en loopt naar de stapel strijkwerk. Bovenop liggen Matthews vrolijke boxershorts, wachtend om geperst te worden. 'Er is heus wel een oplossing,' vervolgt Beth kortaf. 'Heb je dat boek gelezen dat ik je had gestuurd? Het gaat om communicatie, daar moet je je op concentreren. Praten, je behoeften uitspreken. Wij werken alweer aan een nieuwe baby, heel bewust, omdat het de vorige keer zo lang duurde. Ik hou mijn vruchtbare dagen zorgvuldig bij. We volgen een programma van één dag wel en één dag niet, zodat hij... nou ja... kan *bijtanken*.'

Jana buigt zich over Matthews boxershorts met pinguïnmotief. 'We denken goed na over seks,' gaat Beth verder. Ik voel me misselijk, misschien door al dat roze glazuur. Mijn tanden zijn zo kleverig dat ik ze het liefst zou zandstralen. 'Natuurlijk willen we weer een meisje, een zusje voor Maud,' zegt Beth. 'Ik geloof niet dat ik een jongetje aan zou kunnen.' Ze kijkt even naar Ben, die zijn tongetje uit zijn mond laat schieten als een rode pijl. 'Sorry,' zegt ze.

Ik doe een test, die voorspelbaar blauw kleurt, en ga naar dokter McKenzie, die een plastic schijfje met cijfertjes gebruikt en me vertelt dat het eind juli zal gebeuren. Dokter McKenzie heeft brede, platte wangen en geruststellende sproeten. Ik ga op een rode juten stoel zitten, omdat ik nog niet weg wil. De kamer ruikt naar nat pleisterwerk. Ben duikt in een box met afgeragd plastic speelgoed en wringt zijn arm door het raampje van een dubbeldeksbus. 'Dus er is geen twijfel?' vraag ik.

'Natuurlijk niet. Je bent al bijna veertien weken heen. Heb je niets gemerkt?'

'Ik was in het buitenland. Ik dacht dat mijn cyclus in de war was.' Dokter McKenzie heeft een wachtkamer vol met patiënten die haar hun raadselachtige knobbels en schimmelnagels willen tonen, maar ze kan het niet over haar hart verkrijgen me de deur uit te zetten. 'Die misselijkheid gaat wel over,' zegt ze. 'Je zult je gauw weer beter voelen. Dan ga je stralen.'

'Geweldig,' zeg ik, vastgenageld aan de juten stoel.

Eliza bereidt weer een reisje voor. Ze gaat naar Kreta, waar ze een boot willen huren, vol met modellen die zogenaamd het roer en de schoten bedienen. Ze belt veel en voert heftige discussies met de fotograaf. Hector is een rijzende ster met een groot ego, dat als lava door de telefoon spoelt, over het kleed.

'Ik wil Mimi niet,' snauwt Eliza. 'Te blond, en een beetje goedkoop. Ik heb liever Jade. Die doet eigenlijk geen modellenwerk meer; ze is nu kunstenares. We mogen blij zijn als ze ja zegt.'

Hectors stem ratelt door, als muntjes in een blik. Al die moeite en aggravatie om zeven pagina's te vullen van een blad dat voornamelijk wordt gebruikt als steuntje onder een wiebelend bed. Ik zie er het nut niet van in. Eliza misschien ook niet. Ze heeft een vermoeide trek om haar mond en grauwe vingerafdrukken onder haar ogen. 'Hij kan niet steeds van mening veranderen als het hem uitkomt,' klaagt ze. Ik vermoed dat ze blij is met wat dramatiek om over te praten. Dan hoeven we het niet over andere dingen te hebben.

De avond voor haar vertrek verstopt Eliza zich in haar kamer met de deur dicht. Als ze weer naar buiten komt om de Dode-Zee-crème uit de badkamer te halen, lacht ze schichtig, als een winkeldievegge. Ik vind haar met gekruiste benen op haar bed, waar ze de kaart van een model bestudeert: Mimi, een vrolijk, luchtig meisje, als schuim op een glas bier. 'Misschien heeft Hector toch gelijk,' zegt ze. 'We kunnen haar halverwege de week laten overkomen om het met haar te proberen. Ze is een beetje popperig, maar we zouden een ironische invalshoek kunnen kiezen.' Ik installeer me op haar bed en samen bladeren we de map met modellen door, net als vroeger, alsof we niet allebei seks hebben gehad met de vader van mijn kind.

Ik zit weer bij dokter McKenzie, maar deze keer voor Ben, die piept en snottert. Ik vraag me af of Eliza's flat er iets mee te maken heeft. De opruimwoede neemt grotere vormen aan. Dozen met afgedankte spullen stapelen zich op in mijn kamer en blokkeren het onderste deel van het raam. Eliza is uit Griekenland teruggekomen met een lichtgebruinde tint en het vaste voornemen om orde te scheppen in haar bestaan. Ze heeft de strijd aangebonden met de griezelige inhoud van haar badkamerkastje en een hele batterij uitgedroogde tubes in een vuilniszak gedumpt. Ze gooide me een ondoorschijnend blauw parfumflesje toe, met de woorden dat het haar luchtje niet was. Het bleek een decorflesje te zijn, gevuld met water.

Dokter McKenzie kijkt me met haar groene ogen aan als ik haar vertel over Bens moeizame ademhaling. 'Ik denk niet dat hij astma heeft,' zegt ze. 'Hij heeft een virus gehad, dat is alles. Een beetje slijm in de leidingen.' Ik stel me de wormkleurige bedrading van de zekeringenkast in Vanvey voor. 'Kom maar met hem terug als je je zorgen maakt,' zegt ze. 'En ik hoop dat je goed voor jezelf zorgt.'

'Natuurlijk,' verzeker ik haar met een woeste grijns. 'Ik heb me nooit beter gevoeld.'

Als ik bij de dokter vandaan kom ga ik langs de drogist, waar Bens hoestbui weergalmt tegen een kast met diervriendelijke lippenstift. Ik vertrek met een helder drankje. Een oudere dame die een felrode blusher koopt, geeft me het advies om een kom met heet water in zijn slaapkamer te zetten. Ik zeg maar niet dat hij geen slaapkamer heeft of dat zijn bedje in de schaduw staat van een wankele stapel *Confetti*-bladen.

Thuis bij Eliza vul ik het plastic doseerlepeltje tot het streepje halverwege. Ben klapt zijn kaken op elkaar. Ik wring met één hand zijn lippen open, terwijl ik het lepeltje rechthoud en de fles tussen mijn knieën klem. Ben laat zich naar achteren vallen en de siroop morst van de lepel op Christophes trui. Ben zet het op een krijsen, getraumatiseerd door een moeder die iets verschrikkelijks met zijn gezicht wil doen. Ik heb de fles laten vallen. De siroop vormt een kleverige plas, die trillend op het kleed blijft liggen zonder erin weg te zakken.

Ik leun tegen een lege kartonnen doos en vraag me af wat Eliza erin wil doen. De doos staat geopend te wachten op beslissingen. Zo gaat dat met oude spullen: je weet niet wat je weg moet doen en wat je beter kunt bewaren voor het geval je het nog nodig hebt. Dat maakt het zo lastig.

22 Bewijzen van zelfstandigheid

GARIE BARTHOLOMEW IS OVERGEPLAATST NAAR HET KANTOOR IN Londen. Hij heeft iets treurigs, alsof zijn hondje is gestorven. 'Sorry,' zegt hij in de telefoon, 'maar dat bod lachen ze meteen weg. Er is heel wat belangstelling. Vlak bij de beste openbare scholengemeenschap in de wijde omgeving.'

Hij kijkt me aan en wrijft over zijn zonverbrande neus. Rond zijn ogen zijn de ovaaltjes van een skibril te zien. 'Mevrouw...' begint hij, zoekend in zijn geheugen.

'Nina,' zeg ik. 'Je had me – óns – een huis laten zien in...'

'Cedar Cottage, was het niet? We hebben nog genoeg aanbod. Als je even geduld hebt...' Hij trekt een la open en bladert wat papieren door. Zijn pak glimt alsof het van een dun laagje olie is voorzien. 'Hier,' zegt hij, terwijl hij me de bijzonderheden geeft van een modern huis dat klassieke pretenties heeft, met Griekse zuilen aan weerskanten van een wit-met-gouden voordeur. 'Het is nieuwbouw,' zegt hij. 'Ik weet dat jij en je... dat jullie op zoek waren naar iets ouders, maar je zou niet zeggen dat dit een nieuw huis is. Het is opgemetseld met echte baksteen, heel solide.'

'Ja, solide,' beaam ik.

'Dus je wordt niet opgescheept met het klussenwerk van iemand anders. Je hoeft zelf niet aan de slag. Weet je wat? Ik zal je Tanya's nummer geven, dan kan zij je rondleiden.'

'Bedankt, maar ik zoek iets hier in de buurt.' Hij trekt een velletje van zijn neus. 'Heb je ook iets te huur?' vraag ik. 'Met twee slaapkamers, of desnoods maar één?'

Nee, zegt Garie, dat heeft hij niet, tenminste niets dat voor ons in aanmerking komt.

'Maakt niet uit,' zeg ik. 'Ik ben bereid om alles te overwegen.'

Christophe belt om te melden dat het dak niet meer lekt. Zodra het weer wat beter wordt, zal hij een geul achter het huis graven. Dan moet het vochtprobleem zijn opgelost. Mijn ouders hebben genoeg van de kou en zijn naar het zuiden afgereisd. Ze hebben Christophe een lange lijst van klussen opgedragen. 'Bedankt,' zeg ik. 'Voor het dak.'

'Je kunt er zo weer in,' zegt hij.

De flat ligt op de middelste verdieping van een appartementenblok naast een markt waar groente, fruit en goedkope huishoudelijke artikelen in plastic mandjes worden verkocht. Garie opent de deur, maar aarzelt om naar binnen te stappen. Hij strijkt over zijn broek en inspecteert de binnenkant van zijn handen. De kamers hebben de kleur van kunstledematen, behalve de badkamer, die custardgeel is. 'Het is nog niet klaar voor de verhuur,' zegt Garie vanuit de deuropening. 'De eigenaar is op stel en sprong vertrokken. Een of ander emotioneel probleem.' De keuken is lang en smal, de oranje keukenkastjes hangen half uit elkaar en ruiken naar oude jus. 'Hij wil het eerst opknappen voordat hij het verhuurt,' verklaart Garie.

'Wanneer is het dan klaar?'

'April?' Hij haalt zijn schouders op. 'Geef me je nummer, dan kan ik je bellen als het er wat beter uitziet.'

Aan één kant van de huiskamer zie ik een deur naar een balkon. Daar staat een antieke magnetron geparkeerd, waar een kreupele duif overheen hinkt. 'Kan deze deur open?' vraag ik.

Garie kijkt zuchtend op zijn horloge. Ik stap naar buiten en kijk uit over een landschap van verwaarloosde dakterrassen. Als ik terugkom, zie ik hem naar mijn buik staren. Die begint al wat dikker te worden, en ik voel de eerste ongeduldige bewegingen. 'Ik heb meteen een huis nodig,' zeg ik. 'Ik neem het wel zoals het is.'

Hij maakt zijn ogen los van mijn buik. 'Maar je partner moet het toch eerst nog zien?' stamelt hij.

'Er is geen partner.'

Hij kijkt geïrriteerd, alsof ik lang genoeg beslag op hem heb gelegd. In die tijd had hij leuke stellen mooie huizen kunnen laten zien, met serres en bijkeukens en eigen appartementjes voor de au-pair. 'Maar ik dacht dat je iets landelijks wilde,' zegt hij, starend naar het goedkope rode horloge dat ik bij het marktkraampje heb gekocht.

'Nee,' zeg ik. 'Dat was nooit mijn idee.'

Bens ademhaling klinkt weer normaal en met nieuwe energie verkent hij het onbekende terrein. In hoog tempo kruipt hij door de flat, met een bijzondere voorliefde voor het balkon. Jonathan belt, wat vriendelijker nu, om me Constances oude bed aan te bieden. 'Het is heel degelijk,' zegt hij, 'van goede kwaliteit. Je hebt alleen een nieuwe matras nodig. Ik zal wel een busje huren om het te brengen.' Ik zeg dat het niet de trap op kan en koop een nieuw bed dat ik zelf in elkaar moet zetten, met een lattenbodem die door een soort koord bijeen wordt gehouden. De matras staat tegen de muur van de slaapkamer geleund. De man die het kwam bezorgen, moest hem om de hoeken van het trapportaal vouwen, waardoor de plastic hoes scheurde.

Jonathan heeft gezegd dat ik zoveel geld van onze gezamenlijke rekening mag opnemen als ik wil, maar ik heb een lening geregeld bij de bank met het verhaal dat de inkomsten van mijn freelance-werk elk moment kunnen binnenstromen.

Ik heb ook een bouwpakket van een uitklaptafel gekocht, een draagbare televisie en een kastje voor de stereo, die ik nog niet heb. Het roze kleed in de woonkamer ligt bezaaid met handleidingen. Ik ontsnap om bananen te gaan kopen en stuit op het Viltvrouwtje en haar zoontje in een draagzak. Ze steekt de straat over naar het fruitstalletje en houdt met opgeheven hand een auto tegen.

'Wat spijtig van jou en Jonathan,' begint ze, terwijl ze een pruim van het kraampje grist.

'Hoe gaat het met je vilt?' vraag ik.

'Ik heb het vilt achter me gelaten. Ik werk nog wel met papier, en ik maak nu een flessenboom. De flessen vind ik op vuilnisbelten; ik zaag de bodem eraf en schuif ze over de takken van een boom.' De fruitverkoper pakt een bordje en zet dat wat duidelijker neer: NIET IN

HET FRUIT KNIJPEN, AUB. 'Kan ik op je rekenen bij onze actie tegen hondenpoep?' blaft het Viltvrouwtje.

'Wat moet ik dan doen?'

'Ikzelf, Beth en de anderen ontmoeten elkaar elke zondagochtend om zes uur. Je moet krijt meenemen. We splitsen ons in groepjes en trekken een cirkel om elke hondendrol die we tegenkomen. Daarnaast schrijven we DIT IS ECHT SMERIG. Zodat de hondenbezitters zich zullen schamen, dat is het idee.'

'Ik geloof niet...' begin ik.

'Ach, kom. We kunnen iedereen gebruiken. Woon je hier in de buurt?'

Ik wijs naar het appartementenblok, dat aan de markt grenst als een opslagloods.

'Mijn god,' zegt ze.

Zes zwangere vrouwen leggen hun onwillige benen op zitzakken in Jennifers woonkamer. Ze geeft zwangerschapsgym en brandt lavendelkaarsen om een ontspannen sfeer te scheppen. Er zijn vier mannen bij, zogenaamd volkomen op hun gemak. Een vrouw met een schuimtaart van een buik kondigt aan dat ze een tweeling krijgt. 'Mijn zus heeft ook een tweeling,' zegt Jennifer. 'Het zijn al tieners nu. Actrices. Er is veel vraag naar tweelingen, weet je. Regisseurs hebben ze graag omdat ze elkaar kunnen afwisselen als er een moe is of een slechte dag heeft. Je kunt alle kanten op met een tweeling.'

De vrouw lacht en zegt: 'Dat lijkt me niets voor ons.' De sombere man achter haar lijkt haar te omvatten als een mantel.

In de kruidentheepauze komt ze naast me zitten en vraagt: 'Kan je partner niet naar het klasje komen?'

'We zijn niet meer samen,' zeg ik.

Ze grijpt naar haar buik en zegt sorry. Moeten we niet terug naar de huiskamer voor het praatje over pijnbestrijding?

'Geen paniek,' roep ik haar achterna. 'Ik heb dit al eerder meegemaakt.'

Later zie ik dat ze zo ver mogelijk bij me vandaan gaat zitten. Als ik haar blik ontmoet, draait ze aan haar trouwring alsof ze het pijnlijk vindt dat zij wel een echtgenoot heeft.

Toch ben ik niet de enige vrouw zonder man. Mijn lotgenote heeft een spleetje tussen haar tanden en een trotse buik als een watermeloen. Ze gaat op handen en knieën zitten met haar hoofd vlak boven de grond. 'Hallo, Nina,' zegt ze als ze opkijkt.

'Rosie,' is alles wat ik weet te zeggen.

Twee berichten.

Christophe meldt dat er een paar pannen van het dak zijn gewaaid. Het heeft gelekt in de kleine slaapkamer en het bed is drijfnat. Geen kans dat het voorlopig zal drogen. Zijn teleurstelling druipt van het antwoordapparaat.

Daarna Beth' trillende stem. Niet te geloven, zegt ze. Ze had om een niet-rookster gevraagd, maar toch vermoedde ze iets. Je ruikt het meteen, als je zelf nog nooit van je leven een sigaret hebt opgestoken. De bovenste la van de kast, waar het ondergoed ligt? Vol met peuken van Jana. Geen wonder dat ze altijd mondwatertjes gebruikte en pepermunt at. Maud heeft dus passief meegerookt sinds november. God mag weten wat dat in haar longen heeft aangericht. Het bureau stuurt nu een Zwitsers meisje, Beatrice, die van buitensporten houdt.

Ik koop verf in reusachtige blikken, en niet veel later zijn alle kamers verblindend wit, behalve de badkamer, waar het custardgeel er nog doorheen komt. Ben wordt wakker en knippert met zijn ogen. Door de witte muren lijkt het roze kleed in de woonkamer wel erg goedkoop, dus neem ik Ben op mijn arm en klop op de deur van de flat beneden me.

Ze is jonger dan ik en ze ruikt naar zoete bonen. Ze heeft haar haar nonchalant naar achteren gebonden. 'Ik woon nog maar pas hierboven,' zeg ik, 'en ik zal wel een stofzuiger kopen, maar het is er nog niet van gekomen en...'

'Geen punt,' zegt ze. 'Ik breng hem wel even.' Ze heet Helen en ze past op een hele groep kinderen in verschillende soorten en maten. Charlie, een jochie van een jaar of vijf, drentelt met haar mee naar mijn flat. Hij schijnt van Helen zelf te zijn. Hij doet alsof hij helpt de stofzuiger te dragen en drukt op de knop die het snoer moet opwinden.

'Ben je... alleen?' vraagt ze.

'Nou, ik heb Ben.'

'En je krijgt...'

'Ja. Ik ben uitgerekend voor eind juli.'

Ze lacht vriendelijk. Charlie staart naar mijn buik alsof daar elk moment een dansend figuurtje uit tevoorschijn kan komen, als uit een muziekdoos.

De stofzuiger heeft zo'n effect dat het kleed van stoffig roze in glinsterend roze verandert, als goedkope lippenstift. Iemand bonkt op de deur alsof zijn leven ervan afhangt. Ik neem aan dat het Helen is die haar stofzuiger terug wil, of iemand van boven die komt klagen over de herrie. Maar het is Charlie. Ik heb geen idee wat hij wil. Hij is klein voor zijn leeftijd, met bleke polsen, als stronkjes prei. Ik laat hem binnen en vraag me af wat een kind van vijf graag eet of drinkt. Wat zou hij van een speelboog vinden? 'Is dit jouw flat?' vraagt hij overdreven luid, misschien omdat hij zich altijd verstaanbaar moet maken boven al die andere kinderen uit.

'Zoiets,' zeg ik. 'Ik woon hier.'

Hij loopt de kamer door en tuurt naar de magnetron op het balkon. 'Heb je daar wat aan?' vraagt hij.

'Nee, hoezo? Jij wel?'

'Ik kan er dingen in bewaren. Mag ik naar buiten?'

Ik laat hem op het balkon en hoop dat hij geen gevaarlijke stunts op de leuning van plan is. 'Ben je verscheiden?' roept hij.

'Nee, ik ben niet gescheiden.'

'Heeft je baby een pappa?'

'Jawel,' zeg ik geduldig. 'Maar die woont niet bij ons.' Ik klink als een boek waarmee je kinderen door moeilijke tijden heen kunt helpen: *Ik zie mijn pappa niet vaak, maar dat is oké.*

Charlie luistert al niet meer. Hij komt de kamer weer binnen, zet de tv aan en lacht luid om een tekenfilm waarin een meisje met rode vlechten een jongen met haar schooltas slaat.

Jonathan wil een officiële regeling. Hij staat achter me als ik Ben in bad doe en kijkt hoe ik zijn mollige armen en benen was met een fluorescerende roze spons. Hij is te beleefd om commentaar te hebben op mijn slordige schilderwerk.

Charlie is in de woonkamer, waar hij een mengsel maakt door Space Invader-maïssnacks in tomatensaus en melk te kruimelen. Hij eet de raarste dingen en gooit alle onderdelen van de maaltijdschijf door elkaar. Soms komt hij binnen met de mededeling dat hij koude erwtensoep met ham en mayonaise 'nodig heeft'. Ik heb wel eens gezien hoe hij rauwe wortels met Marmite insmeerde. Hij loopt altijd te kauwen of te knagen, soms tegelijkertijd. Zijn voortanden zijn al grijs bij zijn tandvlees. Hij gedraagt zich alsof hij zwanger is.

Jonathan en ik willen onze situatie bespreken, maar hij staart naar mijn pols en vraagt zich af waarom ik een goedkoop rood ding van de markt draag in plaats van zijn deftige horloge. Het valt niet mee om te praten met Charlie om ons heen, die knerpende geluiden maakt met een metalen lepel. 'We moeten een soort rooster afspreken,' fluistert Jonathan.

'Waarom? Je kunt Ben zien wanneer je wilt.'

Hij heeft een irritante tic bij zijn mond. 'Ik wil liever duidelijke afspraken,' zegt hij.

'Nou, wil je hem dan in het weekend?' Daar voel ik eigenlijk niets voor. Ik heb geen zin in eenzame weekends zonder mijn kind.

'Het zal misschien lastig zijn om hem bij mij te laten slapen. Billy logeert nu bij me. Het gaat niet goed met hem. Hij ging naar de kapper en daarna nog een glas cider drinken, en voordat hij het wist werd zijn maag leeggepompt.'

Ik til Ben uit het bad en wikkel hem in een handdoek met een capuchon. Zou Ben zich echt zorgen maken over Billy? Iemand om voor te koken, iemand in huis.

Terwijl ik Ben zijn pyjama aantrek, inspecteert Jonathan de antieke stopcontacten en het afvoerputje van de gootsteen, alsof hij verwacht dat er iets smerigs uit zal spuiten. Hij heeft mijn post meegebracht. Er is een envelop bij voor Ben, met Little Lovelies in marineblauw schrift op de achterkant. Er zit een cheque in voor Bens modellenwerk. Ik sta versteld over het bedrag. Jonathan plukt de cheque uit mijn vingers. 'Dat zet ik wel op zijn spaarrekening,' zegt hij, alsof ik anders alles zou uitgeven aan dure moisturisers met goudstof. 'Komen er nog meer?' vraagt hij.

'Nee. Daar zijn we mee gestopt. Het bureau heeft ons trouwens geschrapt.'

Charlie kijkt op en likt dreigend aan zijn lepel.

Jonathan deinst terug. 'Je steekt je kop in het zand,' sist hij bij de deur. 'Die zwangerschap... je doet maar alsof dat normaal is.'

Op 1 april breekt de lente uit. De ene dag loop ik nog rond in Christophes vogelnestsweater, de volgende dag zit ik te zweten in mijn roze vest op het kantoor van een vrouw met zware lipstick, een haviksneus en een Australisch accent. Ze heet Catherine en ze gaat een nieuw tijdschrift beginnen. Eliza heeft haar mijn naam gegeven, misschien als goedmakertje voor de affaire met Jonathan, maar waarschijnlijk omdat ze vindt dat ik vaker de deur uit moet.

'We zijn niet op zoek naar die afgezaagde verhalen over relaties,' zegt Catherine fel, vanachter haar kale bureau. 'Daar zijn onze lezeressen te pienter voor. Ze hoeven geen mannen te behagen.' Ik zeg maar niet dat ze voorlopig nog helemaal geen lezeressen heeft. Er zijn twee vacatures op de redactie, vertelt ze.

Ze heeft me niet goed begrepen: ik kan nog geen vaste baan aannemen. Ik haal diep adem en hoop dat ze niet ten zuiden van mijn nek kijkt. 'Ik zoek freelance-werk,' verduidelijk ik.

'Best. Heb je al ideeën?'

'Ik zal wel iets bedenken, dan stuur ik je dat op. Ik heb een tijdje in het buitenland gezeten.'

Dat maakt me blijkbaar interessanter. Catherine denkt aan LA, New York, niet aan een gat in het oosten van Frankrijk. 'Je stukken bevielen me wel,' verklaart ze. 'Goedkope sensatie, maar geestig en goed geschreven. Je hoort van me.'

Voordat ik naar huis ga, stap ik binnen bij Hamley's, op zoek naar een stimulerend cadeautje voor een kind van één. Ben is morgen jarig. Maud heeft haar presentje al gehad. Ze is Ben in alle opzichten een stap voor. Beth heeft haar oude poppenhuis laten restaureren. De inrichting uit de seventies heeft plaatsgemaakt voor een strakkere Scandinavische stijl. Dat is grotendeels het werk van Beatrice, de nieuwe Zwitserse au-pair, die haar plekje al gevonden heeft. Volgens Beth is ze heel goed met haar handen.

Het is uitverkoop. Bij Hamley's wemelt het van de zwetende ouders die zich op afgeprijsde Action Man-figuren met grommende husky's storten. Een vrouw met een ladder in haar panty jaagt haar dochter de roltrap op. Een gerimpeld jongetje met brutale ogen ramt een lichtsabel onder mijn rok. Ik kom zonder cadeautje weer naar buiten en stel mezelf gerust dat een kind van een jaar het concept van verjaardagen nog niet kent. Maar hoe lang houd ik dat vol – geen cadeaus van zijn moeder en nauwelijks contact met zijn vader? Op welke leeftijd eist een kind zijn eigen Action Man, met husky, en een volwassen man in huis?

Als ik Ben bij Helen ophaal, is hij druk bezig om Charlies Lego-torens te slopen. Charlies vader heeft Indisch gehaald en het naanbrood ligt op de leuning van de bank. Hij grijnst naar me over zijn vork. Hij is ouder dan Helen, een beetje slappe figuur, die een hijskraan nodig lijkt te hebben om van de bank overeind te komen.

Charlie kauwt op een *pakora* en versiert een vierkante witte taart met een rode glaceerstift. 'Ik teken een tank,' zegt hij, maar het lijkt meer op de afdruk van een boterham met jam.

Mijn flat is te warm. Ik open de balkondeur en laat Charlie naar buiten om met de magnetron te spelen. Hij heeft de taart en serpentines meegebracht, die hij als zilveren draden over de gegroefde glazen kapjes van de koperen muurlampen hangt.

Jonathan staat stipt om twee uur voor de deur, met een plat blauw pakje en een zorgelijke adamsappel. Helen en ik halen eten uit de keuken en stallen het uit op tafel: broodjes ei met mayonaise, chocoladekoekjes in de vorm van dieren, en Charlies taart. Ik zet de balkondeur open om de lucht van de eieren weg te krijgen. Jonathan speelt met Ben op de grond en laat hem de houten puzzel zien die hij voor hem heeft gekocht. Het is een ark van Noach. Jonathan haalt de diertjes eruit, misschien in de verwachting dat Ben ze meteen in de juiste hokjes terug zal steken. Ben bijt op een houten zebra. Jonathan grist het ding uit zijn mond, waarop Ben begint te krijsen. Jonathan knippert met zijn ogen naar de taart.

Beth arriveert met Maud en Beatrice, die haar haar opzij draagt, bijeengehouden met een meisjesachtige haarspeld. 'Zal ik de muziek en de spelletjes doen?' vraagt Beatrice luid. Ze heeft een draagbare cd-speler bij zich. Niemand lijkt geïnteresseerd. Charlie haalt het ei uit een broodje en smeert het op de chocoladekoekjes. De oudere kinderen – zorgzaam opgetrommeld door Helen omdat er anders niemand kwam – willen allemaal paardjerijden op de rug van een meisje van Charlies leeftijd, dat eruitziet alsof ze op een scheepswerf is gebouwd.

'We hebben muziek nodig,' houdt Beatrice vol, met de glimlach van een hoofdonderwijzeres.

Ik heb maar één cd, de soulverzamelaar die ik van Eliza heb gekregen. Mijn favoriete muziek ligt nog steeds bij Jonathan. Beatrice zet *Sex Machine* van James Brown op. Het meisje van de scheepswerf begint te giechelen. 'Misschien is muziek niet zo'n goed idee,' zeg ik.

Er lijkt geen eind te komen aan het feestje. Ik ga steeds naar de wc om heimelijk op mijn goedkope horloge te kunnen kijken. 'Wat een ramp, hè?' zegt Beth meelevend als ze me uit de badkamer ziet komen.

'O ja? De kinderen schijnen zich wel te amuseren.' De oudere kinderen slaan elkaar nu met ballonnen. Het scheepswerfmeisje heeft een duivelskop op haar ballon geschilderd.

'Nee, dat je steeds moet plassen, bedoel ik,' zegt Beth. 'Die druk op je blaas. Hoeveel weken ben je nu heen?'

'Ik ben de tel kwijt,' zeg ik tegen haar. 'Ik geloof dat ik op tweederde ben.'

Ze werpt me een vreemde blik toe en loopt terug om Maud bij de taart vandaan te houden. Het Genie van Bethnal Green loopt al maanden als een kievit. Geen enkel kind uit de geschiedenis heeft zo vroeg leren lopen als zij. Ben kan wel staan, maar lopen is een probleem. Had ik maar meer aandacht aan zijn voeding besteed, dan zou hij nu al de halve marathon hebben gelopen.

Klokslag vier gaat iedereen er als een haas vandoor, alsof de flat in brand staat. De enige die achterblijft is Jonathan. Ondanks Beatrices pogingen tot opruimen is de flat veranderd in een slagveld. Jonathan staart naar het roze kleed, met de verspreide dieren uit Noachs ark. 'Hoe kun je hier wonen?' verzucht hij. 'Er heeft iemand op de trap gekotst, heb je dat gezien?'

'Dat is geen kots. Charlie maakte weer een mengseltje. Het is waarschijnlijk omgeschopt toen...'

'Dat joch!' zegt hij. 'Is hij hyperactief of zo?'

'Gewoon een kind.'

'Let zijn moeder niet op wat hij eet? Hij heeft bijna al die koekjes naar binnen gewerkt, en de broodjes uit elkaar gepeuterd. Ik hield hem in de gaten. Maakt het haar niets uit? Houd ze hem niet *onder de duim?*'

Als hij is vertrokken, lijkt de flat opeens opvallend rustig en ruim, als een lege schoolhal.

Ik begin te zwellen. Ik ben veel dikker dan de vorige keer, met een buik die uitdijt als pizzadeeg, tot over mijn rug. Ik draag een zwarte werkbroek uit een legerdump, en reusachtige witte slips die Superpants heten. Ik eet vijf maaltijden per dag, zonder smaak, en word een paar keer per nacht wakker om te plassen. De wc maakt een vreemd dreunend geluid als ik doortrek.

Ben vindt mijn omvang wel prettig. Hij werpt zich tegen me aan, grijpt naar mijn borsten en veegt het zweet van mijn gezicht. Het is verstikkend warm – dezelfde felle zon waar Eliza voor naar Antigua vliegt. Mijn ouders schrijven dat ze nog steeds in Roussillon zitten, waar ze zijn gevallen voor een schattige kleine korenmolen, die ze willen kopen als de verkoop van het huis in Vanvey doorgaat. Daar is belangstelling voor van een vrouw uit de buurt, die ze een gunstige prijs hebben gevraagd omdat haar zoon zo'n groot deel van de verbouwing heeft opgeknapt. Die vrouw (mijn moeder noemt haar Sylvia) wil er een hotel van maken. 'Dat hadden wij ook kunnen doen,' schrijft mijn moeder, 'maar wie zou ons moeten helpen? Sylvia's zoon, de klusjesman, is zo'n handige en ijverige jongen. Niet zo'n zwerver als jij. Hij vraagt dikwijls naar je, Nina, of je nog terugkomt. Toen we hem vertelden dat je een flat in Londen had gehuurd, keek hij kwaad. Vreemd, omdat het verder zo'n aardige jongen is.'

Charlie gaat graag met me winkelen. Hij duwt de buggy met zijn magere armpjes en slingert gevaarlijk dicht naar de stoffige stoeprand toe. De buurt zit 'in de lift', zoals Garie zou zeggen. Er komen gezinnen wonen met dure tanden en kinderen die Hannah en Max heten. Er zijn al een veganistisch restaurant en een yogacentrum bijgekomen.

Maar we hebben ook nog knakenwinkels en geheimzinnige Turkse bars met blauwe lichten en mannen die rokend in de deuropening staan, en een griezelige pub met vochtige vloerbedekking, waar je de kans loopt dat ze je ogen uit je kop steken als je limonade bestelt. Op een avond wankelt er een dronken man de pub uit en hijgt in mijn intercom dat hij weet dat ik thuis ben. 'De volgende keer zul je er spijt van krijgen, Shirley.'

Charlie draagt mijn boodschappen naar boven en zegt dat hij wel een gekookt ei zou lusten als ik nog wat van die gele marmelade heb. Ik laat hem binnen en geef hem een glas sinaasappelsap. 'Wil je nog een baby?' roept hij.

'Ja,' zeg ik. 'Hoe kom je daar zo op?'

'Mijn moeder heeft zo'n ding in haar buik van de dokter, zodat ze geen kinderen meer kan krijgen,' zegt hij. 'Dat mag niet, want er is iets met haar bloed.'

Hij laat zich op mijn nieuwe blauwe ribfluwelen bank vallen. Jonathan heeft hem besteld omdat hij vond dat ik iets moest hebben om op te zitten. Hij verschijnt elke paar dagen om de flat te inspecteren, samen met Ben met Noachs ark te spelen en verholen blikken op mijn buik te werpen.

Ze wordt drie weken te vroeg geboren, om drie minuten voor halfdrie 's nachts. Mijn dochter heeft zoveel haast dat ze plotseling in mijn armen ligt, met alleen Helen om me te helpen. De verloskundige arriveert en laat me naar het ziekenhuis brengen, vermoedelijk in shock. Helen past op Ben. Als hij wakker wordt, zal hij niets weten over een nieuw zusje of wat er is gebeurd op het kleed van de huiskamer, waar hij met zijn speelgoed speelt. Wat je al niet kunt uitspoken terwijl je baby slaapt.

Jonathan komt op bezoek op de kraamafdeling om me eraan te herinneren dat ik een shock heb. Hij heeft Ben meegenomen, in een stugge geruite tuinbroek, met zijn pony recht afgeknipt. Ben probeert in het nachtkastje in te breken, op jacht naar de chocoladekoekjes van Helen en een boek van Beth over het zonder medicamenten overwinnen van een postnatale depressie. Jonathan houdt de baby in zijn armen, maar geeft haar aan me terug als ze begint te huilen. Hij gaat op de rand van mijn bed zitten alsof hij de vering wil testen. 'Hoe voel je je?' vraagt hij.

'Goed. Ik wil naar huis.'

'Nee,' zegt hij. 'Misschien voel je je wel goed, maar dat is schijn. Het komt door je hormonen. Die houden je nu nog op de been, maar over een dag of twee stort je in.'

Ben huilt als Jonathan hem weer meeneemt. 'Toch ga ik naar huis!' roep ik hen na.

23 De eerste stapjes

IK BEN IN JONATHANS FLAT EN ALLES LIJKT WEER HETZELFDE, AFGEzien van de baby, die zachtjes in haar reiswieg ligt te dreinen, en Billy, die zijn mond houdt. Hij lijkt vetgemest door Jonathan, alsof hij een extra jas draagt. Hij zal niet zo gauw meer doorrijden tot Ongar en daar pas wakker worden om met de kikkertjes te spelen.

Ik slaap met de baby in Jonathans bed. Hij trekt zich heel beleefd zo ver mogelijk terug, als in een ander werelddeel. Als de baby wakker wordt, kijkt Jonathan hoe ik haar voed. Hij schudt mijn kussens op en haalt water voor me uit de keuken. *'Hoewel hij niet over het instrumentarium beschikt, kan een jonge vader heel veel doen om zijn partner te helpen als ze borstvoeding geeft.'*

's Ochtends fluistert hij: 'Maak je geen zorgen. Billy zoekt wel een ander adres nu jij weer terug bent.'

'Nina! Ik heb een vliegtuig neergeschoten.' Charlie speelt in het trapportaal en vuurt een onzichtbaar kanon af op de scheuren in het plafond. Hij heeft zomervakantie en is duidelijk van plan zijn tijd te verdelen tussen zijn eigen flat, met al die kinderen, en de mijne, waar er maar twee zijn. Hij is blij dat ik terug ben. Hij speelt zo graag met de magnetron. Als hij achter me aan naar binnen drentelt, grijpt hij Bens hand en zoekt naar de knop om hem te laten lopen.

Catherine belt om te melden dat marktonderzoek uitwijst dat haar potentiële lezeressen weinig heil zien in haar voorstel voor intellectuele artikelen en politieke analyses. Ze hebben liever die bekende emotionele shit. 'Wil je een stukje schrijven?' vraagt ze vermoeid. 'Wij denken aan iets als *Kan je relatie een affaire overleven?* Je weet wel. Zoek maar zo'n psychologe voor wat geneuzel over communicatie. Dat je van negatieve ervaringen veel kunt leren, bla-bla-bla.' Ze biedt me een astronomisch bedrag, waar ik mooi een stereo voor kan kopen. Misschien zelfs een nieuwe cd.

Charlie helpt me Ben in bad te doen door zijn stapelbare plastic bootjes in de kuip te gooien. Ze blijven dobberen op het schuim van Little Squirts. Als hij weg is, voed ik de baby tot ze slaapt en typ mijn stukje over vreemdgaan zonder maar één adempauze.

Mijn ouders staan voor de deur met onthutsend bruine gezichten en een bouwdoos met roestige metalen onderdelen, bedoeld voor een kind van twaalf.

Mam laat me foto's zien van een vervallen schuur en zegt: 'Je moet vooral komen als we de volgende keer naar de molen gaan. Hij moet wel worden opgeknapt, maar er zijn alle mogelijkheden om hem te verbouwen tot een, eh... ja toch, Jack?'

Pappa houdt de baby vast alsof ze een *fortune cookie* met een verontrustende boodschap is. Mams blik glijdt de kamer rond en blijft rusten op de plastic kooltjes van de elektrische haard. 'Je zit hier tijdelijk?' vraagt ze. 'Tot alles geregeld is?'

'Nee. Ik woon hier.'

Charlie komt zonder kloppen binnen en blijft stokstijf staan als hij mijn vader ontdekt in zijn ribfluwelen broek. 'Wanneer gaan ze weg?' vraagt hij.

Mam staart nog een hele tijd naar de voordeur als hij weer vertrokken is. 'Je zou ook bij ons kunnen intrekken,' zegt ze zuchtend.

Ik krijg plezier in schoonmaken. De flat is zo klein, met zo weinig vuile hoekjes, dat het belachelijk eenvoudig is. Ik heb allerlei plastic spuitflessen met middeltjes en zelfs een stofzuiger met een speciaal hulpstuk voor de bekleding. Onder het schoonmaken wil ik ideeën voor artikelen voor Catherine bedenken, maar als ik klaar ben en de badkamer heerlijk naar citroentjes ruikt, besef ik dat ik niet één keer aan mijn werk heb gedacht.

Ik werk voornamelijk 's avonds laat, als Ben en de baby slapen. Zo nu en dan wordt er op mijn deur gebonsd door dronken volk uit de kroeg met het vochtige tapijt. Het is tegen twee uur 's nachts als Jonathan belt, met een dubbele tong van de drank. 'Het is allemaal voorbij.' Het klinkt als 'fobbij'.

'Is er iets gebeurd?'

'Het spijt me,' zegt hij.

Een zwaardere mannenstem spoort hem aan. Ik hoor het kreunen van een accordeon.

'Je hoeft je nergens schuldig over te voelen,' zeg ik.

'Jawel! Dat modellenwerk... wat maakt dat nou uit? Een geweldig idee!' Hij laat een boer en verontschuldigt zich.

'Dat is allang achter de rug.'

'Het spijt me,' gaat hij dronken verder, 'van dat huis buiten de stad. Jij wilt helemaal niet verhuizen. Mij best. Sorry.'

'Sorry waarvoor?' vraag ik.

'Dat ik je hierin heb meegesleept...'

'Alsjeblieft,' zeg ik, 'kan dit morgen niet? Dan praten we verder. Je bent gewoon van streek. We hoeven niet...'

Hij heeft spijt dat hij me naar Frankrijk heeft laten gaan.

Dat hij me niet heeft gevraagd om te blijven.

Dat hij kritiek had op mijn flat.

Dat hij seksueel zo voorspelbaar is.

Dat ik niet op de begrafenis van zijn moeder mocht komen.

En dat hij op huwelijksreis naar die boerderij in Schotland wilde. Wist ik trouwens dat het niet helemaal waar was wat hij me over die vakanties had verteld? Zijn vader was erbij. Hij verzon zakenreisjes en liet zijn schilderachtige gezinnetje in de steek om een week in Schotland door te brengen met Constance en een zoon die geen 'pappa' tegen hem mocht zeggen. De man was een vriend van de familie, meer niet. Jonathan moest hem Tony noemen.

'Ik had het niet mogen doen,' jammert hij verder. 'Die nacht met Eliza. Het is maar één keer gebeurd, dat weet je toch? Eigenlijk is er niet eens wat gebeurd. Niet echt. Het was een ongelukje.' Het klinkt als 'ogglukje'.

De accordeon maakt een hol geluid.

Jonathan heeft spijt dat hij zo weinig begrip heeft getoond. Dat hij nooit luisterde. Maar hij zal echt veranderen.

'Jonathan,' zeg ik, 'ik ga naar bed.' Hij zegt nog iets, maar wordt overstemd door een gekreun als van iemand die bekneld is geraakt onder een accordeon.

Mijn dochter voegt zich in een gemakkelijk patroon van drinken, slapen en naar de natte daken staren door het raam van de balkondeur. Ze blijft heel rustig als Ben, een gigantische peuter, zich over haar heen buigt. Haar naam is Jane, kort en simpel, zoals ze ook uit mijn buik gekomen is. Volgens Beth is ze klein, kleiner nog dan Ben op die leeftijd, maar iedereen lijkt nietig vergeleken bij Maud, die nu door mijn keuken dreunt op beangstigende laarsjes.

Eliza zegt dat ze op me lijkt. Blijkbaar heeft ze mijn stevige neus, en onopvallend donker haar. Maar ik weet niet of Eliza de dingen nog wel helder ziet. Ze heeft besloten ontslag te nemen bij haar blad om exclusief te gaan werken voor de fotograaf met het grote ego. 'Hector wil me als zijn muze,' zegt ze, en als ik haar vraag wat een muze precies doet, antwoordt ze: 'Ik stimuleer hem visueel. We gaan samen iets scheppen.'

Ik waarschuw haar om voorzichtig te zijn. Kijk naar mij en Jonathan, en wat er gebeurde toen wij iets gingen scheppen! Maar Eliza krijgt een dromerige blik in haar ogen en verklaart dat ze nooit meer naar Marokko wil met fotomodellen die klagen dat ze hun vriendje zo missen.

Seks met Hector is heel anders, zegt Eliza. Heel creatief, omdat ze zijn muze is. Hij wil haar fotograferen. Blijkbaar is hij betoverd door haar hals, hoewel ze zich wel helemaal moet uitkleden voor zo'n fotosessie.

Ik lig net in bad als Ben wakker wordt. Hij brabbelt wat en rukt aan de spijlen van zijn bedje. Dat is vreemd. Sinds we hier wonen heeft hij steeds de hele nacht doorgeslapen. Ik warm zijn flesje op en neem hem op schoot. Hij drinkt rustig, met een van zijn bruine ogen op me gericht, als een rozijn. Maar de melk maakt hem niet slaperig. Hij is druk en probeert van mijn knie te klimmen. Ik zet hem neer, trek een ochtendjas aan en open de deur naar het balkon.

Er is een karaokeavond in de kroeg en een groep meisjes dromt naar binnen, kakelend als kippen. Ben zit in de donkere woonkamer en rammelt met de plastic zak met de metaalbouwdoos. Over het balkon heen staar ik naar de vergeten daktuintjes en een hemel die nooit echt donker wordt. '*I wil always love you-hoo,*' hoor ik iemand zingen.

Als ik omkijk naar Ben, staat hij overeind, zonder een hand om hem vast te houden, zonder steun aan wat dan ook. Hij wankelt naar me toe, naar de daken en die valse zangeres, die nu klinkt alsof haar kiezen zonder verdoving worden getrokken. Stapje voor stapje nadert hij over het goedkope roze kleed, op weg naar de balkondeur. Daar redt hij het niet langer en valt met zijn hoofdje tegen de deurpost.

Ik verwacht een huilbui of zelfs bloed en een paniekerige rit naar het ziekenhuis, maar zijn lippen krullen zich tot een lachje, zoals je in advertenties ziet. Er is niets ergs gebeurd, geen ramp.

'Je loopt,' zeg ik tegen hem. 'Je kunt zelf lopen!'

Hij kijkt me aan alsof dat de eerste verstandige woorden zijn die hij ooit van me heeft gehoord.